ROULETTE RUSSE

Anthony Horowitz

Alex Rider

ROULETTE RUSSE

Traduit de l'anglais (Royaume-Uni)
par Annick Le Goyat

hachette

Dans la série des aventures d'Alex Rider,
espion malgré lui :

Tome I. Stormbreaker
Tome II. Pointe blanche
Tome III. Skeleton Key
Tome IV. Jeu de tueur
Tome V. Scorpia
Tome VI. Arkange
Tome VII. Snakehead
Tome VIII. Les larmes du crocodile
Tome IX. Le réveil de Scorpia

L'édition originale de cet ouvrage a paru en langue anglaise
(Royaume-Uni)
chez Walker Books Ltd sous le titre :

RUSSIAN ROULETTE

Text © 2013 Stormbreaker Productions Ltd.

Traduit de l'anglais (Royaume-Uni)
par Annick Le Goyat

Cover design by Walker Books Ltd
Trademarks Alex Rider™ ; Boy with Torch Logo™
© 2013 Stormbreaker Productions Ltd

Prologue

—

Avant l'assassinat

Il avait choisi la chambre d'hôtel avec soin.

En traversant le hall de réception, il enregistra mentalement les personnes présentes. Deux réceptionnistes, dont un au téléphone. Un client japonais qui remplissait sa fiche d'hôtel, sans doute natif de Miyazaki à en juger par son accent du Sud. Un concierge qui imprimait un plan de la ville pour un couple de touristes. Un agent de sécurité, visiblement originaire d'Europe de l'Est, qui affichait son ennui debout près de la porte. Aucun détail ne lui échappait. Si les lumières s'étaient subitement éteintes, ou s'il avait fermé les yeux, il aurait pu continuer de marcher exactement du même pas.

Personne ne lui prêtait attention. C'était un de ses talents, une technique qu'il avait apprise. L'art de passer inaperçu. Même ses vêtements – un jean de qualité, un pull en cachemire gris et un manteau ample – avaient été choisis pour leur neutralité. C'étaient des articles de marques connues mais il en avait coupé les étiquettes. Dans le cas improbable où il aurait été arrêté, la police aurait eu bien du mal à découvrir leur provenance.

Il avait vingt-huit ans. Des cheveux blonds, coupés court, et un regard glacé à peine teinté de bleu. Pas très grand ni large d'épaules, il possédait une sorte d'élégance et se mouvait comme un athlète – à la manière d'un sprinter s'approchant des starting-blocks. Cependant il émanait de lui une impression de danger, le sentiment qu'il valait mieux ne pas l'énerver. Il portait sur lui trois cartes de crédit et un permis de conduire délivré à Swansea, au pays de Galles, tous au nom de Matthew Reddy. Une simple vérification policière aurait établi qu'il travaillait comme entraîneur personnel dans une salle de sport londonienne et qu'il habitait à Brixton. Son véritable nom était Yassen Gregorovitch. Il avait passé la moitié de sa vie à exercer le métier de tueur.

L'hôtel était situé à King's Cross, un quartier de Londres dépourvu de boutiques attrayantes et de restaurants convenables, où personne ne s'attarde plus longtemps que nécessaire. L'établissement, dénommé Le Voyageur, faisait partie d'une chaîne. Confortable et pas trop cher, c'était un de ces hôtels qui n'ont pas de clients réguliers, mais des hommes voyageant pour affaires aux frais de leur société. Ils buvaient un verre au bar, commandaient un « petit déjeuner anglais complet » au restaurant Beefeater brillamment éclairé. Ils étaient trop occupés pour lier connaissance et savaient qu'ils n'auraient guère l'occasion de revenir. Cela convenait parfaitement à Yassen. Il aurait pu séjourner au Ritz, ou au Dorchester, mais les réceptionnistes y étaient formés pour mémoriser les visages qui franchissaient les portes à tambour, et il fuyait ce type d'attention personnalisée.

Une caméra en circuit fermé le filma alors qu'il approchait des ascenseurs. Il avait conscience de sa présence clignotante au-dessus de son épaule gauche. C'était fâcheux mais inévitable. Londres possédait plus de caméras de surveillance que n'importe quelle autre ville d'Europe ; la police et les services secrets avaient accès aux enregistrements. Yassen s'appliqua à ne pas lever les yeux. Une caméra vous remarque si vous la regardez. Il passa devant les ascenseurs sans s'y arrêter et se faufila par une porte coupe-feu menant aux escaliers. Jamais il ne lui serait venu à l'idée de s'enfermer dans un espace réduit, une boîte de métal pourvue de portes qu'il ne pouvait ouvrir, entouré d'étrangers. Une pure folie. Il préférait gravir quinze étages si c'était nécessaire – sans d'ailleurs être essoufflé en arrivant en haut. Yassen prenait grand soin de sa condition physique ; il passait deux heures par jour à la salle de sport quand ce luxe lui était possible, ou s'entraînait seul quand cela ne l'était pas.

Au Voyageur, sa chambre se trouvait au deuxième étage. Il avait soigneusement étudié l'hôtel sur le site Internet avant de faire sa réservation, et la chambre 217 était l'une des quatre répondant à ses exigences. Trop élevée pour que l'on puisse l'atteindre de la rue, mais suffisamment basse pour que lui-même puisse sauter par la fenêtre en cas d'urgence. Il n'y avait pas de vis-à-vis, et la situation des immeubles alentour rendait difficile une surveillance de l'hôtel. Quand Yassen se couchait, il n'avait pas besoin de tirer les rideaux. Il aimait voir l'extérieur, observer les mouvements dans la rue. Chaque ville possède un rythme naturel, et la moindre rupture dans ce rythme – un homme rôdant à une intersection, une voiture empruntant deux fois de suite le même chemin – le prévenait qu'il était temps de filer sans tarder. Il ne dormait jamais plus de quatre heures, même dans le plus confortable des lits.

L'écriteau « Ne pas déranger » était accroché sur sa porte. Avait-on obéi à cette injonction ? Yassen sortit de sa poche de pantalon un petit instrument argenté, à peu près de la taille et de la forme d'un stylo. Il en pressa une extrémité et une mince couche de DFO – simple révélateur chimique – recouvrit la poignée de la porte. Ensuite il retourna le stylo et pressa rapidement l'autre extrémité, ce qui eut pour effet d'activer une lumière fluorescente. Pas d'empreintes. Si un intrus avait pénétré dans la chambre en son absence, celui-ci avait effacé ses traces. Yassen rangea le stylo, puis s'agenouilla pour examiner le bas de la porte. Plus tôt dans la journée, il avait placé un cheveu sur l'interstice. C'était l'un des plus vieux procédés du monde, mais il n'avait rien perdu de son efficacité. Le cheveu était toujours en place. Yassen se redressa et ouvrit la porte avec son passe électronique.

Il lui fallut moins d'une minute pour s'assurer que tout était exactement là où il l'avait laissé. Sa mallette à 4,6 centimètres du bord du bureau. Sa valise à un angle de 95 % du mur. Aucune empreinte sur les serrures. Il ôta le petit appareil à enregistrement numérique aimanté sur le côté du réfrigérateur et vérifia le cadran. Rien n'avait été enregistré. Personne n'était entré dans la chambre. Bien des gens auraient trouvé ces précautions ennuyeuses et chronophages, mais pour Yassen elles faisaient partie de sa routine quotidienne, au même titre que lacer ses chaussures ou se brosser les dents.

Il était dix-huit heures et douze minutes lorsqu'il s'assit devant le bureau et ouvrit son ordinateur, un

MacBook Apple. Son mot de passe, composé de dix-sept caractères, était changé chaque mois. Yassen ôta sa montre et la posa sur le bureau à côté de lui. Puis il se connecta sur eBay, cliqua sur « Collections », et fit défiler le menu jusqu'à « Monnaies anciennes ». Il trouva bientôt ce qu'il cherchait : une pièce en or sur laquelle figurait la tête de l'empereur Caligula, avec la date : 11. Aucune enchère n'était mise sur cette pièce car, comme le savaient tous les collectionneurs, elle n'existait pas. En l'an 11 après Jésus-Christ, à Rome, l'empereur fou Caligula n'était même pas encore né. La page entière était mensongère, et en avait l'air. Le nom du vendeur numismate, Mintomatic, avait été spécialement choisi pour écarter tout acheteur normal. Mintomatic était soi-disant basé à Shanghai et n'avait pas de statut de vendeur performant. Toutes les pièces de monnaie qu'il proposait étaient soit fausses soit sans valeur.

Yassen attendit patiemment jusqu'à dix-huit heures quinze. À l'instant précis où l'aiguille des secondes dépassait le chiffre douze, il cliqua sur le bouton pour mettre une enchère, puis il indiqua son nom d'utilisateur – faux, bien entendu – et son mot de passe. Pour finir, il tapa une enchère de 2 518 livres et quinze cents. Les chiffres étaient inscrits à la date et à l'heure exactes. Il cliqua sur « Valider » et une fenêtre s'ouvrit qui n'avait rien à voir avec eBay ni avec les monnaies romaines. Personne d'autre que Yassen n'aurait pu la voir. Et personne n'aurait pu tracer son origine. Le message avait rebondi à travers douze pays via un réseau anonyme avant de lui parvenir. On appelle cela une opération « oignon » en raison de ses couches superposées. Le message était également passé au travers d'un tunnel crypté, un protocole sécurisé qui veillait à ce que seul Yassen puisse le lire.

Si, par accident, quelqu'un était arrivé sur la même fenêtre, il n'aurait vu que des mots sans signification et, dans les trois secondes, un virus aurait attaqué son ordinateur et détruit la carte mère. L'ordinateur Apple de Yassen, en revanche, avait été autorisé à recevoir le message, et Yassen lut ces trois mots :

TUEZ ALEX RIDER

Exactement ce à quoi il s'attendait.

Yassen savait depuis toujours que ses employeurs tenaient à châtier le responsable du désastre de l'opération Stormbreaker. Lui-même se demandait s'il ne serait pas puni par une mise à la retraite d'office... et définitive. C'était une question de simple bon sens. Ceux qui échouaient étaient éliminés. Il n'y avait pas de seconde chance. Heureusement pour lui, Yassen n'avait participé à cette opération que comme sous-traitant. Ce n'était pas lui qui l'avait dirigée, il ne pouvait donc supporter le blâme de son fiasco. Mais Alex Rider devait servir d'exemple. Qu'il n'ait que quatorze ans importait peu. Demain, il devrait mourir.

Yassen contempla l'écran quelques secondes encore avant d'éteindre l'ordinateur. Jusque-là, il n'avait jamais tué un enfant, mais cette perspective ne le troublait pas. Alex Rider avait fait ses propres choix. Il s'était laissé recruter par le service des Opérations spéciales du MI6. De collégien, il était devenu espion. C'était inhabituel, bien sûr, pourtant le jeune Rider avait remarquablement réussi dans sa mission. La chance du débutant, peut-être. En tout cas, il avait fait rater une opération dont le montage avait nécessité plusieurs années, causé la mort de deux agents, et fâché plusieurs personnages très puissants. Il méritait amplement le sort qu'on lui réservait.

Et pourtant…

Yassen resta assis sans bouger devant l'ordinateur éteint. Rien n'avait changé dans son expression, sauf peut-être une lueur qui vacillait tout au fond de son regard. Dehors, le soleil commençait à décliner et le ciel se teintait d'un gris dur, impitoyable. Les rues grouillaient de banlieusards pressés de rentrer chez eux. Tous ces gens n'étaient pas seulement de l'autre côté d'une fenêtre d'hôtel, ils appartenaient à un autre monde. Yassen ne serait jamais l'un des leurs, il le savait. Il ferma brièvement les yeux. Il songeait à ce qui s'était passé. À Stormbreaker. Qu'est-ce qui avait mal tourné ?

Pour ce qui le concernait, il s'agissait d'une banale mission de routine. Un homme d'affaires libanais, Herod Sayle, avait voulu acheter deux cents litres d'un virus mortel de variole dénommé R5, et il avait pris contact avec la seule organisation capable de lui en procurer une telle quantité. Cette organisation s'appelait Scorpia. Le sigle signifiait Sabotage, Corruption, Intelligence et Assassinat, ses activités principales. Le R5 était un produit chinois, fabriqué illégalement dans une usine près de Guiyang, or l'un des membres directeurs de Scorpia se trouvait par hasard être chinois. Le Dr Three possédait un vaste réseau de contacts en Extrême-Orient et il avait usé de son influence pour organiser l'achat du R5. Le travail de Yassen consistait seulement à superviser la livraison au Royaume-Uni.

Six semaines plus tôt, il avait pris un avion pour Hong Kong, quelques jours avant le R5, lequel était acheminé depuis Guiyang à bord d'un avion privé, un turbopropulseur Xian MA60. Le plan consistait à le transporter ensuite sur un porte-conteneurs jusqu'à Rotterdam, dissimulé dans une cargaison de bière chinoise « Chance du Dragon ». Des tonneaux spéciaux avaient été fabriqués dans une usine de Kowloon, avec des récipients en verre armé contenant le R5 flottant à l'intérieur du liquide. Plus de cinq mille porte-conteneurs naviguent sur les mers en même temps, et environ dix-sept millions de livraisons sont effectuées chaque année. Aucun service douanier au monde ne peut surveiller tous les cargos. Yassen était certain que le voyage se déroulerait sans anicroche. On lui avait donné un faux passeport et des papiers au nom de Erik Olsen, matelot de marine marchande originaire de Copenhague, et l'ordre de convoyer le R5 jusqu'à destination.

Mais, comme c'est souvent le cas, les choses ne s'étaient pas déroulées comme prévu. Quelques jours avant le départ programmé des tonneaux, Yassen s'était aperçu que l'usine était surveillée. Il avait eu de la chance. Une cigarette allumée derrière une fenêtre dans un bâtiment qui aurait dû être vide l'avait alerté. Profitant de l'obscurité, il avait pu se faufiler dans Kowloon et identifier une équipe composée de trois agents de l'AIVD – Algemene Inlichtingen en Veiligheidsdienst –, autrement dit les services secrets néerlandais. Les trois agents avaient visiblement été renseignés. Ils ignoraient ce qu'ils cherchaient, mais ils savaient que quelque chose allait être livré dans leur pays. Yassen avait été obligé de les tuer, avec un Beretta 92 à silencieux, pistolet qu'il affectionnait particulièrement en raison de sa précision et de sa fiabilité. Dès lors, le R5 ne pouvait plus voyager dans un porte-conteneurs. Il avait fallu imaginer un plan de secours.

Or il se trouvait qu'un sous-marin nucléaire chinois de classe Han subissait d'ultimes réparations à Hong Kong avant de partir en exercice dans l'Atlantique Nord. Yassen s'était arrangé pour rencontrer le commandant dans un club privé surplombant le port, et lui avait offert un bakchich de deux millions de dollars pour transporter le R5. Il avait informé ses employeurs de sa décision, et les chefs de Scorpia, bien que conscients de la perte financière, y avaient vu certains avantages. Transporter le R5 de Rotterdam au Royaume-Uni présentait des difficultés et des dangers. L'entreprise de Herod Sayle étant basée en Cornouailles, avec un accès direct sur la côte, cette nouvelle stratégie diminuait les risques de la livraison.

Deux semaines plus tard, par une nuit d'avril fraîche et sans nuages, le sous-marin fit surface près de la côte des Cornouailles. Yassen, toujours sous l'identité d'Erik Olsen, avait accompagné le chargement. Il avait beaucoup apprécié la traversée silencieuse dans les profondeurs de l'océan, enfermé dans un tube de métal, et le fait que l'équipage chinois ait reçu l'ordre de ne pas échanger un mot avec lui. Il avait repris le commandement une fois sur la terre ferme pour superviser le transfert des caisses de virus et des autres marchandises commandées par Herod Sayle. Le déchargement n'avait pas traîné. Le commandant du sous-marin avait prévenu qu'il n'attendrait pas plus de trente minutes. Il voulait bien recevoir deux millions de dollars sur un compte en Suisse mais n'avait pas la moindre envie de provoquer un incident international, ce qui lui aurait inévitablement valu d'être traduit devant une cour martiale, puis exécuté.

Trente gardes avaient aidé au transport des caisses dans les camions ; flottant près du rivage sous la clarté de la demi-lune, le sous-marin, à demi immergé dans les eaux gris ardoise de la Manche, offrait un spectacle fantastique et irréel. Presque tout de suite,

Yassen avait senti que quelque chose n'allait pas. On les observait. Il en était sûr. Certaines personnes appellent cela l'instinct animal ; pour Yassen, c'était beaucoup plus simple. Il était en service actif depuis neuf ans, neuf années au cours desquelles il avait aiguisé ses sens dans le seul but de survivre. Même s'il n'avait rien vu ni entendu, une voix intérieure lui soufflait que quelqu'un se cachait à une vingtaine de mètres derrière un amas de rochers sur la plage.

Il s'apprêtait à aller s'en assurer lorsque l'un des hommes de Sayle, qui avançait sur la jetée de bois, laissa tomber l'une des caisses. Le choc du métal contre le bois fit voler en éclats le calme de la nuit. Yassen se retourna d'un bloc, oubliant tout le reste. L'espace limité à l'intérieur du sous-marin les avait contraints à abandonner les tonneaux de bière et à transférer le R5 dans des caisses en aluminium moins protectrices. Yassen savait que si la fiole de verre à l'intérieur de la caisse se brisait, si le joint de caoutchouc était endommagé, toutes les personnes présentes sur la plage mourraient avant le lever du soleil.

Il se précipita et s'agenouilla pour évaluer les dégâts. L'un des côtés de la caisse était légèrement bosselé, mais le joint avait tenu.

Le garde le regardait avec un sourire hésitant. Beaucoup plus âgé que Yassen, c'était probablement un ex-détenu recruté après sa sortie d'une prison locale. Il avait peur et s'efforçait de minimiser son erreur.

— Je ne recommencerai plus !

— Non, tu ne recommenceras plus, répondit Yassen.

Il abattit l'homme d'une balle de Beretta en pleine poitrine, qui le projeta en arrière dans les ténèbres et dans la mer, sous la jetée. Il était indispensable de faire un exemple pour éviter d'autres maladresses.

Assis dans la chambre d'hôtel face à son ordinateur, Yassen se repassait le film des événements. Il était quasiment certain que c'était Alex Rider qui se dissimulait derrière les rochers, cette nuit-là. Sans l'incident de la caisse, il aurait été découvert. Alex avait infiltré Sayle Entreprises en se faisant passer pour le vainqueur d'un concours de magazine. Il avait réussi à se faufiler hors de sa chambre, à échapper aux gardes et aux projecteurs, et il avait suivi le convoi qui descendait vers la plage. C'était la seule explication possible. Plus tard, Alex avait pisté Herod Sayle à Londres. Malgré son manque d'expérience et d'entraînement, il était déjà responsable de la mort de deux des associés de Sayle – Nadia Vole et le serviteur à la gueule cassée, Mr Grin. C'était sa première mission, pourtant il avait anéanti Stormbreaker à lui seul. Sayle avait eu de la chance de pouvoir s'échapper juste avant l'arrivée de la police.

TUEZ ALEX RIDER

C'était tout ce qu'il méritait. En sabotant l'opération, Alex avait fait perdre à Scorpia au moins cinq millions de livres : le solde de la somme due par Herod Sayle. Pire, Alex avait terni la réputation internationale de l'organisation. Il fallait donc lui donner une leçon.

On toqua à la porte. Yassen avait commandé un repas au service en chambre. Non seulement c'était plus facile de dîner dans l'hôtel, mais surtout c'était plus sûr. À quoi bon se mettre en danger inutilement ?

— Posez le plateau devant la porte !

Yassen parlait l'anglais sans la moindre trace d'accent russe, et s'exprimait avec la même facilité en français, en allemand et en arabe.

La pièce était maintenant plongée dans l'obscurité. Son dîner refroidissait rapidement dans le couloir. Il n'avait pas bougé du bureau. Il tuerait Alex Rider le lendemain matin. Pas question de désobéir aux ordres. Peu importait le lien qui les unissait. Ce lien, qu'Alex ignorait, s'appelait John Rider. C'était le père d'Alex.

John et Yassen. Noms de code : Hunter et Cossack. Le Chasseur et le Cosaque.

Yassen ne put s'en empêcher. Il sortit de sa poche une clé de voiture, une de ces clés munies de deux petits boutons de télécommande pour ouvrir et fermer les portières. Mais celle-ci ne commandait aucune voiture. Il pressa le bouton d'ouverture deux fois, puis le bouton de fermeture trois fois. Aussitôt, une clé USB jaillit dans sa paume. C'était une folie de la porter sur soi, il le savait. Il avait souvent été tenté de la détruire. Mais tout homme a ses faiblesses. C'était la sienne. Il rouvrit l'ordinateur et y inséra la clé USB.

Le fichier requérait un autre mot de passe. Il le fournit. Un texte apparut sur l'écran, non pas en lettres romaines, mais en cyrillique, l'alphabet russe.

Son journal intime. L'histoire de sa vie.

Yassen se renversa contre le dossier de sa chaise et commença à lire.

Дома

À la maison

— Yasha ! Il n'y a plus d'eau. Va au puits !

J'entends encore ma mère m'appeler. C'est étrange de m'imaginer dans la peau d'un adolescent de quatorze ans, enfant unique, vivant dans un village situé à six cents kilomètres de Moscou. Je me vois, mince et sec, les cheveux blonds, des yeux bleus toujours un peu étonnés. Tout le monde dit que je suis petit pour mon âge et que je devrais manger davantage de protéines. Comme si on pouvait disposer à volonté de viande fraîche ou de poisson ! Je n'ai pas encore passé de nombreuses heures à m'entraîner et mes muscles sont frêles. Je suis vautré dans le salon, devant l'unique télévision de la maison. C'est un poste énorme et laid, dont l'image est souvent vacillante. Le nombre de chaînes est limité. Pour aggraver les choses, les pannes d'électricité sont fréquentes et on a de fortes chances, au beau milieu d'un film intéressant ou d'un programme d'informations, de se retrouver dans le noir. Mais chaque fois que je le peux, j'essaie de regarder un documentaire. Ça me passionne. C'est mon unique fenêtre sur le monde extérieur.

C'est de la Russie que je parle, une dizaine d'années avant la fin du XXe siècle. Ce n'est pas si vieux, pourtant le pays que je décris n'existe déjà plus. Les changements survenus dans les grandes villes se sont transformés en un tsunami qui a submergé le pays entier, même s'ils ont mis un peu plus de temps à atteindre le village où j'ai grandi. Les maisons n'avaient pas l'eau courante, c'est pourquoi, trois fois par jour, je devais me rendre au puits avec un harnais de cuir sur les épaules et deux seaux en métal au bout des bras. Je parlais comme un paysan et j'ai sans doute souvent eu l'air d'en être un, avec ma large chemise sans col et mon gilet sans manches. Mais je possédais un jean américain, qu'un parent m'avait envoyé de Moscou, et je me souviens que tous les regards se tournaient vers moi lorsque je le portais. Un jean ! On aurait cru un objet venu d'une planète lointaine. Mon prénom était Yasha, pas Yassen. Je suis devenu Yassen par accident.

Pour expliquer ce qui m'est arrivé, je dois commencer par Estrov. Personne ne prononce plus ce nom. Le village ne figure même plus sur la carte. Selon les autorités russes, il n'a jamais existé. Pourtant je me le rappelle bien. Une bourgade d'environ quatre-vingts maisons de bois entourées de champs, avec une église, une épicerie, un poste de police, des bains publics et une rivière d'un bleu éclatant en été mais gelée une grande partie de l'année. La route unique servait peu tant les voitures étaient rares. Notre voisin, M. Vladimov, avait un tracteur qui passait devant

chez nous avec un grondement de tonnerre en souf-
flant une fumée grasse et noire, mais j'étais davantage
habitué à me réveiller au son des sabots des chevaux.
Le village était coincé entre une forêt très dense au
nord, et des collines au sud et à l'ouest, si bien que
le panorama ne changeait jamais vraiment. Parfois,
quand des avions nous survolaient, je songeais à leurs
passagers, là-haut, en partance pour l'autre côté du
monde. Si je travaillais dans le jardin, je me figeais
pour les observer, avec leurs ailes scintillantes et le
soleil dardant sur leur peau de métal, jusqu'à ce qu'ils
aient disparu, ne laissant derrière eux que l'écho de
leurs moteurs. Les avions me rappelaient qui j'étais
et ce que j'étais. Mon univers se réduisait à Estrov et
je n'avais pas besoin d'un aéroplane pour me transporter d'un bout du village à l'autre.

La maison familiale était petite et simple, faite de
planches de bois peint, avec des volets aux fenêtres et,
sur le toit, une girouette qui couinait toute la nuit par
grand vent. Elle se trouvait près de l'église, à l'écart
de la rue principale bordée de maisons identiques.
Des fleurs et des ronces poussaient au pied des murs
et rampaient lentement vers le toit. Il n'y avait que
quatre pièces. Mes parents dormaient à l'étage. Moi,
à l'arrière, mais je devais partager ma chambre avec
quiconque passait la nuit chez nous. Ma grand-mère
occupait la chambre voisine de la mienne, mais elle
préférait dormir dans une sorte d'alcôve, au-dessus du
fourneau de la cuisine. C'était une femme minuscule
au teint très sombre et, quand j'étais petit, j'imaginais
que sa peau avait été cuite par les flammes.

À Estrov, il n'y avait pas de gare. Ce n'était pas
un village assez important. Il n'y avait pas non plus
de service de bus ni aucun transport d'aucune sorte.
J'allais à l'école dans un bourg voisin, qui était un

peu plus grand qu'Estrov et aimait se considérer comme une ville. C'était à trois kilomètres, au bout d'une route de terre, poussiéreuse et grêlée de trous en été, boueuse et enneigée en hiver. La bourgade s'appelait Rosna. J'y allais chaque jour, par n'importe quel temps, et j'étais battu si j'arrivais en retard. Mon école était une grosse bâtisse carrée en briques, à trois niveaux. Toutes les classes avaient la même taille. L'établissement accueillait environ cinq cents élèves, filles et garçons mélangés. Certains y venaient par le train ; ils se déversaient sur le quai les yeux encore tout ensommeillés. Car Rosna possédait une gare. Les habitants en étaient si fiers que, les jours de fête, ils la décoraient de fleurs. Pourtant c'était une vilaine baraque déglinguée, où neuf trains sur dix ne prenaient même pas la peine de s'arrêter.

Les élèves étaient très élégants. Les filles portaient une robe noire avec un tablier vert, et leurs cheveux noués avec un ruban. Nous, les garçons, avions l'air de petits soldats, avec notre uniforme gris et un foulard rouge autour du cou. Si nous avions de bonnes notes, on nous remettait un badge avec un slogan. « Travail actif », « Chef de classe », ce genre de choses. Je ne me souviens pas beaucoup de ce que j'ai appris à l'école. Qui s'en souvient ? L'histoire était une matière importante. L'histoire de la Russie, bien sûr. Nous apprenions par cœur des poèmes que nous récitions debout à côté de notre pupitre. Nous avions aussi des cours de maths et de sciences. La plupart des professeurs étaient des femmes mais le principal était un homme : Lavrov. D'un caractère colérique, petit et large d'épaules, il avait de longs bras qui lui permettaient d'empoigner un élève par le cou et de l'épingler contre le mur.

— Tu travailles mal, Léo Tretyakov ! tonnait-il. J'en ai assez de toi. Ressaisis-toi, ou fiche le camp d'ici !

Lavrov terrorisait même les professeurs. Mais, au fond, c'était un brave homme. En Russie, on nous apprenait à respecter nos professeurs, et il ne m'est jamais venu à l'esprit que ses fureurs titanesques étaient anormales.

J'étais heureux à l'école et j'obtenais de bons résultats. Nous avions un système à base d'étoiles. Toutes les deux semaines, les professeurs nous donnaient une note. J'étais toujours un élève « cinq étoiles », un *pyatiorka*. Mes matières fortes étaient la physique et les maths, considérées comme majeures par les autorités russes. On ne nous laissait pas oublier que Youri Gagarine avait été le premier homme envoyé dans l'espace. Une photographie de lui trônait dans l'entrée principale et chacun était supposé le saluer au passage. J'étais bon en sport, et je me souviens que les filles de ma classe m'acclamaient quand je marquais un but. À l'époque, les filles ne m'intéressaient pas beaucoup. J'étais content de bavarder avec elles, mais je n'aimais pas spécialement traîner en leur compagnie après l'école. Mon meilleur ami était Léo, dont je viens de parler. Nous étions inséparables.

Léo Tretyakov était petit, maigre, avec des oreilles décollées, des taches de rousseur et des cheveux roux. Il riait en se déclarant le garçon le plus laid du district, et j'avais du mal à le contredire. De plus, il n'était pas très brillant. C'était un *dvoyka*, un élève « deux étoiles », et il était en conflit permanent avec les professeurs. Ils ont fini par renoncer à le punir parce que ça ne changeait absolument rien et qu'il continuait de rêvasser au fond de la classe. Pourtant, c'était la star de notre NVP, la classe d'entraînement militaire, que nous suivions tout au long de notre scolarité. Excellent tireur, Léo était capable de démonter un fusil-mitrailleur AK-47 en douze secondes, et de le remonter en quinze. Deux fois par an, nous participions à des jeux militaires, et quand il fallait concourir contre d'autres écoles, en utilisant une carte et une boussole pour trouver notre chemin dans la forêt, c'était toujours Léo qui nous menait et nous faisait gagner.

J'aimais Léo parce qu'il n'avait peur de rien et qu'il me faisait rire. Nous ne nous quittions pas. Nous mangions notre sandwich dans la cour, en le faisant glisser avec une gorgée de vodka qu'il avait volée chez lui et apportée à l'école dans un des vieux flacons de parfum de sa mère. Nous fumions des cigarettes dans le bois proche du bâtiment principal, en toussant horriblement parce que le tabac était âcre. Les toilettes de l'école n'avaient pas de cloisons et nous nous asseyions souvent côte à côte pour faire ce que nous avions à faire ; cela peut paraître dégoûtant mais c'était ainsi. Chaque élève devait apporter son papier hygiénique, mais Léo oubliait toujours le sien et je le voyais honteusement arracher les pages de son cahier d'exercices. C'est ainsi qu'il perdait ses devoirs. Mais les devoirs de Léo – il était le premier à l'admettre – ne méritaient probablement pas mieux.

La période la plus agréable était l'été. Nous faisions d'interminables balades à bicyclette sur les routes de la région, dévalant les pentes à toute vitesse avant de rétropédaler furieusement pour ralentir, car c'était le seul moyen de s'arrêter. Tout le monde possédait le même modèle de bicyclette : de véritables engins de mort, sans suspensions, sans lumières et sans freins. Nous roulions sans but précis, et c'était ça le plus amusant. Nous inventions un monde peuplé de loups et de vampires, de fantômes et de guerriers cosaques, au milieu desquels on se pourchassait. À notre retour au village, nous allions nager dans la rivière, malgré les parasites qui grouillaient dans l'eau et pouvaient nous rendre malades. Léo et moi allions toujours ensemble aux bains publics, où l'on se fouettait mutuellement avec des feuilles de bouleau dans la salle de sauna car c'était censé être bénéfique pour la circulation.

Les parents de Léo travaillaient dans la même usine que les miens, mais mon père, qui avait autrefois étudié à l'université de Moscou, était supérieur en grade. L'usine employait environ deux cents personnes, que des cars allaient chercher à Estrov, Rosna et d'autres bourgades. Je dois dire que cette usine était pour moi une source constante de perplexité. Pourquoi l'avait-on bâtie au milieu de nulle part ? Pourquoi ne la voyait-on pas ? Une clôture de barbelés l'entourait et une milice armée en gardait l'entrée. Ça n'avait aucun sens. On n'y produisait que des pesticides et divers engrais agricoles. Mais dès que j'interrogeais mes parents, ils changeaient de sujet. Le père de Léo était en charge des transports et responsable des autocars. Mon père à moi était chimiste. Ma mère travaillait comme secrétaire à la direction. C'était à peu près tout ce que je savais.

En fin d'après-midi, l'été, Léo et moi avions l'habitude de nous asseoir au bord de la rivière pour discuter de notre avenir. Tout le monde voulait quitter Estrov. En dehors du travail, il n'y avait rien à y faire, et la moitié des habitants étaient ivres en permanence. Je n'invente rien. Pendant les mois d'hiver, l'épicerie du village n'avait pas le droit d'ouvrir avant dix heures du matin, sinon les gens s'y précipitaient dès le lever du jour pour acheter leur vodka. En décembre et en janvier, il n'était pas rare de voir des fermiers du coin étendus par terre, à demi recouverts de neige et probablement à demi morts après avoir avalé une bouteille entière. Nous étions les laissés-pour-compte d'un monde en pleine mutation. Pourquoi mes parents avaient choisi de venir ici était pour moi un autre mystère.

Léo se moquait d'aller un jour travailler à l'usine, comme tout le monde, mais j'avais d'autres ambitions. Pour des raisons que je ne saurais expliquer, je m'étais toujours considéré comme différent des autres. Peut-être parce que mon père avait autrefois été professeur dans une grande université et qu'il savait ce qu'était la vie en dehors d'un village. En tout cas, quand je voyais les avions disparaître au loin, je me racontais qu'ils essayaient de me dire quelque chose. Que je pourrais, moi aussi, être à bord de l'un d'eux. Qu'il existait une vie en dehors d'Estrov, et que je pourrais la découvrir un jour.

Je ne l'avais avoué à personne d'autre que Léo, mais je rêvais de devenir pilote d'hélicoptère. J'avais vu une émission à la télévision qui avait enflammé mon imagination. Je dévorais tout ce qui traitait des hélicoptères. J'empruntais des livres à la bibliothèque de l'école, je découpais les articles dans les magazines. À treize ans, je connaissais les noms de toutes les pièces d'un appareil. Je savais comment l'hélicoptère, pour voler, utilise les forces contraires. La seule chose que j'ignorais, c'était ce qu'on ressent quand on est assis dedans.

— Tu crois que tu partiras d'ici, un jour ? m'a demandé Léo un soir, alors que nous fumions une cigarette allongés dans les hautes herbes. Que tu vivras dans une ville, et que tu auras ton propre appartement et une voiture ?

— Comment veux-tu que j'y arrive ?

— Tu es intelligent. Tu peux aller à Moscou. Apprendre à piloter.

J'ai secoué la tête. Léo était mon meilleur ami. Malgré mes désirs secrets, je ne parlais jamais de la possibilité de notre séparation.

— De toute façon, mes parents ne me laisseraient sûrement pas partir. Et puis, pourquoi je voudrais m'en aller ? C'est chez moi, ici.

— Estrov est un trou.

— Mais non.

Je regardais la rivière, l'eau vive qui roulait sur les rochers, les bois alentour, la piste boueuse qui traversait le village. Au loin, on apercevait la flèche de Saint-Nicholas. Le village n'avait pas de prêtre attitré. L'église était fermée, mais son ombre s'étirait presque jusqu'à notre porte et elle faisait partie de mon enfance. Léo avait peut-être raison. Ce n'était pas grand. Mais c'était chez moi.

— Je suis heureux, ici, Léo. Et ce n'est pas si mal.

À cet instant, j'étais sincère. Je me souviens de mes paroles. Je sens encore l'odeur de la fumée venant d'un feu, quelque part, de l'autre côté du village. J'entends le bruit de la rivière. Je vois Léo, un brin d'herbe entre les doigts, nos bicyclettes couchées l'une sur l'autre. Quelques volutes de nuages flottent paresseusement dans le ciel. Soudain, un poisson fend la surface de l'eau et j'aperçois ses écailles argentées qui scintillent sous le soleil. C'est un doux après-midi de début octobre. Dans vingt-quatre heures, tout aura changé. Estrov n'existera plus.

Quand je suis rentré, ce soir-là, ma mère préparait déjà le dîner. La nourriture était un sujet de conversation permanent dans notre village parce que nous en manquions. Chaque famille cultivait des légumes. Nous avions de la chance : outre le potager, nous possédions une douzaine de poules, toutes bonnes pondeuses, qui nous donnaient de beaux œufs (sauf quand nos voisins venaient subrepticement nous les voler). Ma mère préparait une jardinière de légumes, avec des pommes de terre, des navets, et des tomates en conserve arrivées la semaine précédente à l'épicerie et vendues en moins d'une heure. C'était le même menu que la veille. Elle servait cela avec des tranches de pain noir et, bien sûr, des petits verres de vodka. Je buvais de la vodka depuis l'âge de neuf ans.

Ma mère était une femme mince aux yeux d'un bleu lumineux, dont les cheveux avaient sans doute été aussi blonds que les miens mais qui grisonnaient maintenant, bien qu'elle n'eût pas quarante ans. Elle les portait tirés en arrière, ce qui laissait entrevoir la courbe de sa nuque. Elle était toujours ravie de m'avoir près d'elle et prenait systématiquement mon parti. Par exemple, le jour où la police avait failli nous arrêter parce que nous avions fait exploser des pétards devant le commissariat. Léo et moi nous étions levés à l'aube et avions creusé des trous dans le sol, que nous avions remplis de punaises en métal et de poudre inflammable prélevée sur près de cinq cents allumettes. Ensuite nous étions allés nous cacher derrière le mur de l'église pour assister au spectacle. Il nous avait fallu attendre deux heures avant que la première voiture de police roule sur notre objet piégé et le fasse exploser. Il y avait eu un gros boum. Le pneu avant était en lambeaux et la voiture, incontrôlable, avait fini sa course dans un buisson. Nous avions cru en mourir de rire, mais j'étais moins joyeux en découvrant le chef de la police Yelchin qui m'attendait devant la porte de chez moi. Il m'a demandé d'où je venais et, quand j'ai répondu que j'étais allé faire une course pour ma mère, celle-ci m'a soutenu alors qu'elle savait parfaitement que je mentais. Ensuite, elle m'a grondé, mais je savais qu'elle était secrètement amusée.

À la maison, c'étaient surtout ma mère et ma grand-mère qui parlaient. Mon père était un homme réfléchi, qui avait tout à fait l'air du savant qu'il était, avec ses cheveux grisonnants, son visage sérieux et ses lunettes. Il vivait à Estrov mais son cœur était resté à Moscou. Il gardait tous ses vieux livres autour de lui et, lorsque du courrier lui parvenait de la ville, il disparaissait pour le lire et conservait un air absent et lointain pendant tout le dîner. Pourquoi ne lui ai-je pas posé plus de questions ? Je me le demande aujourd'hui, mais je suppose que personne ne le fait. Quand on est jeune, on accepte ses parents tels qu'ils sont et on croit les histoires qu'ils racontent.

Pendant le repas du soir, la conversation était toujours un peu difficile car mes parents n'aimaient pas parler de leur travail à l'usine. Et ma journée à l'école ne présentait pas grand intérêt. Quant à ma grand-mère, elle était restée bloquée dans le passé, une vingtaine d'années plus tôt, et rien de ce qu'elle disait n'avait de lien avec la réalité. Or, ce soir-là, ce fut différent. Il y avait eu un accident : un feu s'était déclaré à l'usine. Rien de grave, mais mon père était inquiet et, pour une fois, ils en ont discuté ouvertement.

— C'est à cause des nouveaux investisseurs. Seul l'argent les intéresse. Ils veulent augmenter la production sans penser à la sécurité. Aujourd'hui, ce n'était que le secteur du générateur. Mais imagine que le feu ait atteint l'un des laboratoires ?

— Tu devrais leur parler, a dit ma mère.

— Ils ne m'écouteront pas. Ils tirent les ficelles depuis Moscou et n'ont aucune idée de ce qui se passe.

Il a avalé d'un trait sa vodka.

— Voilà la nouvelle Russie, Eva. Nous serons tous balayés mais, du moment qu'ils touchent leurs bénéfices, ils s'en fichent totalement.

Les paroles de mon père m'ont paru absurdes. Il ne pouvait y avoir de réel danger, pas ici, pas à Estrov. Comment la fabrication de pesticides et d'engrais pouvait-elle causer des dégâts ?

D'ailleurs, ma mère semblait d'accord.

— Tu t'inquiètes trop, a-t-elle dit.

— Nous n'aurions jamais dû accepter ça. Nous n'aurions jamais dû y prendre part.

Mon père a rempli de nouveau son verre. Il buvait nettement moins que la plupart des gens mais, comme pour eux, la vodka lui servait à fermer les volets entre lui et le reste du monde.

— Le plus tôt nous partirons, le mieux ce sera, a-t-il ajouté. Nous sommes restés déjà trop longtemps.

— Les cygnes sont revenus, a alors déclaré ma grand-mère. Ils sont si beaux en cette saison.

Il n'y avait pas de cygnes au village. À ma connaissance, il n'y en avait jamais eu.

— On va vraiment partir ? ai-je demandé. Est-ce qu'on ira vivre à Moscou ?

Ma mère a posé sa main sur la mienne.

— Un jour peut-être, Yasha. Et tu iras à l'université, comme ton papa. Mais d'abord tu dois travailler dur.

Le lendemain était un dimanche et je n'avais pas cours. L'usine ne fermait jamais et mes parents étaient de permanence pour le week-end. Ils travaillaient jusqu'à seize heures et m'avaient demandé de préparer le repas de ma grand-mère. Léo est passé après le petit déjeuner, mais nous avions des tonnes de devoirs et nous sommes convenus de nous retrouver à la rivière vers dix-huit heures, et peut-être d'aller jouer au ballon avec d'autres garçons. Juste avant midi, j'étais allongé sur mon lit et je m'efforçais d'arriver au bout d'un chapitre de *Crime et Châtiment*, ce chef-d'œuvre de la littérature russe que nous étions tous censés lire. Ainsi que Léo me l'avait fait remarquer, aucun de nous ne savait quel crime avait été commis, mais la lecture du livre était vraiment un châtiment. L'histoire commence par un meurtre, ensuite il ne se passe rien, et il faut tenir pendant six cents pages.

Bref, j'étais allongé sur mon lit, la tête près de la fenêtre pour laisser le soleil éclairer les pages. C'était une matinée très tranquille. Même les poules semblaient avoir cessé leur habituel caquetage et je n'entendais que le tic-tac de ma montre à mon poignet gauche. C'était une Pobeda, avec des chiffres noirs sur le cadran blanc et un mécanisme quinze rubis, fabriquée juste après la Seconde Guerre mondiale, qui avait appartenu à mon grand-père. Je ne l'enlevais jamais. Au fil des années, elle est devenue une partie de moi. Les aiguilles indiquaient midi passé de dix minutes. C'est à cet instant que j'ai entendu une explosion. On aurait plutôt cru la crevaison d'un sac en papier. J'ai sauté du lit pour regarder par la fenêtre ouverte. Quelques personnes traversaient les champs, mais à part ça, on ne remarquait rien. Je suis revenu à mon livre. Comment avais-je pu oublier si vite la conversation de la veille entre mes parents ?

J'ai lu encore une vingtaine de pages. Une demi-heure a dû s'écouler. Puis j'ai entendu un autre son : éloigné mais reconnaissable. Un crépitement d'arme automatique. C'était impossible. Il arrivait que des villageois aillent chasser dans les bois, mais pas avec des armes automatiques. Et il n'y avait jamais d'exercices militaires dans la région. Je me suis de nouveau approché de la fenêtre et j'ai aperçu une fumée qui s'élevait dans le ciel, derrière les collines, au sud d'Estrov. Alors j'ai compris que je n'avais pas rêvé. Il s'était produit quelque chose. La fumée venait de l'usine.

J'ai lâché mon livre et j'ai dévalé les marches pour me précipiter dehors. Le village était désert. Les poules se pavanaient sur la pelouse devant la maison. Un chien aboyait quelque part. Tout était ridiculement normal. Soudain, j'ai entendu un bruit de pas. M. Vladimov, notre voisin, sortait en courant de chez lui tout en s'essuyant les mains avec un torchon.

— M. Vladimov ! ai-je crié. Que se passe-t-il ?

— Je ne sais pas, a-t-il répondu d'une voix essoufflée.

Il avait probablement travaillé sur son tracteur car il était couvert de cambouis.

— Tout le monde est parti voir. J'y vais aussi.

— Comment ça, tout le monde ?

— Tout le village ! Il y a eu un accident !

Il a filé avant que je lui pose d'autres questions.

Il avait à peine disparu que l'alarme a retenti. C'était phénoménal, assourdissant. Jamais je n'avais rien entendu de tel. Le hurlement de la sirène n'aurait pas été plus fort si la guerre avait éclaté. Et tandis que le bruit résonnait dans ma tête, j'ai pris conscience que ça venait de l'usine, à plus de deux kilomètres. Pourquoi était-ce aussi sonore ? Même la sirène de l'école n'était pas aussi retentissante. C'était un hurlement strident, qui partait d'un point unique pour se diffuser jusque derrière la forêt, par-dessus les collines, dans le ciel. Cette fois, j'ai compris qu'il s'était produit un deuxième accident. C'était ça, l'explosion. Pourtant elle remontait à une demi-heure. Pourquoi avaient-ils mis si longtemps à déclencher l'alarme ?

La sirène s'est tue. Dans le silence soudain, la campagne environnante, le village où j'avais passé ma vie entière ressemblaient à des photographies d'eux-mêmes, et je regardais de l'extérieur. Il n'y avait personne autour de moi. Les poules s'étaient égaillées.

J'ai entendu un bruit de moteur. Une voiture approchait à toute vitesse en cahotant sur la piste défoncée. J'ai d'abord remarqué qu'il s'agissait d'une Lada noire. Puis j'ai vu les trous de balles dans la carrosserie et le pare-brise éclaté. Mais c'est seulement quand la voiture s'est immobilisée que la réalité m'a frappé.

Mon père était assis sur le siège avant. Ma mère conduisait.

Крокодилы

Crocodiles

J'ignorais que ma mère savait conduire. On voyait peu de voitures, à Estrov, parce que personne n'avait les moyens d'en acheter une. Et puis, pour aller où ? La Lada noire appartenait probablement à l'un des directeurs de l'usine.

Mais ce n'est pas ce à quoi je pensais, à ce moment-là. La portière s'est ouverte et ma mère est descendue. Tout de suite, j'ai lu la peur dans ses yeux. Elle a levé une main pour m'ordonner de rester où j'étais, puis elle a fait le tour de la voiture en courant pour aider mon père à sortir. Il portait une blouse par-dessus ses vêtements, et j'ai découvert, avec le même sentiment d'horreur que si j'avais été aspiré dans l'eau noire d'un étang, qu'il était blessé. Le tissu blanc de sa blouse était imbibé de sang. Son bras gauche pendait mollement le long de son corps et sa main droite était crispée sur son torse. Son visage paraissait aminci et livide, il avait le regard vague, voilé par la souffrance. Ma mère le soutenait. Elle, au moins, était indemne, mais elle avait l'air d'une sinistrée émergeant d'une zone de guerre. Son visage était sale, ses cheveux hirsutes. Aucun enfant n'aime voir ses parents ainsi. Ce n'est pas naturel. Tout ce en quoi j'avais toujours cru et tenu pour acquis venait d'être anéanti.

Ils sont enfin parvenus jusqu'à moi. Mon père, incapable d'aller plus loin, s'est affaissé sur le sol contre la clôture du jardin. Je n'avais pas prononcé un mot. Un million de questions m'assaillaient mais les mots n'arrivaient pas jusqu'à mes lèvres. Le temps semblait s'être fragmenté. La première explosion, les coups de feu, la fumée, moi qui dévalais l'escalier, l'arrivée de la voiture… toutes ces séquences me paraissaient aussi distinctes que si elles avaient été séparées de plusieurs années. J'avais besoin d'explications. Mes parents, eux, sauraient peut-être donner un sens à tout cela.

— Yasha !

Mon père a été le premier à parler, mais sa voix était déformée par la douleur.

— Qu'est-ce qui s'est passé ? Qui t'a blessé ? On vous a tiré dessus !

Je n'arrivais plus à m'arrêter, mes paroles jaillissaient en vrac.

Mon père m'a saisi la main.

— Je suis si content que tu sois là, Yasha. J'avais peur que tu aies quitté la maison. Tais-toi et écoute-moi avec attention. Nous avons peu de temps.

— Yasha, mon chéri, a dit ma mère.

Des larmes roulaient sur ses joues. Quoi qu'il se soit produit à l'usine, c'est de me voir qui la faisait pleurer.

— Je vais essayer de t'expliquer, a repris mon père. Mais ne discute pas. C'est compris ? Tu dois quitter le village immédiatement.

— Quoi ? Pas question ! Je n'irai nulle part.

— Tu n'as pas le choix. Si tu restes, ils te tueront.

Sa main s'est crispée sur la mienne.

— Ils sont déjà en route. Tu m'entends ? Ils vont arriver. D'ici peu.

— Qui ? Pourquoi ?

Mon père était trop faible, il souffrait trop pour continuer. Ma mère a pris le relais.

— Nous ne t'avons jamais parlé de l'usine, Yasha. Nous n'en avions pas le droit. Mais ce n'est pas la seule raison. Nous ne voulions pas que tu saches. Nous avions honte.

Elle s'est essuyé les yeux et s'est ressaisie.

— On y fabrique des pesticides et des engrais pour l'agriculture, comme tu le sais, mais pas seulement. On fabrique aussi des produits pour l'armée.

— Des armes, a précisé mon père. Des armes chimiques. Tu comprends ?

Comme je ne répondais pas, il a ajouté :

— Nous n'avions pas le choix, Yasha. Ta mère et moi avons eu des ennuis avec les autorités, il y a long-temps, lorsque nous vivions à Moscou. C'est pourquoi on nous a renvoyés ici. Ils nous ont interdit d'ensei-gner. Ils nous ont menacés. Il fallait bien gagner notre vie. C'était le seul moyen.

Les paroles de mon père étaient comme une caval-cade de chevaux dans ma tête. Je voulais qu'ils s'arrê-tent, qu'ils ralentissent l'allure. Le plus important, pour moi, était d'aller chercher du secours. L'hôpital le plus proche se trouvait à des kilomètres, mais il y avait un médecin à Rosna. Mon père s'affaiblissait de minute en minute, et la tache de sang sur sa blouse s'élargissait.

Pourtant mes parents tenaient absolument à m'expliquer.

— Ce matin, il s'est produit un accident dans le laboratoire principal, a repris ma mère. Et… un produit s'est échappé dans l'atmosphère. Nous les avions prévenus que cela risquait d'arriver. Ils ne voulaient pas nous écouter. Leur unique préoccupation était de faire des bénéfices. Le village entier a été contaminé. Nous avons été contaminés. La voiture aussi. Mais ça n'a plus d'importance. C'est dans l'air. Partout.

— Mais quoi ? De quoi parles-tu ?

— Il s'agit d'une sorte d'anthrax, a précisé ma mère, comme si elle crachait ce mot. Une bactérie qui a été modifiée. C'est très contagieux et l'effet est très rapide. Ça pourrait anéantir une armée ! Nous l'avons peut-être mérité. Nous sommes en partie responsables. Nous avons aidé à la fabrication…

— Fais-le ! Fais-le tout de suite ! a coupé mon père.

De sa main libre, il a fouillé dans sa poche pour en tirer une petite boîte de métal d'environ quinze centimètres de long qui aurait pu contenir un stylo.

Ma mère a pris la boîte sans me quitter des yeux.

— Dès que nous avons appris ce qui se passait, notre première pensée a été pour toi, Yasha. Personne n'avait le droit de quitter l'usine. C'est la procédure. Ils devaient nous confiner là-bas. Mais ton père et moi avions déjà réfléchi au problème. Nous avons volé une voiture et forcé la clôture. Nous voulions absolument te rejoindre.

— C'était pour ça, la sirène ?

— Oui. Aucun rapport avec l'accident. Ils ont déclenché l'alarme après. Ils se sont aperçus que nous cherchions à fuir. Les gardes nous ont mitraillés et ont donné l'alerte. Ton père a été touché. Nous avions tellement peur de ne pas te trouver à la maison…

— Par chance, tu es là, a murmuré mon père, le souffle court.

J'ignorais ce que contenait la boîte et en quoi c'était si important, mais quand ma mère l'a ouverte, j'ai découvert la dernière chose que je m'attendais à voir. Sur un rembourrage de velours gris était posée une seringue hypodermique.

— Chaque arme chimique doit avoir un remède, a expliqué ma mère. Nous avons créé un poison mais nous avons aussi travaillé sur son antidote. Le voici, Yasha. Il n'en existait qu'un petit volume mais nous l'avons volé pour te l'apporter. Il te protégera…

— Non ! Je n'en veux pas ! Prenez-le pour vous !

— Il n'y en a pas assez. C'est tout ce que nous avons, a soufflé mon père en usant de ses dernières forces pour serrer ma main. Fais-le, Eva.

Ma mère a levé la seringue au soleil et l'a tapotée du bout de l'index en examinant le réservoir en verre. Puis elle a pressé la pompe avec son pouce et une perle de liquide est apparue à la pointe de l'aiguille. J'ai voulu me débattre. Je n'arrivais pas à croire qu'elle allait me faire la piqûre.

Mon père ne me lâchait pas. Malgré sa faiblesse, il tenait solidement ma main. Je suppose que c'est un cauchemar fréquent chez les enfants que d'être attaqué par ses propres parents et, à cet instant, j'ai totalement oublié qu'ils faisaient ça pour mon bien. Ils me sauvaient, ils ne me tuaient pas. Pourtant j'avais l'impression du contraire. Je vois encore le visage de ma mère, sa froide détermination quand elle a approché l'aiguille de mon bras. Elle ne s'est même pas donné la peine de retrousser ma manche. L'aiguille a percé le tissu avant de toucher ma peau. Ça m'a fait mal. Je crois avoir vraiment senti le liquide se répandre dans mon sang. Ensuite, elle a jeté la seringue vide sur le sol. Une tache de sang a formé un petit rond sur ma manche.

Mon père m'a lâché. Ma mère a fermé les yeux un instant. Quand elle les a rouverts, elle souriait.

— Yasha, mon chéri. Peu importe ce qui nous attend. Tu comprends ? Pour l'instant, tout ce qui compte, c'est toi.

Nous sommes restés tous les trois sans rien dire. Comme des acteurs qui ont oublié leur texte. Nous étions à bout de souffle, ébranlés par la violence de ce qui s'était passé. Nous avions l'impression de vivre un mauvais rêve. Le silence nous enveloppait. La fumée continuait de s'élever lentement derrière les collines. Le village était totalement désert.

Enfin, mon père a rompu le silence.

— Yasha, va dans la maison. Prends quelques vêtements, et toute la nourriture que tu pourras trouver. Regarde dans le placard de la cuisine. Mets tout dans ton sac à dos. Prends une torche et une boussole. Mais, le plus important, c'est la boîte en fer qui se trouve dans la cuisine. Tu sais où... à côté du feu. Apporte-la-moi.

Comme j'hésitais, il a mis toute son autorité dans sa voix.

— Si tu n'as pas quitté le village d'ici cinq minutes, Yasha, tu mourras avec nous. Même avec l'antidote. Le gouvernement ne permettra à personne de raconter ce qui s'est passé ici. Ils te traqueront et te tueront. Si tu veux vivre, tu dois m'obéir.

Est-ce que je voulais vivre ? À cette minute, je n'en étais pas si sûr. Mais je ne pouvais pas décevoir mes parents, pas après les risques qu'ils avaient pris pour me rejoindre. Ma mère m'implorait en silence. J'avais une boule brûlante dans la gorge. Je me suis relevé et j'ai titubé vers la maison. Mon père n'a pas bougé. Il était toujours assis, les jambes allongées. Ma mère s'est agenouillée près de lui.

J'ai traversé le jardin en trébuchant et je suis monté directement dans ma chambre. Comme dans un brouillard, j'ai pris l'uniforme que je mettais pour aller camper avec les Jeunes Pionniers, l'équivalent russe des scouts. Un anorak vert sombre et un pantalon imperméable. Je ne savais pas si je devais les mettre tout de suite ou les fourrer dans mon sac. Pour finir, je les ai enfilés par-dessus mes vêtements. J'ai chaussé mes bottes de cuir, encore crottées de boue séchée, et j'ai pris mon sac à dos, avec une torche et une boussole. J'ai regardé autour de moi les affiches sur les murs : un club de football, divers modèles d'hélicoptères, une photo de la Terre vue de l'espace. Le livre de Dostoïevski gisait sur le plancher. Mon uniforme scolaire était plié sur une chaise. J'avais du mal à concevoir que j'allais laisser tout ça derrière moi, que je ne reverrais rien.

Je suis descendu à la cuisine. Dans le village, chaque maison possédait sa cachette. La nôtre se trouvait derrière la cuisinière. J'ai tiré deux briques descellées qui masquaient une cavité, et pris la boîte en fer-blanc posée à l'intérieur. En me redressant, j'ai vu ma grand-mère, debout devant l'évier, qui épluchait des pommes de terre, son tablier noué à la taille.

Elle m'a fait un grand sourire.

— Je ne me souviens pas d'avoir connu une meilleure moisson, a-t-elle dit.

Elle n'avait pas la moindre idée de ce qui était en train de se passer. J'ai ouvert un placard, attrapé au hasard quelques boîtes de conserve, du thé, du sucre, des allumettes et deux barres de chocolat, et mis le tout dans mon sac à dos. Ensuite j'ai rempli un verre de l'eau que j'étais allé chercher au puits, j'ai embrassé ma grand-mère sur la joue et je suis sorti en courant.

Le ciel s'était assombri. Comment était-ce possible ? Je n'étais resté que quelques minutes dans la maison. À présent, on avait l'impression qu'il allait pleuvoir, peut-être une de ces violentes averses qui survenaient à l'automne. Mon père était assis là où je l'avais laissé et il semblait dormir, une main crispée sur sa poitrine. Je me suis avancé pour lui donner la boîte en fer mais ma mère s'est levée pour s'interposer entre lui et moi. Je lui ai tendu le verre d'eau.

— J'ai apporté ça pour papa.

— C'est gentil, Yasha. Mais... il n'en a plus besoin.

— Mais...

— Essaie de comprendre, Yasha.

Il m'a fallu un moment pour assimiler le sens de ses paroles. Quand j'ai compris, une trappe s'est ouverte sous mes pieds et j'ai plongé dans un océan de chagrin.

Ma mère a soulevé le couvercle de la boîte. À l'intérieur, il y avait un rouleau de billets de banque. Une centaine de roubles. Plus d'argent que je n'en avais jamais vu. Mes parents avaient économisé sur leurs salaires pour le jour où ils retourneraient à Moscou. Ce jour-là n'arriverait jamais. Plus maintenant. Ma mère m'a tendu l'argent, ainsi que mon passeport intérieur, document obligatoire pour tout citoyen russe même si on ne voyageait pas. Pour finir, elle a sorti un petit sachet en velours noir.

— Voilà, Yasha. Maintenant, pars.

— Maman...

Des larmes me brûlaient les yeux, la boule dans ma gorge était devenue énorme.

— Tu as entendu ton père. Écoute-moi attentivement, Yasha. Tu dois aller à Moscou. Je sais que c'est loin et que tu n'as jamais voyagé seul, mais tu peux y arriver. Prends le train. Pas à Rosna. Ils contrôleront tout le monde à la gare. Va à Kirsk. Passe par la forêt, c'est le chemin le plus sûr. Trouve la grande route et suis-la. Tu as bien compris ?

J'ai hoché la tête, j'étais triste comme les pierres.

— Tu te souviens de Kirsk ? Tu y es allé plusieurs fois. Il y a deux trains quotidiens pour Moscou. Un le matin, un autre le soir. Prends celui du soir. Si on te pose des questions, réponds que tu vas rendre visite à un oncle. Ne dis jamais à personne que tu viens d'Estrov. Ne prononce plus jamais ce nom. Promets-le-moi.

— Où irai-je à Moscou ?

Je ne voulais pas partir. Je voulais rester avec elle.

Elle m'a pris dans ses bras et m'a serré très fort.

— N'aie pas peur, Yasha. Nous avons un bon ami à Moscou. Il est professeur de biologie. Il a travaillé avec ton père. Tu le trouveras à l'université. Il s'appelle Misha Dementyev. Je vais essayer de lui téléphoner mais je suppose qu'ils ont coupé toutes les lignes. Ce n'est pas grave. Quand tu lui diras qui tu es, il veillera sur toi.

Misha Dementyev. Je m'accrochais à ce nom. Mon salut.

Ma mère m'embrassait toujours. Je regardais la courbe de son cou, je humais pour la dernière fois son odeur.

— Pourquoi ne viens-tu pas avec moi ?

— Ça ne servirait à rien. Je suis contaminée. Je veux rester avec ton père. Mais ça ira, puisque je sais que toi tu t'en vas.

Elle m'a écarté d'elle, en me tenant les bras, et elle a plongé son regard dans le mien.

— Il faut être courageux, maintenant, Yasha. Tu dois t'en aller. Ne regarde pas en arrière. Ne laisse personne te barrer le chemin.

— Maman…

— Je t'aime, mon fils. Pars !

Si j'avais ajouté un mot, j'aurais été incapable de la quitter. Je le savais. Nous le savions tous les deux. Je me suis enfui. J'ai couru.

La forêt commençait juste derrière la maison, vers le nord et à l'est d'Estrov. Elle s'étirait sur une quarantaine de kilomètres, composée principalement de pins, mais aussi de tilleuls et d'épinettes. Elle était sombre, dense. Aucun de nous ne s'y aventurait jamais, en partie parce que nous craignions de nous y perdre mais aussi parce que la rumeur courait que des loups y rôdaient, surtout en hiver. Mais au fond de moi je savais que ma mère avait raison. Si des policiers ou des soldats venaient dans la région, ils concentreraient leurs recherches sur la route principale. Je serais plus en sécurité hors de vue. La route qu'elle avait mentionnée traversait la forêt. Une nouvelle canalisation d'eau y était en cours d'aménagement.

J'ai commencé par suivre le sentier qui serpentait entre les jardins en me dissimulant au maximum, mais j'avais peu de risques de croiser quelqu'un. Au loin, j'ai aperçu un garçon que je connaissais. Il roulait à vélo, un balluchon sous le bras. Il était seul. J'ai dépassé l'épicerie du village. Elle était fermée. J'ai continué à travers les parcelles de terrain où les villageois cultivaient leurs légumes et volaient ceux de leurs voisins. J'avais déjà chaud avec ma double couche de vêtements. L'air était devenu tiède et poisseux. Les nuages affluaient de toutes parts, gris et gonflés. Pas de doute, il allait pleuvoir.

Je n'étais pas encore certain d'obéir aux instructions de ma mère. Croyait-elle réellement que je pourrais m'en aller aussi facilement, en la laissant seule avec mon père mort gisant à côté de la clôture ? Quoi qu'il se soit passé à l'usine et quoi qu'elle ait dit, je ne me sentais pas capable de l'abandonner. Je me disais que j'allais rester caché quelques heures dans la forêt, en attendant de voir ce qui se passait, puis revenir à la nuit tombée. Mes parents avaient parlé d'une arme chimique, l'anthrax, et affirmé que tout le village était contaminé. Pourtant j'avais du mal à les croire. J'étais même un peu en colère contre ma mère pour m'avoir dit ça. À la vérité, je crois que je n'avais plus toute ma tête.

Tout à coup, j'ai aperçu une silhouette devant moi, agenouillée par terre, les fesses en l'air, en train de ramasser des légumes. Même sous cet angle, j'ai aussitôt reconnu Léo. Il jardinait dans le potager de ses parents, sans doute après avoir été puni pour une bêtise quelconque. Léo avait deux jeunes frères et, chaque fois que l'un ou l'autre se battait, leur père les fouettait avec une ceinture et les envoyait désherber le jardin ou réparer la clôture. Léo était maculé de terre. Il tenait à la main une botte de carottes flétries. Dès qu'il m'a vu, il s'est fendu d'un large sourire.

— Hé, Yasha !

Il a ouvert des yeux ronds en découvrant ma tenue de Pionnier.

— Qu'est-ce que tu fabriques ?

— Léo…

J'étais si content de le voir que je ne savais pas par où commencer. Comment lui expliquer ce qui venait de se passer ?

— Tu as entendu la sirène, Yasha ? Et les coups de feu ? Il y a sûrement eu un problème à l'usine.

— Où sont tes parents, Léo ?

— Papa travaille, maman est à la maison.

— Léo, tu dois venir avec moi.

Les mots ont jailli malgré moi. Je n'avais pas prémédité de lui demander de m'accompagner mais, tout à coup, c'est devenu la chose la plus importante du monde. Je ne pouvais pas partir sans lui.

— Où ?

Il était là, ses carottes dans une main, l'autre sur la hanche, les jambes légèrement écartées dans ses bottes qui lui montaient aux cuisses. Une fraction de seconde, il m'a fait penser aux affiches d'autrefois qui montraient des paysans au travail dans les champs. Il a esquissé un sourire crispé.

— Qu'est-ce qui se passe, Yasha ? Quelque chose ne va pas ?

— Mon père est mort.

— Quoi ?

N'avait-il donc rien compris ? Rien vu ? C'était bien Léo. Des explosions, des coups de feu, des sirènes d'alarme, et lui continuait d'arracher les mauvaises herbes !

— On a tiré sur mes parents. C'était ça, la sirène. On a tenté de les empêcher de fuir. Mais ils ont eu le temps de me dire de partir et de me cacher. Une chose terrible est arrivée à l'usine. Je t'en supplie, Léo. Viens avec moi.

— Je ne peux pas...

Il allait discuter. Quoi que je lui dise, jamais il n'abandonnerait ses parents. Mais, soudain, nous avons pris conscience d'un curieux grondement, un son que ni l'un ni l'autre n'avions jamais entendu. En même temps, nous avons ressenti une sorte de pulsation dans l'air, un battement sur notre peau. Nous avons levé les yeux et découvert cinq points noirs dans le ciel, qui plongeaient des collines, droit sur le village. Des hélicoptères militaires, identiques à ceux que j'avais en photo dans ma chambre. Ils étaient encore trop loin pour qu'on les distingue nettement, mais ils étaient alignés, en parfaite position de combat. C'était cette précision qui les rendait si menaçants. Quelque chose me disait qu'ils n'allaient pas atterrir. Ils ne déverseraient pas des médecins ni des techniciens venus nous secourir. Mes parents m'avaient prévenu : des gens viendraient à Estrov pour me tuer. Cette fois, je n'avais plus aucun doute. Ils étaient là.

— Léo ! Viens ! Vite !

Quelque chose dans ma voix, ou bien la vue des hélicoptères, a décidé Léo. Il a lâché ses carottes et obéi. D'un même mouvement, on s'est élancés sur le coteau, à l'opposé du village. L'orée de la forêt, une ligne infinie de troncs épais, de branches, d'épines de pin et d'ombres, s'étirait devant nous. Nous en étions encore à une cinquantaine de mètres et déjà j'avais l'impression que mes jambes me lâchaient, que la terre molle me retenait délibérément. Derrière nous, le grondement des hélicoptères augmentait. Je n'osais pas tourner la tête mais je les sentais se rapprocher. Puis, brutalement, les cloches de Saint-Nicholas se sont mises à sonner. L'écho de leur carillon s'est propagé au-dessus des toits. C'était la première fois que j'entendais les cloches de l'église.

Je transpirais. J'avais l'impression que mon corps était prisonnier à l'intérieur d'un four. Quelque chose m'a tapé sur l'épaule et, l'espace d'une seconde de folie, j'ai cru qu'un des hélicoptères avait tiré. Mais ce n'était qu'une goutte de pluie. L'orage allait éclater.

— Yasha !

Nous avons fait halte à la lisière de la forêt et regardé derrière nous, juste à temps pour voir les hélicoptères lancer leurs premières charges. Cinq missiles, l'un après l'autre. Mais ils n'ont atteint aucune cible précise, contrairement à ce qu'on voyait dans les vieux films de guerre. Les pilotes n'avaient pas visé les bâtiments. Les missiles ont explosé au hasard, dans les ruelles, dans les jardins privés. Pourtant, les dégâts étaient bien plus spectaculaires que ce que j'aurais imaginé. D'énormes boules de feu jaillissaient aux points d'impact et s'étendaient aussitôt, pour se fondre les unes dans les autres, balayant tout ce qu'elles touchaient. Les flammes étaient d'un orange éclatant, féroce et plus intense que n'importe quel brasier. Elles dévoraient mon univers, ravageaient les maisons, les murs, les arbres, les chemins, la terre elle-même. Rien de ce qu'effleuraient ces flammes n'avait la moindre chance de survie. Les cinq premiers missiles avaient détruit presque tout le village, mais cinq autres leur succédèrent, puis cinq autres encore. Nous sentions la chaleur venir jusqu'à nous, si intense que même à cette distance nos yeux larmoyaient. Je me suis protégé le visage avec une main, et le dos de mes doigts m'a semblé brûler. En quelques secondes, Estrov, le village où j'avais passé toute ma vie, s'est transformé en enfer. Mon père était déjà mort et je ne doutais pas que ma mère l'ait rejoint. Ainsi que ma grand-mère, la mère de Léo, ses frères. Il était impossible de distinguer sa maison à travers le rideau de flammes, mais il devait n'en rester que des cendres.

Les hélicoptères continuaient leur ballet en se dirigeant vers nous. Ils étaient plus près, à présent, et je pouvais les identifier. C'étaient des Mil Mi-24, surnommés aussi Crocodiles, conçus pour l'armée russe comme lance-missiles et convoyeurs de troupes.

Chacun pouvait transporter huit hommes à plus de cinq cents kilomètres à l'heure. En plus du rotor principal et du rotor de queue, le Mil avait deux ailes qui s'étiraient de part et d'autre du fuselage, chacune équipée d'un lance-missile accroché dessous. Je n'avais jamais rien vu d'aussi effrayant ; on aurait davantage cru à un oiseau géant, volant toutes serres dehors, fondant du ciel pour nous happer. Les monstres se rapprochaient. Je pouvais même entrevoir le premier pilote, assis très bas dans la bulle de verre qu'était la fenêtre du cockpit. D'où venait-il ? Avait-il un jour été un garçon comme moi, rêvant de piloter ? Pourtant il était sans pitié. Sa cible, c'était moi. Je peux jurer que je l'ai vu me regarder bien en face pendant qu'il tirait. J'ai vu la poussée de la flamme quand les missiles sont partis.

Par chance, la trajectoire était trop courte. Un mur de feu a jailli trente mètres derrière nous. La chaleur était telle que Léo a poussé un cri. L'air était brûlant. Un nuage toxique s'est abattu. C'est seulement plus tard que j'ai compris que ce nuage nous avait brièvement masqués aux yeux du pilote. Sinon, il aurait tiré de nouveau.

Léo et moi avons plongé dans la forêt. Derrière nous, la lumière s'est éteinte. Brusquement, nous étions cernés de vert. Des branches, des feuillages, et aussi de la mousse sous nos pieds. Nous avions atteint la crête de la colline. La forêt redescendait sur l'autre versant, et c'est ce qui nous a sauvés. Nous trébuchions, nous glissions sur les racines et la boue. La pluie tombait déjà fort. Nous étions invisibles. Nous étions loin des flammes. En tombant, j'ai entrevu à travers les arbres un fragment de l'horreur noire et rougeoyante que nous venions de quitter. J'entendais le battement sourd des pales de l'hélicoptère. Autour de moi, les branches tremblaient, fouettaient le vide. Je me suis brusquement retrouvé au fond d'un trou. Léo était à côté de moi, terrifié. Mais la forêt et la terre nous protégeaient. Les hélicoptères ne pouvaient pas nous atteindre.

Les pilotes auraient pu s'acharner. Peut-être avaient-ils épuisé leur quota de missiles. Peut-être pensaient-ils que ça ne valait pas la peine de gaspiller d'autres munitions sur deux jeunes garçons. Pourtant, je savais que ce n'était pas terminé. Ils nous avaient vus et ils avaient transmis l'information par radio. D'autres viendraient terminer le travail. Cela ne suffisait pas que le village soit détruit. Il fallait éliminer les témoins survivants. Personne de devait pouvoir raconter ce qui s'était passé.

— Yasha…

Léo hoquetait. Il pleurait. Son visage ruisselait de boue et de larmes.

— Il faut partir d'ici, Léo.

Nous nous sommes relevés et enfoncés dans la forêt protectrice. Derrière nous, le ciel était rouge, les hélicoptères continuaient de tournoyer au-dessus d'Estrov dévoré par les flammes.

Лес

La forêt

Quand j'étais un petit garçon, j'avais peur de
la forêt. Je l'imaginais peuplée de fantômes et de
démons. Ça me donnait des cauchemars. Mes
parents, qui venaient de la ville, ne croyaient pas à
ces légendes, mais la mère de Léo nous racontait
celles que sa propre mère lui avait racontées autrefois.
Tous les enfants du village connaissaient ces contes
et se tenaient prudemment éloignés de la forêt. Mais
maintenant je voulais que la forêt m'absorbe, m'avale,
et me garde. Plus je m'y enfonçais, plus je me sentais
à l'abri au milieu des troncs immenses et massifs qui
obstruaient le ciel et étouffaient les sons extérieurs,
hormis le crépitement de la pluie sur les feuilles.
Le véritable cauchemar était derrière moi. Penser
à mon village et à tous ses habitants m'était insup-
portable. M. Vladimov, qui fumait ses cigarettes

jusqu'à la dernière limite au point de se brûler les doigts. Mme Bek, qui tenait l'épicerie et affrontait les lamentations des clients quand ses rayons étaient vides. Les jumelles, Irina et Olga, tellement identiques qu'il était impossible de les départager mais qui ne cessaient de se chamailler. Ma grand-mère. Mes parents. Mes amis. Tous disparus comme s'ils n'avaient jamais existé ; rien ne resterait d'eux, pas même leurs noms.

Ne dis jamais à personne que tu viens d'Estrov. Ne prononce plus jamais ce nom.

Ma mère avait raison, bien sûr. Mon lieu de naissance était devenu une sentence de mort.

J'étais en état de choc. Tant de choses s'étaient passées, et en si peu de temps, que mon esprit avait du mal à les assimiler. J'avais vu très peu de films américains, et les jeux vidéo n'étaient pas arrivés dans mon coin de Russie, de sorte que je n'étais absolument pas habitué à la violence à laquelle je venais d'assister. Tant mieux, peut-être. Si j'avais pu réfléchir à ma situation de façon cohérente, je serais sans doute devenu fou. J'avais quatorze ans et, en quelques minutes, j'avais tout perdu. Il ne me restait rien, sauf une centaine de roubles, les vêtements que je portais, et le nom d'un homme que je ne connaissais pas, qui habitait une ville où je n'étais jamais allé. Mon meilleur ami était avec moi, mais son âme semblait l'avoir quitté, ne laissant de lui qu'une coquille vide. Léo ne pleurait plus mais il marchait comme un zombie. Depuis une heure, il n'avait pas prononcé un mot. Nous avancions en silence ; seuls le bruit de nos pas et de la pluie sur les feuilles nous accompagnait.

Ce n'était pas terminé. Nous attendions la prochaine attaque. Les hélicoptères allaient-ils revenir bombarder la forêt ? Utiliseraient-ils des gaz toxiques, cette fois ? Ils savaient que nous étions là et ils ne nous laisseraient pas nous échapper.

— À quoi ça rime, tout ça, Yasha Gregorovitch ? a demandé Léo, en prononçant mon nom entier, de cette manière formelle que nous employons nous autres, Russes, quand nous voulons souligner un point, ou quand nous avons peur.

Le visage de Léo était bouffi et ses yeux luisants de larmes malgré ses efforts pour ne pas pleurer devant moi.

— Je ne sais pas, Léo, ai-je menti, moi qui ne savais que trop bien. Il y a eu un accident à l'usine. Nos parents nous cachaient la vérité. Ils ne fabriquaient pas seulement des engrais pour l'agriculture. Ils produisaient aussi des armes chimiques. Il y a eu un problème et ils ont dû fermer l'usine très vite.

— Et les hélicoptères ?

— Je suppose qu'ils ne voulaient pas que la nouvelle s'ébruite. Tu sais, comme à Tchernobyl.

Tout le monde connaissait Tchernobyl, en Ukraine. Il n'y avait pas si longtemps, quand la Russie faisait encore partie de l'Union soviétique, une énorme explosion avait ravagé un réacteur nucléaire. Un nuage radioactif avait recouvert toute la région et s'était propagé sur certains pays d'Europe. À l'époque, les autorités soviétiques avaient tout fait pour dissimuler la catastrophe. Encore aujourd'hui, on ignore avec exactitude le nombre de victimes. C'était typique des méthodes des dirigeants d'alors. Pour eux, admettre la catastrophe, c'était montrer leur faiblesse. On pouvait donc imaginer sans peine de quoi ils étaient capables pour dissimuler un accident survenu dans une usine secrète fabriquant des armes chimiques. Qu'importait la mort de cent, ou même de cinq cents personnes, du moment que cela permettait d'étouffer l'affaire.

Léo essayait d'absorber ce que je lui expliquais. Ça me faisait mal de le voir dans cet état. Lui qui n'avait jamais eu peur de rien, qui avait tenu tête à nos professeurs, ne s'était jamais plaint d'être battu ou puni de marches forcées, semblait être redevenu un petit enfant de cinq ans. Il était égaré.

— Ils ont tué tout le monde, Yasha.

— Oui. Ils voulaient garder le secret. Mon père et ma mère ont réussi à sortir de l'usine. Ils m'ont demandé de fuir parce qu'ils savaient ce qui allait arriver. Et…

Ma voix s'est brisée.

— Ils sont morts tous les deux.

— Je suis désolé, Yasha.

— Moi aussi, Léo.

Il était mon meilleur ami. Et tout ce qui me restait au monde. Pourtant je continuais de lui cacher une partie de la vérité. Je ne lui avais pas parlé de l'injection. Ma mère m'avait inoculé l'antidote contre le produit toxique qui s'était diffusé dans l'air afin de m'en protéger. Or Léo n'avait pas eu d'injection. Cela voulait-il dire qu'il portait en lui les spores de l'anthrax ? Allait-il mourir ? Je me refusais à y penser et ma lâcheté m'empêchait de lui en parler maintenant.

Nous marchions toujours. La pluie tombait avec plus de force. Elle se frayait à présent un chemin à travers l'épais feuillage. C'était le début de l'après-midi, pourtant il faisait très sombre. J'avais donné ma boussole à Léo, pensant que ça lui occuperait l'esprit, et parce qu'il avait un bien meilleur sens de l'orientation que moi. Mais la boussole était d'une utilité très relative car, lorsqu'un enchevêtrement de broussailles particulièrement touffu nous bloquait le passage, il fallait le contourner et emprunter une autre voie. C'était comme si la forêt elle-même nous guidait. Mais où ? Si elle était bienveillante, elle nous mènerait en lieu sûr. Mais elle pouvait tout aussi bien nous livrer aux mains de nos ennemis.

Le terrain commençait à monter, doucement d'abord puis en pente raide. Nous glissions et trébuchions sur les racines. Léo faisait peur à voir, avec ses vêtements collés sur son corps par la pluie et la boue, son visage livide, ses cheveux dégoulinants et plaqués sur ses yeux. J'avais un peu honte de ma tenue imperméable. Au-dessus de nos têtes, les arbres s'éclaircissaient progressivement. Ce n'était pas bon signe, et pour deux raisons. D'abord, cela signifiait que nous étions moins protégés de la pluie. Ensuite, qu'il serait plus facile pour les hélicoptères de nous repérer s'ils revenaient.

— Par ici, Léo !

J'avais remarqué un pylône électrique pointant au-dessus des arbres. Ce pylône faisait partie du projet d'aménagement et de modernisation de la région. Les travaux avaient tous démarré en même temps : route, canalisation d'eau, électricité, avant d'être brutalement interrompus. Mais même sans goudron ni éclairage, la nouvelle voie conduisait à Kirsk. Au moins, elle nous indiquait la direction à prendre.

J'avais gardé très peu de souvenirs de Kirsk. Ma dernière visite, avec l'école, remontait à un an. Quitter Estrov nous avait paru assez excitant mais, une fois là-bas, nous avions passé la moitié du temps dans un musée et je m'étais ennuyé à mourir. Auparavant, à l'âge de douze ans, j'avais passé une semaine à l'hôpital de Kirsk à la suite d'une fracture de la jambe. On m'y avait conduit en bus et je n'avais aucune idée de la topographie de la ville. Mais j'imaginais que la gare ne serait pas trop difficile à trouver, et j'avais assez d'argent pour acheter deux tickets de train. Cent roubles, c'était beaucoup. L'équivalent de plus d'un mois de salaire d'un de mes professeurs.

À présent, nous avancions plus vite. Nous commencions à croire que nous étions tirés d'affaire, que plus personne ne s'intéressait à nous. Évidemment, c'est au moment où l'on relâche un peu son attention que le pire survient. Si je devais me trouver dans la même situation aujourd'hui, j'irais n'importe où sauf vers la nouvelle route. Quand on est en danger, mieux vaut opter pour la solution la moins attendue. Ce qui est prévisible est mortel.

Nous avions atteint les premiers vestiges du chantier : rouleaux de fil de fer, dalles de ciment, empilements de tubes de plastique. Devant nous s'étirait un ruban brunâtre de terre boueuse. La ville de Kirsk et le train pour Moscou se trouvaient tout au bout.

— C'est loin ? a demandé Léo.

— Je ne sais pas. Une trentaine de kilomètres, je suppose. Ça ira ?

Léo a hoché la tête, mais son visage défait disait le contraire.

— On va y arriver, Léo. Dans cinq ou six heures. Et la pluie finira bien par s'arrêter.

De fait, il pleuvait moins fort. On distinguait maintenant les gouttes, grosses et implacables, qui s'écrasaient sur le sol. C'était comme un rideau tombant entre les arbres et la route était à peine visible. D'autres tubes étaient éparpillés de part et d'autre de la chaussée. Bientôt, nous sommes arrivés devant un fossé profond, prévu sans doute pour accueillir la canalisation d'eau. Comment une commune pouvait-elle vivre sans l'eau courante à la fin du XXᵉ siècle ?

J'avais transporté assez de seaux d'eau pour connaître la réponse à cette question.

Nous avons marché encore une dizaine de minutes. Aucun de nous ne parlait. Nous pataugions dans les flaques. Soudain, ils sont apparus. Une longue rangée de soldats progressait d'un pas régulier dans notre direction. Tels des détectives à la recherche d'indices, ils étaient espacés de quelques pas, de sorte que personne n'aurait pu passer entre eux sans se faire remarquer. Ils n'avaient pas de visage. Ils étaient vêtus d'uniformes argentés antibactériologiques, avec des capuches et des masques à gaz, et armés de fusils semi-automatiques. Des chiens les escortaient : des bergers allemands, qu'ils tenaient en laisse. J'ai eu l'impression de revivre un de mes pires cauchemars. Ces soldats n'avaient pas l'air humain.

Dès le début, nous aurions dû deviner que les hélicoptères seraient suivis de renforts au sol. Leur plan était simple. Un : détruire le village. Deux : poser une sorte de nœud coulant tout autour afin de s'assurer qu'aucun fugitif ne répandrait le virus. Les miliciens s'étaient probablement déployés en un très large cercle autour d'Estrov, avant de resserrer l'étau de toutes parts, avec l'ordre d'éliminer les fuyards – Léo et moi – en tirant à vue. Personne ne devait pouvoir raconter le drame. Ni, surtout, propager le virus.

Sans la pluie, ils nous auraient repérés tout de suite. Et les chiens auraient sûrement flairé notre odeur si tout n'avait pas été si détrempé. Dans la noirceur de la forêt, leur uniforme clair se détachait, mais eux ne nous ont pas vus tout de suite, ce qui nous a donné quelques précieuses secondes. J'ai saisi le bras de Léo. Nous avons tourné les talons et rebroussé chemin en courant.

C'était la pire chose à faire. Depuis, j'ai appris les techniques de survie dans des situations identiques. Il ne faut pas changer d'allure. Ne pas paniquer. C'est le rythme de vos mouvements qui alerte l'ennemi. Nous aurions dû nous fondre dans le sous-bois, sur le côté, nous mettre à couvert, puis battre en retraite aussi vite que possible mais en souplesse. Au lieu de ça, notre course précipitée dans les flaques d'eau les a prévenus de notre présence. Un de leurs chiens s'est mis à aboyer furieusement, aussitôt imité par les autres. Quelqu'un a crié. Quelques secondes plus tard, un crépitement d'arme automatique a retenti. Les balles déchique-taient les feuillages et l'écorce des troncs ; des éclats volaient au-dessus de nous. Maintenant qu'ils nous avaient repérés, ils avançaient plus vite. Nous avions peut-être encore trente ou quarante mètres d'avance, mais nous étions épuisés, trempés, désarmés. Nous étions des enfants. Nous n'avions aucune chance.

Les rafales d'armes automatiques se succédaient. La boue explosait près de nos pieds. Léo me devan-çait légèrement. Ses jambes étaient plus courtes que les miennes et il était plus fatigué, mais j'étais bien décidé à rester derrière lui, à ne pas le lâcher. Si l'un de nous tombait, nous tomberions tous les deux. Les jappements des chiens étaient effrayants. Ils avaient senti leurs proies. Ils voulaient qu'on les détache.

Et nous étions sur la route en construction ! Le meilleur endroit pour se faire tuer : un espace large et exposé. Un champ de tir idéal pour un sniper. Nous espérions courir plus vite sur une surface plate, je suppose. À chaque pas, je guettais la balle qui allait me frapper entre les omoplates. J'entendais les chiens, les fusils, les coups de sifflet. Je ne regardais pas en arrière mais je les sentais se rapprocher.

Nous gardions néanmoins un léger avantage. Les soldats, qui avançaient en ligne, allaient moins vite que nous. Ils ne voulaient pas rompre leurs rangs et risquer, si nous faisions subitement demi-tour, de nous laisser passer entre les mailles. Il me restait une minute pour imaginer un plan avant qu'ils ne nous rattrapent. Grimper dans un arbre ? Non, ce serait trop long et les chiens nous flaireraient. Descendre la colline ? Inutile. D'autres soldats montaient sûrement de l'autre côté. Je courais toujours, le cœur tambourinant, la gorge en feu. Et soudain, je l'ai vu. Le fossé avec les gros tubes de plastique éparpillés autour.

— Par ici, Léo !

J'ai quitté la route d'un bond et je me suis laissé glisser dans le fossé, inondé d'eau jusqu'aux chevilles.

— Yasha, où es-tu ?

Léo ne m'avait pas vu sauter, mais il a été assez malin pour ne pas hésiter. Il s'est retourné et s'est jeté dans le fossé à ma suite. Nous étions en contrebas de la route, et je revenais déjà sur mes pas en direction des soldats, cherchant ce que je priais de trouver.

Des centaines de mètres de canalisations avaient déjà été posées. L'ouverture était devant nous : un rond noir parfait, pareil à l'entrée d'une grotte futuriste. Mais petit. Si je n'avais pas été si mince, et Léo si léger, aucun de nous n'aurait pu s'y glisser, et il y avait peu de chances qu'un des soldats puisse nous y suivre – en tout cas, pas avec leur harnachement et leurs masques à gaz. Ils auraient été fous de s'y risquer. Étaient-ils préparés à s'enterrer vivants, à plonger dans l'obscurité avec des tonnes de terre mouillée au-dessus de leurs têtes ?

C'est ce que Léo et moi avons fait. Nous étions à quatre pattes dans la canalisation. Nos épaules râpaient contre la paroi. Au moins, c'était sec. Mais il y faisait un noir d'encre. En jetant un coup d'œil en arrière pour m'assurer que Léo me suivait, j'ai entrevu un rai de lumière à quelques mètres. Mais devant, rien. Même en me touchant le nez je ne voyais pas mes doigts. Pendant un instant, j'ai eu du mal à respirer. Il fallait que je lutte contre la claustrophobie, une sensation irrépressible d'étouffement et d'oppression. Je me demandais si c'était une bonne idée de continuer. On aurait pu rester là, cachés dans le tunnel, en attendant que tout le monde soit parti, mais ce n'était pas très tentant. J'imaginais une rafale d'arme automatique me coupant en deux ou, pire, me laissant agonisant dans l'obscurité. J'imaginais les bergers allemands lancés à nos trousses, jappant et grognant dans le tunnel, et leurs crocs déchiquetant nos jambes avec férocité. Je devais laisser le tunnel me conduire. J'ai donc continué d'avancer, Léo derrière moi, et nous nous sommes enfoncés sous la forêt.

Pour les soldats qui nous traquaient, notre disparition avait dû faire l'effet d'un tour de magie. Ils avaient probablement dépassé le fossé sans voir la canalisation. Ou, s'ils l'avaient vue, ils avaient refusé de croire que nous ayons pu y pénétrer. Cette fois encore, la pluie avait masqué nos traces et notre odeur. Toutes les empreintes avaient disparu. Et les soldats ne pouvaient imaginer que nous rampions sous eux comme des insectes dans la boue tandis qu'ils avançaient dans l'autre sens. Quand j'ai de nouveau regardé par-dessus mon épaule, l'entrée du tunnel était invisible. Une sorte de rideau s'était refermé sur nous. J'entendais le souffle rauque de Léo derrière moi. Tous les autres bruits étaient étranges, étouffés. J'avais conscience du poids écrasant de la terre au-dessus de nos têtes.

Nous avions troqué un enfer contre un autre.

Une seule option : avancer. Il n'y avait pas assez d'espace pour faire demi-tour. Nous aurions pu repartir à reculons, mais à quoi bon ? Les soldats étaient à notre recherche et, à peine sortis du tunnel, les chiens nous auraient attaqués. D'un autre côté, plus nous avancions, plus notre situation s'aggravait. Et si le tunnel était obstrué ? Si nous manquions d'air ? Chaque centimètre parcouru était un centimètre vers la tombe, et je devais faire appel à toute ma volonté pour me forcer à continuer. Je pense que Léo me suivait simplement parce qu'il ne voulait pas rester seul. Je commençais à avoir chaud et je transpirais dans mes couches de vêtements. Je commençais aussi à avoir mal aux genoux. À intervalles réguliers, nous passions sur les rivets qui fixaient entre elles les sections de la canalisation, et je les sentais qui s'accrochaient dans mon anorak et me labouraient le dos. J'étais aveugle. J'avais vraiment l'impression qu'on m'avait éteint les yeux. L'obscurité était physique. Aussi radicale qu'une opération chirurgicale.

— Yasha ?

Le murmure de Léo semblait venir de nulle part.

— Tout va bien, Léo, ai-je répondu, d'une voix que je ne reconnaissais pas. Ce ne sera plus très long.

Mais nous avons continué pendant un temps qui nous a paru une éternité. Nous étions comme des robots, privés de sens de l'orientation, sans choix de direction. Nos corps fonctionnaient, c'est tout. Une main, puis l'autre, et les genoux qui suivaient. Il n'y avait aucun bruit, hormis les nôtres. Et si ce tunnel allait jusqu'à Kirsk ? Aurions-nous la force de parcourir ainsi trente kilomètres ? Non, bien sûr. Nous avions juste un demi-litre d'eau pour nous deux. Nous n'avions rien mangé depuis des heures. Il fallait absolument que j'arrête de laisser courir mon imagination. Sinon, la peur allait me terrasser.

Main, genou. Main, genou. Les moindres parcelles de mon corps étaient douloureuses. La frustration de ne pas pouvoir me lever me donnait envie de hurler. Mes épaules heurtaient régulièrement la paroi. Je fermais les yeux. Inutile de les ouvrir puisque je ne voyais rien. Et puis, tout à coup, je me suis retrouvé dehors. J'ai senti la brise sur mes épaules, et la pluie, plus légère maintenant, sur ma nuque. J'ai ouvert les yeux. Les ouvriers avaient construit une sorte de trappe d'inspection, qui était restée béante. J'étais accroupi dans une cavité en forme de V, au milieu de fragments de grillage et de boulons en fer rouillés. J'ai relevé ma manche pour regarder ma montre. Il était cinq heures. Ça paraissait incroyable, mais la journée était presque écoulée.

Léo a émergé dans le demi-jour et s'est assis près de moi en clignant des yeux. Pendant un moment, aucun de nous n'a osé parler, mais tout était silencieux alentour et j'étais quasiment certain que nous étions seuls.

— Ça va, Léo. On est passés en dessous des soldats. Ils ne savent pas que nous sommes là.

— Et maintenant ?

— Il faut continuer… suivre la route jusqu'à Kirsk.

— Ils nous chercheront là-bas.

— Je sais. On s'inquiétera de ça une fois sur place.

Pendant un instant, j'ai vraiment cru qu'on avait réussi. On avait échappé aux hélicoptères et semé les soldats. J'avais cent roubles dans ma poche qui nous permettraient d'aller à Moscou. Une fois là-bas, on raconterait notre histoire à tout le monde et on deviendrait des héros. Je pensais sincèrement, en dépit de tout ce qu'on avait subi et perdu, qu'on finirait par s'en sortir.

Jusqu'à ce que Léo me dise :

— Yasha… Je ne me sens pas bien.

Ночь

Nuit

Impossible de rester là. Je craignais que les soldats ne finissent par remarquer l'entrée de la canalisation et par comprendre comment nous leur avions filé entre les doigts – auquel cas ils feraient demi-tour et nous retrouveraient sans peine. Il fallait creuser l'écart entre eux et nous, tant que nous en avions encore la force. Mais il était évident que Léo ne pourrait pas aller loin. Il avait mal à la tête et la respiration difficile. Était-ce absurde d'espérer qu'il ait juste attrapé un rhume, ou qu'il souffre d'un état de choc ? Qu'il n'ait pas été obligatoirement contaminé ? J'essayais de me convaincre que, comme moi, il était épuisé, et qu'une nuit de sommeil le remettrait d'aplomb.

De toute façon, je devais dénicher un endroit chaud pour nous abriter. Léo avait besoin de manger et de sécher ses vêtements. Devant les arbres grêles qui s'élançaient vers le ciel de plus en plus sombre, un immense sentiment d'impuissance me submergeait. Comment allais-je me débrouiller seul ? Mes parents me manquaient. Je me répétais qu'ils ne viendraient pas, que jamais plus je ne les reverrais. Le chagrin me donnait la nausée. Pourtant, au fond de moi, quelque chose m'interdisait de renoncer. Si Léo et moi avions réussi à fuir Estrov, ce n'était pas pour mourir à quelques kilomètres, au milieu d'une forêt.

Nous nous sommes remis en marche pendant environ une heure. Cette portion de route avait été goudronnée, ce qui permettait d'avancer plus facilement dans le noir. C'était dangereux, je le savais, car on risquait davantage de se faire repérer, mais je n'osais pas m'aventurer au milieu des arbres.

Il se trouve que ce fut une bonne décision. La chance a voulu que nous tombions sur une cabane en bois, sans doute prévue pour une équipe du chantier et abandonnée récemment. Je n'ai eu aucun mal à forcer le cadenas d'un coup de pied. À l'intérieur, bonne surprise, il y avait deux banquettes, une table, des placards, et même un poêle en fer. En explorant les placards presque vides à l'aide de ma lampe torche, je n'ai découvert ni nourriture ni médicaments, mais j'ai fait néanmoins quelques trouvailles. De vieux journaux, des casseroles, des gobelets en fer-blanc et une fourchette. Je me félicitais d'avoir pensé à apporter des allumettes, et qu'elles soient restées au sec grâce à mes vêtements imperméables. Comme il n'y avait ni charbon ni bois, j'ai cassé les portes des placards et, dix minutes plus tard, un bon feu crépitait dans le poêle. Je n'avais pas peur que la fumée nous trahisse. Il faisait trop sombre pour qu'elle soit visible, et la porte et les volets fermés empêchaient la lumière de filtrer.

J'ai commencé par aider Léo à se déshabiller, puis j'ai étendu ses affaires sur le sol pour les faire sécher. Il s'est allongé sur une banquette, et je l'ai recouvert de journaux et d'un tapis qui traînait sur le plancher. Ce n'était peut-être pas très propre, mais ça lui tiendrait chaud. Ensuite j'ai sorti de mon sac la nourriture que j'avais prise chez moi. Nous avions déjà bu toute l'eau, mais ce n'était pas un problème. J'ai emporté une casserole dehors pour la remplir avec l'eau de pluie qui débordait de la gouttière. Il suffisait de la faire bouillir pour la débarrasser des microbes, s'il y en avait. J'y ai ajouté du thé, du sucre, et j'ai posé la casserole sur le poêle. Enfin, j'ai cassé le chocolat en morceaux et examiné les boîtes de conserve. Il y en avait trois ; toutes contenaient des harengs. Mais, comme un imbécile, j'avais oublié l'ouvre-boîte.

Tandis que Léo s'enfonçait dans le sommeil, j'ai passé une demi-heure à essayer désespérément d'ouvrir les boîtes. Dans un sens, ça me faisait du bien de me concentrer sur un problème aussi dérisoire. J'oubliais que j'étais seul, en cavale, traqué par des soldats qui voulaient me tuer, que mon meilleur ami était malade et qu'on m'avait tout pris. Ouvre la boîte ! m'intimai-je. J'ai fini par me débrouiller avec la fourchette trouvée dans le placard, en la martelant à l'aide d'une pierre pour percer le couvercle d'une multitude de petits trous et le découper. Les harengs étaient gris et huileux. Je ne sais pas si on en mange encore mais, quand j'étais enfant, c'était un festin. Ma mère le servait avec des tranches de pain noir, parfois avec des pommes de terre. L'odeur m'a fait penser à elle, et tout mon chagrin m'est remonté à la gorge, en dépit de mes efforts pour enfouir les images qui me hantaient.

Léo était trop fatigué pour manger. J'ai tout juste réussi à lui faire boire du thé. Quant à moi j'étais affamé. J'ai littéralement dévoré le contenu d'une des boîtes, gardant les deux autres pour Léo. J'espérais toujours qu'il se sentirait mieux le lendemain matin. J'avais l'impression qu'il respirait avec plus de facilité, maintenant qu'il se reposait. Peut-être que la pluie l'avait lavé de toutes les spores de l'anthrax. Ses vêtements continuaient de sécher devant le poêle. Assis devant lui, je regardais sa poitrine se soulever sous les couvertures et je m'efforçais de me persuader que son état allait s'améliorer.

Ainsi a commencé la nuit la plus longue de ma vie. J'ai enlevé mes survêtements et je me suis couché sur la seconde banquette, mais je n'arrivais pas à dormir. J'avais peur que le feu s'éteigne. Peur que les soldats trouvent la cabane et y fassent irruption. En fait, j'étais tellement assailli de peurs qu'il ne servait à rien de les identifier. Pendant des heures, j'ai écouté le craquement des flammes et le râle rauque de Léo. De temps à autre, je dérivais dans un état flottant de demi-sommeil, mais je restais conscient. Plusieurs fois, je me suis levé pour alimenter le poêle, en m'appliquant à ne pas faire trop de bruit en cassant le bois. Une fois, je suis sorti pour uriner. Il ne pleuvait plus mais des gouttes tombaient encore des arbres. Je les entendais sans les voir. Le ciel était noir. Soudain, un loup a hurlé. J'ai failli en lâcher ma torche. Les loups n'étaient donc pas une légende ! Celui-là devait se trouver assez loin, pourtant il semblait proche. Le hurlement commençait sur une note étonnamment grave, avant de monter, monter, comme si le loup s'élevait dans les airs. Je me suis reboutonné en vitesse et je suis rentré en courant dans la cabane, bien décidé à ne pas en sortir avant le jour.

Mes vêtements étaient encore humides. Je me suis agenouillé devant le poêle. Si une chose m'a permis de tenir bon, cette nuit-là, c'est bien ce poêle. Non seulement il me réchauffait mais il éclairait la cabane. Sans la clarté de ses flammes, les images qui m'assaillaient auraient été plus épouvantables encore. Pour m'occuper l'esprit, j'ai sorti le rouleau de billets de dix roubles de la boîte en fer-blanc dans l'idée de les compter. Dessous, il y avait le sachet de velours noir. J'ignorais ce qu'il contenait. Je l'ai ouvert pour la première fois et, à l'intérieur, j'ai découvert une paire de boucles d'oreilles, un collier et une bague. Je ne les avais jamais vus. D'où ma mère les tenait-elle ? Avaient-ils de la valeur ? Mais quelle que soit leur valeur, et quoi qu'il arrive, j'ai fait le serment de ne jamais les vendre. C'étaient les seuls vestiges de ma vie passée. J'ai rangé les bijoux dans le sachet de velours et je me suis rallongé sur la banquette. Cette fois, malgré l'inconfort du matelas, j'ai réussi à somnoler. Quand j'ai rouvert les yeux, le feu était presque éteint. J'ai poussé les volets : les premières traces de rose coloraient le ciel.

Le soleil m'a semblé mettre un temps fou pour se lever. On appelle ce moment, à partir de quatre heures du matin, « les petites heures », et je sais par expérience qu'elles sont les plus sinistres de la journée. C'est l'instant où l'on se sent le plus vulnérable, le plus seul. Léo dormait profondément. La cabane était plus lugubre qu'auparavant : j'avais quasiment épuisé toutes les réserves de bois à brûler. Dehors, le monde était détrempé, froid, menaçant. En temps normal, dans quelques heures, je serais parti pour l'école.

Réveille-toi, Yasha. Allons ! Prépare tes affaires…

J'ai lutté pour chasser de ma tête la voix de ma mère. Elle ne serait plus là pour moi désormais. Plus personne ne serait là pour moi. À partir de ce jour, si je voulais survivre, je ne devrais compter que sur moi-même.

Les deux boîtes de harengs restantes attendaient, intactes, sur une étagère près du poêle. Je les aurais volontiers mangées, mais je les gardais pour Léo. J'ai refait un peu de thé, mangé du chocolat, puis je suis sorti. À présent, le ciel était d'un blanc sale, les arbres plus squelettiques que jamais. Au moins, il n'y avait personne en vue. Les soldats n'étaient pas revenus. En faisant quelques pas autour de la cabane, j'ai trouvé un buisson d'airelles d'un rouge éclatant. Elles étaient vieilles mais encore mangeables. Chez nous, on en faisait une sorte de gelée pour accompagner un plat, le *kissel*. J'en ai glissé quelques-unes dans ma bouche. Le goût était légèrement amer, mais je pensais qu'elles m'aideraient à tromper ma faim et j'en ai rempli mes poches.

— Yasha ?

Quand je suis rentré dans la cabane, Léo m'appelait. Il était réveillé. J'étais si content d'entendre sa voix que je me suis précipité vers lui.

— Comment te sens-tu ?

— Où sommes-nous ?

— Dans une cabane. Après le tunnel. Tu ne te souviens pas ?

— J'ai très froid, Yasha.

Il avait une mine affreuse. Malgré tous mes efforts pour prétendre le contraire, c'était une évidence. Il avait le teint cireux, les yeux brûlants et vagues. Je ne comprenais pas pourquoi il avait froid. J'avais réussi à maintenir la cabane dans une bonne chaleur et je l'avais enfoui sous un tas de couvertures improvisées.

— Tu devrais peut-être manger quelque chose, Léo.

Je lui ai présenté une des boîtes de harengs, mais il a reculé.

— Je n'en veux pas.

Il avait une voix chevrotante de vieil homme.

— Bois au moins un peu de thé.

J'ai approché le gobelet de ses lèvres pour le forcer à avaler une gorgée. Comme il allongeait le cou, j'ai remarqué une trace rouge sous son menton. Alors, très doucement, d'un geste naturel pour ne pas l'inquiéter, j'ai repoussé les couvertures. Ce que j'ai vu m'a causé un choc. Tout le cou et le torse de Léo étaient couverts d'abcès. On aurait dit que sa peau avait été brûlée au feu, et on pouvait supposer que son corps entier portait les mêmes marques. Je préférais ne pas en voir davantage. Seul son visage avait été épargné. Sous les couvertures, il était un corps en train de pourrir.

Sans mes parents, j'aurais été dans le même état. Ils m'avaient injecté un antidote pour me protéger de l'arme biologique qu'ils avaient aidé à mettre au point. Ils avaient dit que l'effet du virus était fulgurant, et j'en avais la preuve vivante – ou plutôt mourante – sous les yeux. Rien d'étonnant à ce que les autorités aient décidé la mise en quarantaine immédiate de la zone. Si l'anthrax avait pu agir ainsi sur Léo en quelques heures, on imaginait aisément les effets sur toute la Russie s'il se propageait.

— Excuse-moi, Yasha, a murmuré Léo.

— Tu n'as pas à t'excuser.

Je regardais autour de moi, cherchant quoi faire. Le feu était presque éteint et il n'y avait plus de bois pour l'alimenter.

— Je ne peux pas venir avec toi, a repris Léo.

— Mais si, tu peux. Nous allons attendre un peu, c'est tout. Tu te sentiras mieux quand le soleil brillera.

Il a secoué la tête. Il savait que je mentais pour le rassurer.

— Ça m'est égal, Yasha. Je suis heureux que tu aies veillé sur moi. J'ai toujours aimé être avec toi.

Il a reposé sa tête sur la banquette. Malgré les abcès qui lui couvraient le corps, il n'avait pas l'air de souffrir. Je me suis assis à côté de lui. Au bout de quelques minutes, il s'est mis à marmonner. Je me suis penché pour entendre. Il ne parlait pas. Il chantait. *Ferme la porte une fois que je serai parti...* Tout le monde à l'école connaissait cette chanson. C'était le tube d'un chanteur de rock, Viktor Tsoi, l'été dernier.

Peut-être que Léo n'avait plus envie de vivre sans sa famille, sans son village. Il a fini le couplet, et il est mort. Bizarrement, hormis le silence, il y avait peu de différence entre Léo vivant et Léo mort. Simplement, il s'est arrêté. J'ai fermé ses yeux. J'ai remonté les couvertures sur son visage. Et puis j'ai pleuré. Est-ce choquant de dire que la mort de mon ami m'a bouleversé davantage que celle de mes parents ? Sans doute parce qu'ils m'ont été arrachés si brutalement que je n'ai pas eu le temps de réagir. Léo, lui, a mis toute une nuit à agoniser, et je suis resté à son chevet, à me rappeler combien il avait compté pour moi. J'avais aimé mes parents, mais j'étais presque plus proche de mon ami. Et il était si jeune...

D'une certaine façon, je pense que c'est pour lui que j'écris ces lignes.

J'ai décidé de consigner ma vie par écrit parce que je pressens qu'elle sera courte. Je ne tiens pas particulièrement à laisser un souvenir de moi. L'anonymat est primordial dans mon activité. Mais il m'arrive parfois de penser à Léo, et j'aimerais tant qu'il comprenne ce qui m'a conduit à être ce que je suis. Soyons franc, après avoir vécu quatorze ans dans un village de Russie, je ne projetais pas de devenir tueur à gages.

La mort de Léo a marqué une étape dans mon parcours. Mais pas une étape décisive. Ça ne m'a pas transformé. Le grand changement est survenu beaucoup plus tard.

J'ai mis le feu à la cabane, avec Léo à l'intérieur. Je savais que les flammes risquaient d'attirer l'attention des hélicoptères, mais c'était le seul moyen pour empêcher la maladie de se propager. Et tant mieux si les soldats venaient jusqu'ici. Avec leurs tenues de protection et leurs masques à gaz, ils sauraient comment décontaminer le secteur.

Ça ne signifiait pas pour autant que j'allais les attendre. J'ai tourné le dos à la fumée qui s'élevait dans le ciel, emportant Léo hors de ce monde, et je suis parti au pas de course en direction de Kirsk.

Кирс

Kirsk

En entrant dans Kirsk, j'avais les jambes raides de fatigue et les pieds endoloris.

Je ne connaissais de la ville que le musée. Jadis, Lénine s'était arrêté à Kirsk. Le célèbre dirigeant soviétique y avait fait une halte imprévue en raison d'un problème de locomotive, lors d'un voyage vers une ville plus importante. Il avait prononcé un bref discours sur le quai de la gare, puis il s'était rendu dans un café pour boire une tasse de thé. Là, apercevant son visage dans un miroir, il avait jugé sa barbe et sa moustache trop longues. Comme on s'en doute, le barbier local avait frôlé la crise cardiaque en voyant le personnage le plus puissant d'Union soviétique entrer dans son salon. La tasse dans laquelle avait bu Lénine et la tonte de ses poils noirs étaient encore exposés dans une vitrine du musée d'histoire et de folklore de Kirsk.

Le musée était une bâtisse rougeâtre, remplie d'objets. Je me souvenais d'avoir eu la migraine au bout d'une heure de visite à peine. De l'extérieur, on aurait dit une gare. Inversement, la gare ressemblait à un musée, avec ses larges escaliers, ses colonnades et ses immenses portes en bronze qui auraient dû ouvrir sur un décor plus majestueux que des guichets, des quais et des salles d'attente. J'avais vu cette gare lors de l'excursion scolaire, mais je ne me rappelais pas où elle se trouvait. Quand on vous emmène quelque part en bus, et que vous marchez en rang dans un groupe sans avoir le droit de parler, vous ne faites guère attention à l'itinéraire. Cette visite n'avait pas été la seule. J'étais aussi venu une fois au cinéma de Kirsk avec mon père. Sans compter, bien sûr, mon séjour à l'hôpital. Mais la gare, le cinéma et l'hôpital auraient pu tout aussi bien se situer sur des planètes différentes. J'étais incapable de les relier l'un à l'autre.

À côté d'Estrov, Kirsk paraissait immense. J'avais oublié combien il y avait d'immeubles, de magasins, combien de voitures et de bus parcouraient en tous sens les larges avenues pavées. Il y avait l'électricité partout ; les fils zigzaguaient d'un poteau à l'autre, s'entremêlant comme dans une pelote de laine. En réalité, Kirsk n'avait rien d'exceptionnel mais, venant d'un village minuscule, j'étais très impressionnable. Je ne voyais pas les façades délabrées, les chantiers interrompus, les trous dans les chaussées, l'eau sale qui coulait au travers des gouttières percées.

C'était la fin de l'après-midi et la lumière du jour baissait déjà. Ma mère m'avait dit que deux trains quotidiens partaient pour Moscou, un le matin, l'autre le soir, et j'espérais pouvoir attraper celui du soir. Je n'avais jamais passé la nuit dans un hôtel et, même si j'avais assez d'argent, l'idée d'en choisir un et d'y louer une chambre m'angoissait. Combien devrais-je payer ? Un hôtelier accepterait-il de loger un garçon seul ? J'avais marché sans m'arrêter depuis mon départ de la cabane. Je mourais de faim. Je m'étais uniquement nourri d'airelles. Il m'en restait encore une poignée dans une poche, mais je préférais ne plus en manger parce que ça me donnait mal au ventre. J'avais les pieds mouillés car mes bottes de cuir avaient subitement décidé de prendre l'eau. Je me sentais si sale que je me demandais même si on me laisserait monter dans le train. Dans le cas contraire, quelle solution me resterait-il ? Je n'avais qu'un seul plan : aller à Moscou, et il était incertain. Les photos de la ville qu'on nous avait montrées à l'école ne donnaient qu'une idée vague de la réalité.

Finalement, je n'ai pas eu trop de difficultés à dénicher la gare. Je me suis retrouvé par hasard dans le centre, sans doute parce que toutes les avenues y mènent si l'on marche assez longtemps. Le centre de Kirsk était une vaste esplanade, avec une fontaine vide et un monument commémorant la Seconde Guerre mondiale – une dalle de granit en forme de tranche de gâteau avec cette inscription : « À la mémoire des glorieux morts de Kirsk ». On m'avait toujours appris à respecter ceux qui ont perdu la vie à la guerre, mais je sais aujourd'hui qu'il n'y a rien de glorieux à être mort. Le monument était entouré de statues de généraux et de soldats, la plupart à cheval. Était-ce ainsi qu'ils avaient combattu les chars allemands ?

La gare se dressait juste en face de moi, au bout d'un large boulevard rectiligne bordé d'arbres de chaque côté. Je l'ai reconnue immédiatement. Elle était encerclée d'échoppes où l'on vendait de tout : valises, couvertures, coussins, nourriture et boissons.

Je sentais l'odeur des *shashlyk*, des brochettes de viande, en train de griller sur du charbon de bois. J'en avais l'eau à la bouche. Je brûlais d'envie de m'acheter à manger mais il y avait un petit problème. J'avais de l'argent dans ma poche, bien sûr, mais seulement en grosses coupures. Pas une seule pièce. Si je tendais un billet de dix roubles pour une brochette qui ne coûtait que quelques kopecks, je risquais d'attirer l'attention. Le vendeur me prendrait pour un voleur. Mieux valait attendre d'acheter mon ticket de train et de faire de la monnaie.

Je me suis donc aussitôt dirigé vers l'entrée principale. J'étais tellement soulagé d'être arrivé à la gare, et à la fois si anxieux à la perspective du voyage qui m'attendait, que j'ai manqué de vigilance. Je marchais tête baissée en essayant de ne croiser le regard de personne. J'aurais mieux fait de regarder autour de moi. En fait, si j'avais réfléchi, j'aurais choisi un autre accès, une entrée latérale par exemple. Au bout de cinq ou six mètres à peine, j'ai dû m'arrêter. Deux paires de bottes me barraient le chemin. J'ai levé les yeux et découvert deux policiers âgés d'à peine vingt ans, vêtus de longs manteaux gris, un insigne au col, une casquette militaire sur la tête, et un revolver à la ceinture.

— Où vas-tu, comme ça ? m'a lancé le premier.

Il avait une vilaine peau, très rouge, comme s'il venait de se raser avec un rasoir émoussé.

— À la gare, ai-je répondu, en m'efforçant de paraître décontracté.

— Pourquoi ?

— J'y travaille. Après l'école, j'aide à nettoyer les quais.

J'inventais au fur et à mesure.

— D'où viens-tu ?

— De là-bas.

J'ai pointé le doigt vers l'un des immeubles que j'avais dépassés en arrivant en ville.

— Tu t'appelles comment ?

— Léo Tretyakov.

Mon pauvre ami mort. Pourquoi avais-je choisi son nom ?

Les jeunes policiers ont hésité. Pendant un instant, j'ai cru qu'ils allaient me laisser passer. Ils n'avaient aucune raison de m'arrêter. Je n'étais qu'un adolescent qui faisait un petit boulot après l'école. Mais le second policier s'en est mêlé.

— Tes papiers d'identité.

J'avais donné un faux nom car je craignais que les autorités connaissent le mien. Après tout, c'étaient mes parents, Anton et Eva Gregorovitch, qui s'étaient enfuis de l'usine. Mais je m'étais piégé moi-même. Dès l'instant où ils contrôleraient mon passeport, ils verraient que j'avais menti. J'aurais dû me méfier. Maintenant, je m'apercevais que la gare grouillait de policiers. Ils avaient reçu l'information concernant Estrov et savaient que deux garçons s'étaient échappés. On leur avait donné l'ordre de surveiller toutes les gares de la région. Et je m'étais jeté dans leurs bras.

— Je n'ai pas mes papiers sur moi, ai-je bredouillé en prenant un air idiot, comme si je n'avais pas conscience de la gravité de mon cas. Je les ai oubliés chez moi.

Ça aurait pu marcher. J'avais quatorze ans et je paraissais jeune pour mon âge. Mais peut-être leur avait-on communiqué mon signalement. Peut-être l'un des hélicoptères nous avait-il pris en photo. En tout cas, ils savaient. Je le lisais dans leurs yeux, aux regards qu'ils échangeaient. Ils débutaient leur carrière dans la police et c'était pour eux une occasion en or. La possibilité d'obtenir une promotion, une augmentation de salaire, leur nom dans les journaux. Ils avaient tiré le gros lot. Ils m'avaient épinglé.

— Viens avec nous, a ordonné le premier policier.

Si je discutais ou si j'essayais de fuir, ils me saisiraient, demanderaient des renforts, et je serais embarqué dans un fourgon sans avoir le temps de dire ouf. Mieux valait pour l'instant rester avec eux. S'ils décidaient de me conduire eux-mêmes au commissariat, cela me laissait une chance de leur fausser compagnie. Le poste de police était peut-être de l'autre côté de la ville. En les accompagnant, je me donnais le temps d'inventer une ruse pour filer.

Nous marchions lentement, moi devant, eux derrière. J'en profitais pour regarder autour de moi et réfléchir. Il y avait foule. La journée de travail était terminée et les gens rentraient chez eux. Mais personne ne m'aiderait. Personne ne voudrait risquer des complications. J'ai jeté un coup d'œil par-dessus mon épaule vers les deux policiers qui me suivaient, deux pas derrière moi. Quelque chose m'intriguait, mais quoi ? Ils avaient été ravis de m'intercepter, ça ne faisait aucun doute, pourtant ils paraissaient nerveux. Bon, c'était compréhensible. Ils tenaient leur moment de gloire.

Cependant il y avait autre chose. Leur nervosité avait une autre cause. Je le sentais. Ils avançaient avec prudence, assez près pour bondir sur moi si j'essayais de fuir, mais pas assez près pour me toucher. Pourquoi cette distance ? Pourquoi ne m'avaient-ils pas menotté ? Pourquoi me laissaient-ils une chance de fuir ? Cela n'avait aucun sens.

Sauf s'ils savaient.

C'était ça. Il n'y avait pas d'autre explication.

J'étais supposé avoir été infecté par un virus si mortel que les autorités avaient préféré raser mon village. Si fulgurant qu'il avait tué Léo en moins de vingt-quatre heures. Les soldats de la forêt portaient une tenue de protection. La police de Kirsk, et sans doute celle de Rosna, avaient été informées que j'étais contaminé et donc dangereux. Personne ne pouvait se douter que mes parents avaient couru tous les risques pour m'inoculer un antidote. Peut-être même ignoraient-ils l'existence de cet antidote. Or rien ne protégeait les jeunes policiers qui m'avaient arrêté. À leurs yeux, j'étais une bombe à retardement. Ils voulaient me ramener au commissariat, mais pas s'approcher de moi.

Nous avions laissé la gare derrière nous. Les passants détournaient délibérément la tête en nous croisant. Les policiers fermaient toujours la marche et maintenant je savais pourquoi. Malgré les apparences, c'était moi le maître du jeu. Je leur faisais peur ! Et ça pouvait m'être utile.

D'un geste naturel, j'ai glissé une main dans ma poche. Ils ne pouvaient pas voir ce que je faisais. J'ai ressorti ma main et je l'ai passée sur ma bouche. Je savais que nous approchions du commissariat car des véhicules de police étaient garés plus loin.

— Par ici ! a aboyé un des policiers.

Ils semblaient avoir décidé d'entrer dans le poste de police par la porte de derrière, située au bout d'une allée, après un parking désert où des poubelles débordantes de détritus étaient alignées le long d'une clôture rouillée. Nous avons tourné dans l'allée. Soudain, nous étions seuls. Exactement ce que j'espérais.

Après quelques pas, je me suis plié en deux en poussant des gémissements et en me tenant le ventre à deux mains. Aucun des policiers n'a bronché. L'un d'eux m'a juste poussé dans le dos. Du bout de l'index. Sans toucher ma peau.

— Avance.

— Je ne peux pas.

Je hoquetais, la voix brisée par la souffrance.

J'ai pivoté vers eux et je me suis mis à tousser. Je produisais des sons atroces, comme si j'allais cracher mes poumons. Je suffoquais, je cherchais ma respiration, les deux mains crispées sur le ventre. Les policiers me dévisageaient d'un air horrifié. J'avais la bouche barbouillée de sang pourpre qui me dégoulinait sur le menton. Une nouvelle quinte de toux m'a secoué et j'ai postillonné dans leur direction. Ils ont reculé d'un bond comme s'ils se trouvaient face à un serpent venimeux. À leurs yeux, mon sang était du poison.

Si une seule goutte les touchait, ils subiraient le même sort que moi.

Mais ce n'était pas du sang.

De ma poche, j'avais sorti les airelles cueillies dans la forêt et je les avais fourrées dans ma bouche. Ce que je crachais, c'était le jus rouge des baies mélangé à ma salive.

— S'il vous plaît... aidez-moi... je ne me sens pas bien...

Les deux policiers étaient figés, déchirés entre deux options contraires : me saisir ou me tenir le plus éloigné possible. Je surjouais comme un mauvais acteur, grimaçant et titubant, mais ils avaient trop peur pour s'en rendre compte. On leur avait dit que je représentais un très grand danger. Ils connaissaient les risques. Leur imagination faisait la moitié du travail à ma place.

J'en ai encore rajouté :

— Tout le monde est mort... Je vous en supplie. Je ne veux pas finir comme eux...

Je tendais la main dans un geste implorant. Mes doigts étaient sanguinolents. Les deux policiers reculaient. Pas question pour eux de me laisser approcher.

— J'ai si mal !

Je suis tombé à genoux. Le jus rouge coulait sur mon col.

Ils ont pris leur décision. S'ils restaient et tentaient de me relever, ils risquaient la mort. Une mort foudroyante et affreuse. Bien sûr, la perspective d'une promotion les tentait. Mais leur vie comptait bien davantage. Et puis l'idée les avait peut-être effleurés que le seul fait de m'avoir approché conduirait les autorités à les éliminer aussi. De toute façon, je serais bientôt mort. J'étais couché sur le côté, recroquevillé et agité de soubresauts. Mon visage était maculé de sang. L'un d'eux a glissé quelques mots à l'oreille de son collègue. Je n'ai pas entendu ce qu'il disait mais ils sont tombés d'accord car, deux secondes plus tard, ils ont tourné les talons et rebroussé chemin en courant. Je les ai vus disparaître à l'angle du bâtiment. Je doutais fortement qu'ils racontent leur mésaventure à leurs supérieurs. Après tout, la désertion n'est pas une attitude dont on aime se vanter. Ils passeraient probablement le restant de la journée aux bains publics, avec l'espoir que l'eau chaude et la vapeur du sauna les laveraient des microbes.

Une fois certain qu'ils étaient loin, je me suis relevé et essuyé le visage avec ma manche. Ma rencontre avec les deux policiers m'avait au moins appris une chose : il m'était impossible de retourner dans la gare de Kirsk pour acheter un ticket. Je serais arrêté dès l'instant où je tenterais d'approcher des guichets, et j'avais peu de chances de réussir deux fois le même stratagème. Si je voulais monter dans un train pour Moscou, il allait me falloir trouver autre chose.

J'avais déjà une idée.

Avant d'être arrêté, j'avais remarqué que de nombreux voyageurs arrivaient à la gare en taxi ou en autobus. Cela indiquait que le train du soir pour Moscou n'allait pas tarder. J'avais aussi remarqué toute une ribambelle de porteurs qui accouraient pour aider les voyageurs chargés de bagages. Certains de ces porteurs étaient des adolescents, vêtus d'une grande veste grise avec un filet d'ornement rouge sur la manche. Je ne pense pas qu'ils étaient des employés officiels. Ils cherchaient juste à gagner quelques kopecks au noir.

Je suis retourné vers la gare, mais cette fois en restant derrière les arbres, le long des bâtiments, en me mêlant à la foule, à l'affût des policiers. Bientôt j'ai aperçu ce que je cherchais. Un des porteurs était assis devant un café et fumait une cigarette. Il avait environ mon âge, même s'il s'efforçait de paraître plus vieux en s'affublant d'une barbe et d'une moustache confectionnées avec d'horribles cheveux fins qui n'avaient pas leur place sur un visage. Sa veste était ouverte, sa casquette posée de travers sur sa tête.

Je suis allé m'asseoir près de lui. Au bout d'un moment, il a remarqué ma présence et m'a adressé un signe de tête, sans sourire. C'était suffisant.

— C'est à quelle heure, le prochain train pour Moscou ?

Il a regardé sa montre.

— Dans vingt minutes.

J'ai fait semblant de réfléchir, comme si je pesais cette information, avant de rependre :

— Ça te plairait de gagner cinq roubles ?

Ses yeux se sont plissés. Cinq roubles, c'était probablement ce qu'il gagnait en une semaine. J'ai poursuivi :

84

—Je vais te parler franchement. J'ai des ennuis avec la police. J'ai failli être arrêté, tout à l'heure. Il faut que je monte dans ce train. Si tu me donnes ta veste et ta casquette, je te paie cash.

Je ne prenais pas un gros risque. Je devinais que le garçon était cupide. Et puis, en Russie, la plupart des gens vous donnent un coup de main si vous essayez d'échapper à la police. C'est comme ça.

— Qu'est-ce que la police te reproche ?

— Je suis un voleur.

Il a tiré paresseusement sur sa cigarette.

— D'accord pour la veste et la casquette, mais ça te coûtera dix roubles.

— Marché conclu.

J'ai sorti un billet en prenant soin de ne pas lui montrer les autres, et il m'a donné sa veste et sa casquette. Ce soir là, il se soûlerait à mort avec quelques amis. Au lieu d'aller directement à la gare, je me suis arrêté devant l'une des échoppes, où j'ai acheté deux valises d'occasion à un vieil homme qui en avait toute une pile. J'ai rapidement ôté mes survêtements, que j'ai fourrés dans une des valises, et j'ai enfilé la veste et la casquette. Ensuite, une valise dans chaque main, je me suis dirigé vers la gare.

Il y avait des policiers partout. Les deux novices qui m'avaient arrêté avaient-ils fini par parler ? Il y en avait tout autour de la gare, comme un cordon de sécurité. Devant les guichets, sur les quais. Mais aucun ne me prêtait attention. J'ai patienté jusqu'à ce qu'un couple élégant – peut-être une personnalité politique locale avec son épouse – descende d'un taxi. Aussitôt, je leur ai emboîté le pas et je suis entré dans le hall à leur suite. Eux ne me voyaient pas, mais aux yeux des voyageurs et des policiers, j'étais le porteur chargé de leurs valises.

J'avais bien calculé le minutage. Nous étions à peine arrivés sur le quai qu'un train est entré en gare. Le train du soir pour Moscou. J'ai suivi mes supposés clients jusqu'à leur voiture et j'y suis monté derrière eux. Ils n'avaient absolument pas remarqué ma présence et personne n'a cherché à me barrer le chemin. Pourtant, j'étais aussi visible que le nez au milieu du visage.

Les choses n'ont pas changé, sur ce plan. Les gens regardent les vêtements que vous portez sans chercher à savoir qui est la personne qui les porte. Un homme avec un col blanc amidonné est un prêtre. Une femme en blouse blanche avec un stéthoscope est un médecin. C'est aussi simple que ça. On ne leur demande pas leur carte d'identité.

Quelques minutes plus tard, le train est parti. Il a pris rapidement de la vitesse et m'a emporté dans la nuit. Je savais que jamais je ne reviendrais.

MOCKBA
Moscou

Gare Kazansky. Moscou.

J'ai du mal à me rappeler mes sentiments au moment où le train a atteint sa destination finale. Une partie de moi jubilait. J'avais réussi. J'avais parcouru huit cents kilomètres, j'avais laissé la police et mes problèmes derrière moi. Mais que me réservait ce monde inconnu dans lequel j'allais être propulsé ? Le train s'arrêterait. Les portes s'ouvriraient. Et après ?

À travers les fenêtres du compartiment, j'avais déjà aperçu des rangées infinies d'immeubles d'habitation. Des dizaines de milliers de personnes y logeaient. Comment pouvait-on vivre de cette façon, si nombreux, empilés les uns sur les autres ? J'avais aussi aperçu des églises aux dômes dorés, dix fois plus grandes que notre pauvre Saint-Nicholas. Les usines crachaient leur fumée dans le ciel sans nuages, sans soleil, simple drap gris. Mais tous ces bâtiments semblaient minuscules à côté des gratte-ciel, avec leurs flèches et leurs aiguilles étincelantes, leurs milliers de fenêtres, leurs millions de briques, qui se dressaient comme surgis d'un rêve fou. Bien sûr, j'avais vu des photos à l'école. Je savais que les gratte-ciel avaient été construits par Staline dans les années quarante et cinquante. Mais les voir en vrai, c'était autre chose. C'était presque un choc de découvrir qu'ils existaient vraiment, qu'ils étaient bien là, éparpillés autour de la ville, comme pour la surveiller.

Dans le train, j'avais eu beaucoup de chance. J'avais trouvé un compartiment vide dans la dernière voiture, avec une couchette abaissée. C'est là que j'avais dormi. Non pas sur la couchette, mais dessous, à même le sol, hors de la vue des contrôleurs. Le plus bizarre c'est que j'avais réussi à dormir. J'étais exténué, je suppose. Je m'étais réveillé une ou deux fois dans la nuit et, en écoutant le roulement du train qui filait dans l'obscurité, il m'avait semblé sentir mes souvenirs s'estomper... Estrov, Léo, mes parents, mon école. Je savais qu'à mon arrivée à Moscou je ne serais plus qu'une coquille vide, un garçon de quatorze ans sans passé et peut-être sans avenir. Il y avait même une partie de moi, toute petite, qui regrettait d'avoir échappé à la police. Au moins, je n'aurais pas eu à prendre de décisions. Je n'aurais pas été seul.

Un nom me hantait, tournait et retournait dans ma tête. Misha Dementyev. Il travaillait au département de biologie de l'université de Moscou, et ma mère avait affirmé qu'il veillerait sur moi. Le trouver ne devrait pas être trop difficile. Grâce à lui, le pire de mes ennuis serait bientôt terminé. C'est du moins ce dont j'essayais de me convaincre.

La gare était bondée. Jamais je n'avais vu autant de monde dans un même endroit. À la descente du train, j'ai posé le pied sur un quai dont on ne voyait même pas la fin, grouillant de passagers chargés de valises, de paquets, de ballots de vêtements. Certains mangeaient des sandwichs, d'autres vidaient leur flasque. Tous étaient fatigués, maussades. Il y avait aussi des policiers, mais je ne pensais pas qu'ils étaient là pour moi. J'avais enlevé ma veste et ma casquette de porteur, abandonné mes valises, et remis ma tenue de Jeune Pionnier dont j'envisageais de me débarrasser bientôt. Il faisait chaud à Moscou. L'air lourd empestait l'essence et la fumée.

Je me suis laissé emporter par le flot des voyageurs jusqu'au hall des guichets, l'espace le plus vaste que j'aie jamais vu, puis dehors. La gare donnait sur une place. Là encore, c'est son ampleur qui m'a sidéré. J'avais l'impression que la ville de Kirsk tout entière aurait pu y tenir. Voitures, autobus, tramways s'y croisaient dans tous les sens. L'embouteillage était pour moi une expérience nouvelle. J'étais submergé par le vacarme et la puanteur des pots d'échappement. Encore aujourd'hui, je m'étonne que les gens puissent supporter ça. Les véhicules étaient de toutes les couleurs imaginables. J'avais vu des Lada et Chaika officielles, mais ces voitures me paraissaient arriver de tous les pays du monde. Des taxis gris, avec un motif d'échiquier sur le capot, se faufilaient dans la circulation. On avait eu la bonne idée d'aménager des souterrains pour les piétons. Traverser la place en surface était une tentative suicidaire.

Il y avait trois gares distinctes sur la place, chacune s'efforçant de surclasser l'autre à coup de hautes colonnes, d'arcades et de tours. Les voyageurs arrivaient de diverses régions de la Russie. À peine sortis, ils étaient accueillis par toutes sortes d'échoppes de nourriture, pour la plupart tenues par de vieilles femmes ridées en tablier blanc et chapeau. En fait, on vendait de tout : viande, légumes, jeans et vestes matelassées de fabrication chinoise, articles électriques, et même ses meubles personnels. Certains voyageurs descendaient du train dans ce seul but. Personne n'avait d'argent. C'était là qu'il fallait commencer.

Mes propres besoins étaient simples et immédiats. La faim me donnait des vertiges. Je me suis dirigé vers le stand le plus proche, et j'ai commencé par un beignet au chou et à la viande. J'ai poursuivi avec un pain aux raisins – les *kalerikas* sont spécialement conçus pour vous remplir l'estomac. Ensuite j'ai acheté une boisson à une machine qui crachait dans un gobelet du sirop mélangé à de l'eau. Ça ne me suffisait toujours pas. J'en ai pris un autre, suivi d'une glace à la framboise que j'ai payée sept kopecks. La marchande me l'a tendue avec un large sourire, comme si elle savait que c'était pour moi un événement. Je me souviens encore du goût de cette glace à la framboise.

Au moment où je finissais la dernière cuillerée, j'ai pris conscience que j'étais observé. Un garçon de dix-sept ou dix-huit ans, adossé à un réverbère, m'étudiait. Il était de la même taille que moi, mais plus costaud, avec un regard opaque et des cheveux longs, raides, presque incolores. Il aurait été beau sans son nez cassé et mal redressé, qui donnait à son visage un curieux air penché. Il portait un blouson de cuir noir trop grand pour lui, dont il avait retroussé les manches. Peut-être l'avait-il volé. Personne ne l'approchait. Les voyageurs semblaient l'éviter. À sa façon de se tenir posté à cet endroit, il donnait l'impression que le trottoir lui appartenait, et peut-être même la moitié de la ville. Ça me plaisait assez, cette attitude bravache de celui qui ne possède rien mais prétend le contraire.

En jetant un coup d'œil circulaire, je me suis aperçu qu'un grand nombre d'enfants rôdaient aux abords de la gare Kazansky, la plupart regroupés devant les portes sans oser y entrer. Ces jeunes au visage émacié et pâle, aux yeux creusés, semblaient beaucoup moins bien lotis que le garçon en blouson de cuir. Certains demandaient l'aumône aux voyageurs, mais ils le faisaient avec réticence, comme s'ils appréhendaient d'être vus. Je me souviens de deux petits vagabonds affamés qui n'avaient pas plus de dix ans. Qu'avaient-ils pensé en me voyant m'empiffrer ? J'avais honte. Je m'apprêtais à aller leur donner quelques kopecks quand le garçon plus âgé en blouson de cuir s'est avancé vers moi. Quelque chose dans ses manières me troublait. Il paraissait sourire d'une plaisanterie connue de lui seul. Savait-il qui j'étais ? D'où je venais ? J'avais le sentiment que, sans m'avoir jamais rencontré, il savait tout de moi.

— Salut, soldat, m'a-t-il lancé, faisant référence à ma tenue de Jeune Pionnier. D'où arrives-tu ?

— De Kirsk.

— Jamais entendu parler. C'est un joli coin ?

— Pas mal.

— Première fois à Moscou ?

— Non. Je suis déjà venu.

J'ai eu l'impression qu'il savait que je mentais. Comme les policiers de Kirsk. Pourtant il a souri, de cette manière si particulière.

— Tu as un endroit où crécher ?

— J'ai un ami…

— C'est bien d'avoir un ami. On a tous besoin d'amis.

Il a jeté un regard circulaire.

— Mais je ne vois personne qui t'attend.

— Il n'est pas là.

Ça me rappelait mon premier jour à la grande école. Je m'efforçais d'avoir l'air assuré alors que j'étais totalement vulnérable. Et il le sentait. Il m'a examiné avec plus d'attention, comme s'il échafaudait plusieurs hypothèses à mon sujet, puis, tout à coup, il s'est redressé et m'a tendu la main.

— Relax, soldat. Je ne veux pas t'embêter. Je m'appelle Dimitri. Tu peux m'appeler Dima.

Je lui ai serré la main. Il m'était difficile de refuser.

— Moi, c'est Yasha.

— Bienvenue à Moscou. Ou plutôt bon retour. Quand es-tu venu, la dernière fois ?

— Il y a un certain temps.

Je savais que plus j'en dirais plus j'aurais de risques de me trahir.

— Avec mes parents.

— Mais aujourd'hui tu es seul.

— Oui.

Ce oui est resté un moment suspendu en l'air.

Je n'arrivais pas à deviner ce que Dima avait en tête. D'un côté, il était plutôt amical, mais de l'autre, il cherchait à me sonder. Son nez cassé empêchait de déchiffrer l'expression de son visage.

— La personne que je suis censé rencontrer est un ami de mes parents, ai-je expliqué. Il travaille à l'université de Moscou. Tu sais comment on y va ?

— À l'université ? C'est assez loin d'ici, mais facile. Il faut prendre le métro.

Sa main m'a saisi l'épaule. Sans que je m'en rende compte, une seconde plus tard nous marchions côte à côte.

— L'entrée est par ici. La ligne est directe. Tu descendras à la station Université. Tu as de l'argent ?

— Pas beaucoup.

— Ce n'est pas grave. Le métro est bon marché. Tiens, je vais même…

Il a tendu la main et une pièce de monnaie est apparue au bout de ses doigts, comme s'il l'avait happée en vol.

— Voilà cinq kopecks. Ça ne coûte pas plus. Et pas besoin de me rembourser. C'est cadeau. Toujours un plaisir d'aider un nouveau en ville.

Nous étions arrivés à un escalier menant sous terre. À ma surprise, Dima est descendu avec moi. Allait-il m'accompagner jusqu'au bout ? Sa main tenait toujours mon épaule. Il m'expliquait le trajet.

— Il y a neuf stations, peut-être dix. Reste dans le wagon. Tu arriveras très vite…

Alors qu'il parlait, une porte battante s'est ouverte devant nous et deux adolescents sont apparus. Ils montaient l'escalier. Du même âge environ que Dima, l'un brun, l'autre blond. Je m'attendais à les voir s'écarter, mais ils ont continué d'avancer droit sur nous et m'ont bousculé. Un bref instant, j'ai été pris en sandwich entre eux et Dima. J'ai cru qu'ils allaient m'agresser mais ils ont disparu aussi vite qu'ils étaient apparus.

— Hé ! leur a crié Dima en pivotant. Vous ne pouvez pas faire attention ?

Il s'est de nouveau tourné vers moi.

— Tu vois comment sont les gens dans cette ville. Toujours pressés et sans respect pour les autres.

Les deux jeunes avaient filé et nous n'en avons plus reparlé. Dima m'a escorté jusqu'aux portillons.

— Bonne chance, soldat. J'espère que tu trouveras celui que tu cherches.

On s'est serré la main.

— Souviens-toi. Université.

Après un dernier salut enjoué, il s'en est allé en me laissant seul. J'ai avancé, puis je me suis figé net devant l'escalator.

Je n'avais jamais rien vu de pareil. Des escaliers en mouvement qui transportaient des gens de haut en bas en un flot continu. On n'en voyait pas la fin, et j'avais du mal à croire que les rails du métro puissent être aussi profondément enfouis sous la surface. J'ai posé prudemment les pieds sur l'escalier roulant, agrippé à la rampe, et je me suis laissé emporter dans les entrailles de la Terre. Tout en bas, dans une cage de verre, il y avait une femme en uniforme. Son travail consistait à observer les passagers, à s'assurer que personne ne trébuchait ni ne se blessait. Difficile d'imaginer comment on pouvait travailler ici toute une journée, enterré vivant, sans jamais voir le soleil.

En fait, le métro de Moscou était renommé dans la Russie entière. Il avait été construit par des ouvriers venus de toutes les régions du pays, et décoré par des artistes célèbres. Chaque station était un spectacle en soi. Celle-ci avait des colonnades dorées, un sol en mosaïque et des sphères de verre suspendues au plafond qui scintillaient sous l'effet de la lumière. Pour les milliers de passagers qui l'empruntaient, c'était devenu banal, un simple lieu de passage. Moi, j'étais fasciné. Un train a surgi du tunnel en rugissant. Je suis monté dans une voiture, un instant après les portes se sont fermées, et la rame est repartie avec une secousse.

J'ai trouvé un siège libre. C'est en m'asseyant que j'ai découvert que quelque chose clochait. J'ai palpé la poche arrière de mon pantalon. Elle était vide. On m'avait volé. Tout mon argent avait disparu à l'exception de quelques pièces. J'ai déroulé mentalement le film des récents événements, et compris que j'avais été victime d'un coup monté. Dima m'avait observé pendant que j'achetais à manger. Il savait que j'avais des billets. D'une manière ou d'une autre, il avait prévenu ses complices et les avait envoyés dans le métro par une autre entrée. Il avait continué de discuter avec moi pour leur laisser le temps de se mettre en place, puis il m'avait accompagné pour me jeter dans leurs bras. C'était du travail de professionnel, un numéro qu'ils avaient probablement exécuté des centaines de fois. J'étais dans une colère noire, aussi noire que le tunnel dans lequel plongeait le métro. J'avais perdu plus de soixante-dix roubles ! L'argent si durement économisé par mes parents, grâce auquel ils espéraient me sauver. Je m'étais bêtement, aveuglément, laissé dépouiller. Quel crétin j'étais ! Je ne méritais pas de survivre.

Pourtant, à mesure que le métro m'emportait sous la ville, j'ai commencé à me dire que, finalement, ce n'était pas si grave. Je n'avais qu'à tourner la page. J'allais rencontrer Misha Dementyev, qui veillerait sur moi. Je n'aurais plus besoin de cet argent. Avec le recul, aujourd'hui, je pense que c'est l'une des premières leçons importantes que j'ai apprises, et qui s'est révélée très utile dans ma profession. Parfois, les choses tournent mal. C'est inévitable. Mais il ne faut pas commettre l'erreur de gaspiller de l'énergie à se tracasser pour des événements sur lesquels on n'a aucune influence. Une fois qu'ils ont eu lieu, mieux vaut passer à autre chose.

Je m'étais représenté l'université un peu comme mon école : un bâtiment unique, en plus grand. Mais en sortant du métro, j'ai découvert une ville à l'intérieur de la ville, une cité dédiée à l'enseignement. C'était bien plus spacieux et élégant que tout ce que j'avais vu jusqu'à présent à Moscou. Il y avait des avenues et des parcs, des autobus spéciaux pour transporter les étudiants, des pelouses et des fontaines, et non pas un bâtiment mais des dizaines, régulièrement espacés, un par spécialité. L'ensemble était dominé par un des gratte-ciel de Staline, et je me suis rendu compte qu'il était destiné à vous faire sentir tout petit, à vous rappeler la puissance et la majesté de l'État. Devant les marches menant à l'entrée principale – masquée par une rangée de colonnes –, je me faisais l'effet d'un pécheur invétéré sur le point de pénétrer dans une église. En même temps, j'étais attiré comme par un aimant. J'ignorais où se situait le département de biologie, mais j'étais au cœur de l'université. Je trouverais Misha Dementyev. J'ai gravi les marches et je suis entré.

L'intérieur de l'édifice ne correspondait pas à la façade extérieure. J'ai eu l'impression d'entrer dans un sous-marin ou un navire sans fenêtres. Le plafond était bas, il faisait trop chaud, les couloirs menaient à d'autres couloirs, des portes ouvraient sur d'autres portes, des escaliers germaient dans tous les coins. Des étudiants allaient et venaient, chargés de livres, de sacs à dos. Je me suis forcé à avancer, craignant d'attirer l'attention par mon hésitation et mon air égaré. Je supposais que s'il y avait une zone administrative, un bureau avec les noms de toutes les personnes travaillant à l'université, j'avais des chances de les trouver près de l'entrée. On ne tolérait sans doute pas que des visiteurs de passage circulent librement sur le campus. J'ai essayé d'ouvrir une porte. Fermée. La suivante menait à des toilettes. Venait ensuite une pièce nue, occupée par une femme de ménage, une serpillière dans une main, une cigarette dans l'autre.

— Qu'est-ce que tu cherches ? m'a-t-elle demandé.

— Le secrétariat.

— C'est plus loin, a répondu la femme d'un air menaçant. À gauche. Bureau 1117.

Le couloir s'étirait sur près de cent mètres, mais la pièce 1117 était à mi-parcours. J'ai toqué à la porte et je suis entré.

Deux employées étaient assises derrière des bureaux trop petits pour les machines à écrire et les piles de papier, dossiers et cendriers qui les encombraient. L'une d'elles était reliée à un vieux standard téléphonique, de ceux qui ont des fils partout. Elle a levé les yeux vers moi.

— Oui ?

— Vous pouvez m'aider ? Je cherche quelqu'un.

— Va au bureau des étudiants. Pièce 1301.

— Ce n'est pas un étudiant que je cherche. Je dois voir un professeur. Misha Dementyev.

— Bureau 2425. Vingt-quatrième étage. L'ascenseur au bout du couloir.

Quel soulagement. Il était là ! Dans son bureau ! J'entrevoyais la fin de mon voyage et le début d'une nouvelle vie. Cet homme avait connu mes parents. Il allait m'aider.

Je suis monté dans l'ascenseur avec un groupe d'étudiants, tous délibérément échevelés et crasseux. Cette boîte en acier veillotte et vibrante qui s'est arrêtée une bonne douzaine de fois n'avait rien en commun avec les luxueux escalators du métro. Enfin parvenu au vingt-quatrième étage, je suis sorti dans un couloir aux murs de couleur crème, comme au rez-de-chaussée, et sans fenêtres. Au moins, les bureaux étaient nettement étiquetés et celui que je cherchais se trouvait juste au coin. La porte était entrebâillée et un homme parlait au téléphone.

— Oui, bien sûr, M. Sharkovsky, disait-il. Oui, monsieur. Merci, monsieur.

J'ai toqué à la porte.

— Entrez !

C'était une pièce exiguë et encombrée, avec une fenêtre carrée donnant sur l'avenue et le perron de l'entrée principale. Il devait y avoir dans les cinq ou six cents livres, non seulement sur les étagères mais empilés sur le sol et toutes les surfaces disponibles. Les livres se disputaient l'espace avec divers instruments de laboratoire : une rangée de fioles, deux microscopes, des balances, des becs Bunsen, et des cubes qui ressemblaient à des fours ou des réfrigérateurs miniatures. Le plus inquiétant était un squelette humain intégral, suspendu dans un angle, qui semblait chargé de surveiller tout cet attirail en l'absence de son maître.

Celui-ci était assis derrière son bureau. Il venait de raccrocher le téléphone. Ma première impression a été qu'il avait le même âge que mon père, avec des cheveux épais et noirs qui soulignaient la circonférence de sa calvitie au centre de son crâne. À cet endroit, la peau était tirée et lustrée ; la lumière du plafonnier s'y réfléchissait. Il avait une barbe fournie et une moustache. Derrière ses lunettes, j'ai vu deux petits yeux anxieux qui clignaient nerveusement comme s'il n'avait jamais vu un garçon de mon âge. Du moins dans son bureau.

Je me trompais. Il était nerveux parce qu'il savait qui j'étais. Il m'a aussitôt appelé par mon nom.

— Yasha ?

— Vous êtes M. Dementyev ?

— Professeur Dementyev, a-t-il rectifié. Je t'en prie, entre. Ferme la porte. Quelqu'un sait que tu es ici ?

— J'ai demandé mon chemin au secrétariat, en bas.

— Tu as parlé avec Anna ?

J'ignorais le nom de l'employée à qui je m'étais adressé. Il ne m'a pas laissé le temps de lui répondre, ajoutant aussitôt :

— C'est bien dommage. Il aurait mieux valu que tu téléphones avant de venir. Comment es-tu arrivé jusqu'ici ?

— Par le train. Mes parents…

— Je sais ce qui s'est passé à Estrov.

Il était agité. Des gouttes de transpiration perlaient sur son front.

— Tu ne peux pas rester ici, Yasha. C'est trop dangereux.

Je n'en croyais pas mes oreilles.

— Mes parents m'ont dit que vous veilleriez sur moi !

— Bien sûr, bien sûr. Je le ferai.

Il tentait de sourire mais il était trop nerveux et ses pensées s'entrechoquaient dans sa tête.

— Assieds-toi, Yasha. Je t'en prie. Je suis désolé, mais tu m'as pris par surprise. As-tu faim ? Soif ? Veux-tu que j'aille te chercher quelque chose ?

Avant que je puisse répondre, il a décroché son téléphone en m'expliquant :

— Je connais quelqu'un. C'est un ami. Il s'occupera de toi. Je vais lui demander de venir.

Misha Dementyev a composé un numéro et, tandis que j'étais assis en face de lui, trop près du squelette à mon goût, il a parlé d'une voix précipitée.

— Ici Dementyev. Le garçon est avec moi. Oui… à l'université.

Il s'est tu pour écouter la réponse de son correspondant, puis il a ajouté :

— Nous n'avons pas encore discuté. J'ai jugé préférable de vous prévenir d'abord.

Ensuite il a répondu à une interrogation de son correspondant :

— Oui, il a l'air en forme. En bonne santé, oui. Nous vous attendons.

Il a raccroché et m'a paru soudain moins agité qu'à mon arrivée. Il avait l'air de quelqu'un qui a fait ce qu'on attendait de lui. J'étais mal à l'aise et je ne savais pas pourquoi. Pour une raison inconnue, le professeur Dementyev n'était pas ravi de me voir ; j'étais un danger pour lui. C'était le plus proche ami de mes parents, pourtant je commençais à m'interroger sur la valeur de cette amitié.

— Comment saviez-vous qui j'étais, professeur ?

— Je t'attendais depuis que j'ai appris la nouvelle. Et je t'ai reconnu, Yasha. Tu ressembles beaucoup à ta mère. Je vous ai vus quelquefois, ensemble, quand tu étais tout petit. Tu ne te souviens pas de moi. C'était avant le départ de Moscou de tes parents.

— Pourquoi sont-ils partis ? Que s'est-il passé ? Vous travailliez avec eux.

— Je travaillais avec ton père. Oui.

— Vous savez qu'il est mort ?

— Je n'en étais pas certain. Je suis navré de l'apprendre. Lui et moi étions amis.

— Alors dites-moi…

— Tu es certain que tu ne veux rien boire, ni manger ?

Je m'étais largement rassasié à la sortie de la gare. Ce que je voulais maintenant, c'était partir loin d'ici. Misha Dementyev me décevait beaucoup. Je ne sais pas exactement à quoi que je m'attendais, mais il aurait pu se montrer un peu plus affectueux, comme un oncle éloigné par exemple. Il ne s'était même pas levé de son bureau.

— Expliquez-moi, professeur. Pourquoi a-t-on envoyé mon père travailler à Estrov ?

— Je ne peux pas te parler de ça maintenant, s'est défendu Misha Dementyev, redevenu nerveux. Plus tard...

— Je vous en prie, Professeur Dementyev.

— D'accord, d'accord.

Il me dévisageait, comme s'il se demandait s'il pouvait avoir confiance. Puis il s'est décidé.

— Ton père était un génie. Lui et moi travaillions ensemble dans ce département. Nous étions de jeunes chercheurs. Idéalistes, passionnés. Nous menions des recherches sur les endospores. Une, en particulier. L'anthrax. Ça ne doit pas te dire grand-chose...

— Je sais ce qu'est l'anthrax.

— Nous pensions changer le monde. Ton père, surtout. Il cherchait un moyen de prévenir l'infection des moutons et des bovins. Mais il y a eu un imprévu. Nos travaux nous ont conduits accidentellement à créer une forme d'anthrax beaucoup plus fulgurant et plus mortel que tout ce que nous connaissions. Il n'existait pas de remède. Les antibiotiques étaient impuissants.

— Une arme biologique.

— Ce n'était pas notre but. Mais... oui. Nous avions l'arme biologique parfaite. Bien sûr, le gouvernement l'a appris. Il est au courant de tout ce qui se passe ici. C'était vrai à l'époque, ça l'est encore aujourd'hui. Les autorités connaissaient les résultats de nos travaux et nous ont donné l'ordre de développer notre découverte pour un usage militaire.

Dementyev a sorti un mouchoir pour nettoyer ses lunettes, avant de reprendre :

— Ton père a refusé. Il ne voulait pas en entendre parler. Alors ils ont essayé de faire pression sur lui.

Ils l'ont menacé. Il a réagi d'une façon extrêmement courageuse... ou extrêmement stupide. Il a contacté un journaliste afin de rendre l'histoire publique.

» La police l'a arrêté aussitôt. J'étais là, dans le labo, quand ils l'ont emmené. Ils ont également arrêté ta mère.

— J'avais quel âge ?

— Deux ans. Et... je suis désolé de te le dire, Yasha, mais on s'est servi de toi pour faire pression sur tes parents. C'est ainsi que ça se passait. Une méthode très simple. Si tes parents refusaient d'obéir, ils ne te reverraient plus jamais. Les pauvres n'avaient pas le choix. On les a expédiés à Estrov pour travailler dans l'usine. Ils avaient l'ordre de produire le nouvel anthrax. C'était ça, le marché. Se taire et vivre.

Ainsi donc, tout avait été fait pour moi : la vie de mes parents, ou plutôt leur non-vie dans un village isolé, la petite maison, l'ennui et la pauvreté. Je ne savais pas comment réagir. Étais-je responsable de ce qui s'était passé ? Était-ce moi qui avais détruit leur vie ?

— Yasha...

Dementyev s'est enfin levé pour s'approcher de moi. Il était beaucoup plus grand que je ne l'avais pensé. Il s'est penché au-dessus de moi.

— As-tu été inoculé ?

— Oui. Les vigiles ont tiré sur mes parents quand ils se sont enfuis. Mais ils avaient volé une seringue et ils m'ont fait une piqûre.

— Je savais que ton père travaillait sur un antidote. C'est une bonne nouvelle. Je m'en suis douté en te voyant. Sinon tu serais mort depuis longtemps.

— Mon meilleur ami est mort.

— Je suis désolé. Anton et Eva, tes parents, étaient aussi mes amis.

Nous sommes restés un instant silencieux. Il se tenait toujours devant moi, une main sur le dossier de mon siège.

— Et pour moi ? ai-je demandé. Qu'est-ce qui va se passer ?

— Tu n'as plus besoin de t'inquiéter, Yasha. On va bien s'occuper de toi.

— À qui avez-vous téléphoné ?

— Un ami. Quelqu'un en qui on peut avoir confiance. Il sera là bientôt.

Quelque chose clochait. Certaines de ses explications ne collaient pas. J'allais le lui dire quand des sirènes m'ont stoppé net : des sirènes de police, encore lointaines, mais qui se rapprochaient. J'ai compris alors que ce n'était pas à un ami que Dementyev avait téléphoné. Il n'avait pas joué fin. J'aurais pu lui demander pourquoi on avait exilé mes parents à Estrov tandis que lui-même restait en poste à l'université. J'aurais pu lui rappeler sa conversation téléphonique, et lui demander pourquoi, en me mentionnant, il avait simplement dit « le garçon » et non Yasha, ou le fils d'Anton. Son correspondant savait qui j'étais puisqu'ils attendaient ma venue. J'aurais pu le lui faire dire, mais c'était inutile. Je le lisais dans ses yeux.

— Pourquoi ? ai-je seulement demandé.

Il n'a même pas cherché à nier.

— Pardonne-moi, Yasha. Mais personne ne doit savoir la vérité. Nous sommes obligés de garder le secret.

Nous. Les directeurs de l'usine. Les pilotes des hélicoptères. Les soldats. Le gouvernement. Et Dementyev. Tous dans le même bain.

J'ai voulu me mettre debout, du moins essayer. Dementyev m'a devancé. Il m'a forcé à me rasseoir en posant ses deux mains sur mes épaules, m'épinglant de tout son poids sur ma chaise. Un court instant, son visage s'est trouvé tout près du mien, ses yeux me scrutaient derrière ses épaisses lunettes.

— Tu n'irais nulle part, Yasha. Je te le promets… ils te traiteront bien.

— Ils me tueront ! Ils ont tué tout le monde !

— Je leur parlerai. Ils t'emmèneront dans un endroit sûr.

Je voyais ça d'ici. Une prison, ou un asile d'aliénés quelque part. D'où je ne sortirais jamais.

J'étais incapable de bouger. Dementyev était trop fort pour moi. Et les voitures de police approchaient. Nous étions au vingt-quatrième étage, pourtant on entendait les hurlements stridents des sirènes. Alors une idée m'est venue. Je me suis forcé à me détendre.

— Vous ne pouvez pas me faire ça, professeur ! Regardez ce que mon père m'a donné pour vous. Il paraît que c'est d'une grande valeur. Il m'a dit que si je vous le donnais, vous seriez obligé de m'aider.

— De quoi s'agit-il ?

— Je ne sais pas. C'est dans un sachet. Dans ma poche.

— Montre-moi.

Il m'a lâché une épaule. Une seule. Je n'avais toujours aucun moyen de me libérer. J'étais assis, lui debout devant moi, et il mesurait deux fois ma taille.

Les véhicules de police étaient maintenant devant l'université. On entendait les portières claquer.

De mon seul bras libre, j'ai sorti le petit sachet noir que ma mère m'avait donné. Par chance, Dima et ses copains ne l'avaient pas pris quand ils avaient volé mon argent. Je l'ai déposé sur le bureau. Et la ruse a fonctionné comme je l'espérais. Dementyev ne m'a pas vraiment lâché, mais son emprise sur mon épaule s'est détendue quand il s'est penché pour ouvrir le sachet. Son visage s'est transformé.

— Mais qu'est-ce que...

Je me suis libéré d'une secousse en renversant ma chaise en arrière, ce qui m'a permis de me lever. Dementyev a pivoté, mais il avait un temps de retard. Il a lancé son poing vers moi et n'a frappé que le vide. D'un mouvement vif, je lui ai fait tomber ses lunettes. Il a reculé d'un bond et s'est heurté au bureau, mais il s'est vite ressaisi et m'a empoigné. J'avais besoin d'une arme, et je n'en voyais qu'une. Il m'a suffi d'allonger la main pour saisir le bras du squelette, et l'arracher de son épaule. La main et le poignet pendaient au bout. J'ai utilisé l'humérus comme un club de golf. J'ai tapé sur la tête de Dementyev, tapé, tapé, jusqu'à ce qu'il recule en poussant un hurlement. Je me suis dégagé. Dementyev s'était écroulé sur son bureau, le visage en sang.

— Il est trop tard, a-t-il bégayé. Tu n'arriveras pas à t'enfuir.

J'ai récupéré les bijoux et quitté la pièce en courant. Il n'y avait personne dans le couloir. Pourtant le bruit de notre lutte n'était sûrement pas passé inaperçu. J'ai couru vers l'ascenseur. La cabine était en train de monter. Il m'a fallu trois secondes pour comprendre que la police était certainement dedans. Si j'attendais l'ascenseur, ils n'auraient plus qu'à me cueillir. J'ai continué dans le couloir et aperçu une issue de secours. Vingt-quatre étages de marches ! Je n'ai pas fait une seule pause avant d'atteindre le rez-de-chaussée. Là, je me suis aperçu que je serrais toujours l'humérus dans mon poing. J'ai trouvé une corbeille à papier, pris quelques feuillets qu'on y avait jetés, et j'ai fourré l'humérus dans le fond.

Après quoi je me suis dirigé vers la porte principale. Des voitures de police étaient garées devant, gyrophare allumé. Je faisais semblant d'être absorbé par la lecture des papiers que j'avais ramassés. Si des policiers montaient la garde, ils me prendraient pour un des innombrables étudiants qui entraient et sortaient.

Personne ne m'a arrêté. J'ai filé vers la station de métro, obsédé par une seule idée. J'étais à Moscou, seul, sans argent.

Тверская

Tverskaya

Je suis retourné à la gare Kazansky.

En un sens, c'était une idée folle. La police savait que j'étais à Moscou et surveillerait sans doute les gares principales – comme à Rosna et à Kirsk. Mais je ne comptais pas partir. Je n'avais aucun endroit où me réfugier dans toute la Russie, et personne pour m'aider. Je ne pouvais évidemment pas retourner à Estrov, et même si je me souvenais d'avoir entendu ma mère dire qu'elle avait des cousins dans une ville appelée Kazan, j'ignorais où c'était et comment m'y rendre.

Non, mieux valait rester à Moscou. Mais, avant tout, je devais changer d'apparence. Ce n'était pas très compliqué. J'ai commencé par ôter mon uniforme de Pionnier et l'ai jeté dans une poubelle. Ensuite, je me suis fait couper les cheveux. Même si j'avais été délesté de l'essentiel de mon argent, il me restait dix-huit kopecks en pièces dans le fond de mes poches. J'en ai dépensé neuf chez un coiffeur – un petit salon sordide dans une ruelle, au sol jonché de mèches de cheveux. En sortant, alors que je sentais la fraîcheur inhabituelle de la brise sur ma nuque dégagée, une voiture de police est passée devant moi à vive allure. Ça ne m'a pas inquiété. Aujourd'hui encore, je sais combien un changement même infime dans votre aspect vous permet de vous fondre incognito dans une ville. Une coupe de cheveux, une tenue différente, peut-être une paire de lunettes, cela suffit.

Il me restait de quoi acheter un ticket de métro. Une fois assis dans la rame, j'ai essayé de réfléchir. Le problème le plus urgent était de trouver un logement. Où allais-je dormir une fois la nuit tombée ? Si je restais dans la rue, je devenais beaucoup plus vulnérable. Et puis il y avait la question de la nourriture. Sans argent, impossible de manger. Bien sûr, je pouvais toujours voler, mais ma pire crainte était de retomber entre les mains de la police. Si on me reconnaissait, j'étais perdu. Et même si on ne me reconnaissait pas, j'avais entendu les pires horreurs sur les camps d'internement spécialement conçus pour les enfants. Je n'avais pas la moindre envie de finir le crâne rasé, dans un pénitencier entouré de barbelés, au milieu de nulle part, comme des milliers d'adolescents russes.

Cette fois, c'est à peine si j'ai regardé les somptueuses stations de métro tant j'étais déprimé. Mes parents avaient cru en l'amitié de Misha Dementyev et m'avaient envoyé à lui au prix de leur vie. Mais dès l'instant où j'avais mis le pied dans son bureau, le professeur n'avait songé qu'à sauver sa peau. J'étais persuadé qu'il n'existait personne au monde en qui je puisse avoir confiance. Même Dima n'avait pensé qu'à me voler.

Pourtant, Dima était peut-être la solution.

Plus j'y réfléchissais, plus je me disais qu'il n'était pas si mauvais que ça. Il s'était montré plutôt agréable, souriant et amical, même si c'était pour me tendre un piège. D'ailleurs, j'étais en partie responsable de ma mésaventure. Je n'aurais pas dû montrer que j'avais de l'argent. Dima vivait dans la rue. Il lui fallait survivre. Je m'étais désigné moi-même comme la victime idéale, et Dima avait fait ce qu'il avait à faire.

Et puis je me rappelais ses paroles. *C'est bien d'avoir un ami. On a tous besoin d'amis.* Le pensait-il sincèrement ? Après tout, il n'avait que quelques années de plus que moi, et nous étions dans la même situation. J'étais partagé. Une petite voix me disait que je me leurrais. Dima était probablement à des kilomètres, en train de rire de ma bêtise. Mais, tout bien considéré, il était la seule personne à Moscou que je connaissais. Si je parvenais à le retrouver, peut-être arriverais-je à le convaincre de m'aider.

Ce n'était pas tout. J'avais encore les bijoux de ma mère.

Une demi-heure plus tard, j'émergeais à l'air libre, à l'endroit exact où tout avait commencé. Les vieilles femmes étaient toujours dans leurs stands aux abords de la gare, mais à présent j'avais l'impression qu'elles me raillaient, alors qu'elles m'avaient paru accueillantes la première fois. Je n'avais plus les moyens de m'offrir leurs beignets et leurs glaces. Je me suis assis sur un banc et j'ai observé la foule. Les gares sont des lieux étranges. Lorsque vous y transitez pour voyager, vous les remarquez à peine. Elles sont là seulement pour vous permettre de vous rendre d'un endroit à un autre. Mais quand vous rôdez alentour, sans autre destination, elles vous donnent la sensation d'être insignifiant, sans valeur. Tu n'as rien à faire ici ! vous crient-elles. Si tu n'es pas un voyageur, ce n'est pas ta place !

Au début, je me suis contenté de rester assis là, à regarder la circulation automobile, et le flot des gens qui allaient et venaient. Des enfants étaient toujours éparpillés çà et là, et je me demandais ce qu'ils feraient à la nuit tombée, d'ici quelques heures. La lumière changeait à peine, le ciel était captif derrière un nuage inaltérable, mais des banlieusards se pressaient déjà devant la gare pour rentrer chez eux. Aucun signe de Dima. Finalement, j'ai abordé les deux garçons d'une dizaine d'années que j'avais remarqués à mon arrivée.

— Excusez-moi…

Deux paires d'yeux rusés et malveillants se sont braquées sur moi. L'un des enfants avait de la morve au nez. Tous deux avaient l'air usés, en mauvaise santé.

— Je cherche quelqu'un à qui j'ai parlé tout à l'heure. Il porte un blouson de cuir noir. Son nom est Dima.

Les garçons ont échangé un regard.

— Tu as de l'argent ? a demandé l'un.

— Non.

— Alors tire-toi !

Ce ne sont pas ses mots exacts. Ce jeune garçon, dont la voix n'avait même pas encore mué, parlait le langage le plus ordurier que j'aie jamais entendu. Il avait des dents épouvantables et il lui en manquait la moitié. Son copain me dévisageait comme un animal. À cet instant, ils n'étaient plus des enfants. On aurait plutôt dit d'horribles vieillards, à peine humains. J'ai été soulagé de m'éloigner d'eux.

J'ai voulu poser la même question à d'autres, mais tous s'écartaient dès que j'approchais. C'est à croire qu'ils savaient que je n'étais pas des leurs ; ils ne voulaient rien avoir à faire avec moi. Le jour commençait à décliner vraiment. Je ressentais la menace de la tombée de la nuit et je savais que je ne pourrais plus rester là très longtemps. Il me faudrait trouver une porte cochère, ou un abri dans le métro. Je n'avais plus que quatre kopecks en poche. À peine le prix d'une tasse de thé chaud.

C'est alors, de façon tout à fait inattendue, que je l'ai aperçu. Dima. Avec son blouson trop grand et son visage mi-beau mi-laid. Il venait de tourner un angle et allumait une cigarette. Un autre garçon l'accompagnait. C'était un de mes deux voleurs. Dima a dit quelque chose et ils ont ri. Ils paraissaient se diriger vers le métro, probablement pour rentrer chez eux.

Je n'ai pas hésité. C'était maintenant ou jamais. J'ai traversé la place devant l'entrée du métro pour leur couper le chemin.

Dima m'a aperçu le premier. Il s'est arrêté net, sa cigarette figée devant ses lèvres. Je l'avais surpris et il pensait que j'allais lui causer des ennuis. Ça se voyait. Il était tendu, méfiant. Moi, j'étais parfaitement à l'aise. J'avais réfléchi et pris ma décision. Dima m'avait roulé. Volé. Mais je devais le traiter en ami.

— Salut, Dima !

Je l'ai hélé comme si nous avions rendez-vous pour un café.

Il m'a souri mais il restait sur ses gardes. Et il y avait autre chose. Je n'en étais pas certain, mais il me regardait presque comme s'il s'était attendu à me revoir, comme s'il savait une chose que j'ignorais.

— Salut, soldat ! Qu'est-ce qui est arrivé à tes cheveux ?

— Je les ai fait couper.

— Tu as vu ton ami ?

— Non. Il n'était pas là. Je crois qu'il a quitté Moscou.

— Pas de chance.

— Oui. En fait, j'ai un gros problème. Il devait m'héberger et maintenant je ne sais pas où aller.

J'espérais qu'il allait m'offrir son aide. Pourquoi pas ? Après tout, il était riche de mes soixante-dix roubles. À cause de lui, je n'avais plus rien. Il pouvait bien m'offrir un lit pour la nuit. Mais il se taisait et j'ai compris que je perdais mon temps. La vie dans la rue l'avait endurci, il était du genre à ne jamais secourir personne. Son copain a marmonné quelque chose et m'a poussé du coude pour passer, avant de disparaître dans le métro. Je n'ai pas bougé.

— Tu peux m'aider, Dima ? J'ai juste besoin d'un endroit pour dormir pendant quelques jours.

Et j'ai ajouté, jouant mon va-tout :

— Je peux te payer.

— Tu as de l'argent ?

Ça l'étonnait. Il croyait m'avoir tout pris.

— Non, je n'en ai plus.

J'ai haussé les épaules, l'air de dire que ça n'avait pas d'importance, que j'avais déjà passé l'éponge.

— Mais j'ai autre chose… Ça.

J'ai sorti le petit sac en velours noir de ma mère dont je m'étais servi pour berner Dementyev. Je l'ai ouvert et j'ai versé le contenu dans le creux de ma main. Le collier, la bague, les boucles d'oreilles.

— Il y a sûrement un prêteur sur gages dans le coin. Je les lui vendrai et ensuite je pourrai te payer pour la chambre.

Dima a examiné les bijoux, les pierres aux couleurs vives serties d'or et d'argent, et je voyais déjà la lueur qui brillait dans ses yeux pendant qu'il faisait ses calculs. Combien valaient ces bijoux et comment allait-il me les subtiliser ? Il a jeté son mégot et pris une des boucles entre le pouce et l'index.

— Tu n'en tireras pas grand-chose, a-t-il dit. C'est de la pacotille.

J'ai pensé à ma mère et une bouffée de colère est montée en moi. J'avais une envie folle de lui coller mon poing dans la figure, mais je me suis forcé au calme.

— On m'a dit que ça avait de la valeur. C'est de l'or. Et ces pierres sont des émeraudes. Allons voir un prêteur sur gages et on en aura le cœur net.

— Je ne sais pas…

Dima prétendait le contraire, mais il savait très bien que les bijoux valaient beaucoup plus que ce qu'il m'avait déjà volé.

— Donne-les-moi et je les porterai chez un usurier que je connais. Mais, à mon avis, il ne t'en donnera pas plus de cinq roubles.

Il en toucherait cinquante et m'en reverserait cinq. Si j'avais de la chance. Je voyais clairement comment fonctionnait son esprit. J'ai tendu la main et il m'a rendu la boucle à regret.

— Je trouverai un prêteur sur gages moi-même, Dima.

— Allons, ne te fâche pas, soldat ! J'essaie juste de t'aider.

Il m'a fait un sourire de travers. Au sens propre et au sens figuré, à cause de son nez cassé.

— Écoute… J'ai une chambre et tu es le bienvenu. Tu sais… nous sommes tous copains, ici, à Moscou. D'accord ? Mais tu devras me payer un loyer.

— Combien ?

— Deux roubles par semaine.

J'ai feint de réfléchir.

— J'aimerais d'abord la voir.

— Comme tu voudras. On peut y aller tout de suite, si ça te dit.

— D'accord.

Nous sommes redescendus ensemble dans le métro et Dima a de nouveau payé mon ticket. Je savais que je courais un risque. Il pouvait m'entraîner dans un quartier mal famé, me conduire dans une ruelle sombre et me voler les bijoux. Mais je sentais que ce n'était pas sa façon de fonctionner. Dima était un arnaqueur, pas un criminel prêt à tuer pour voler. Au bout du compte, de toute façon, il finirait par avoir les bijoux. Soit sous la forme du loyer que je lui paierais, soit en les dérobant pendant mon sommeil. Mon plan consistait à me rendre utile à ses yeux, à devenir un membre de sa bande. Si j'y parvenais suffisamment vite, il me permettrait de rester chez lui, même si je n'avais plus rien à lui donner. Voilà ce que j'espérais.

Il m'a emmené dans un immeuble proche de la rue Tverskaya, une des principales artères de Moscou qui conduit tout droit au Kremlin et à la place Rouge. Aujourd'hui, il y a un hôtel de luxe de neuf étages à cet angle, le Marriott, où séjournent les touristes américains. Mais ce jour-là, avec Dima, quand je me demandais encore si je n'étais pas en train de commettre une autre grave erreur, l'environnement était bien différent. Moscou a beaucoup changé, et très vite. À l'époque, c'était un autre monde.

Dima habitait dans un vieil immeuble laissé à l'abandon depuis longtemps. La façade de briques décolorée était humide, moisie, couverte de graffitis – pas des tags artistiques, mais des slogans politiques, des jurons, des noms d'équipes de football. Les vitres étaient tellement encrassées qu'elles ressemblaient davantage à du métal rouillé qu'à du verre. Les douze étages de l'immeuble (trois de plus que l'hôtel qui le remplacerait plus tard) paraissaient s'affaisser sur eux-mêmes, comme s'ils ne se donnaient plus la peine de rester d'aplomb. D'autres bâtisses de même style l'entouraient. On aurait dit des vieillards debout dans le froid en train de fumer leur dernière cigarette ensemble avant de mourir. Les rues du quartier étaient très étroites : des passages sinueux et boueux, jonchés de détritus, qui s'enfonçaient dans l'obscurité. Le rez-de-chaussée de l'immeuble était occupé par des commerces : une épicerie vide, une pharmacie et un salon de massage. Mais plus on montait, plus c'était décati. Il n'y avait pas d'ascenseur, évidemment. Juste un escalier en ciment, qui avait si souvent servi de toilettes qu'il empestait. Tout en haut, il n'y avait ni électricité ni chauffage digne de ce nom. L'eau coulait au goutte à goutte, et froide, des robinets.

Je suivais Dima. Sa respiration devenait plus sifflante à chaque marche. Probablement à cause du tabac. Dans l'escalier, nous avons dépassé un couple ; l'homme et la femme étaient affalés l'un sur l'autre, inconscients. On ne pouvait même pas être sûrs qu'ils étaient vivants. Dima les a enjambés, j'ai fait de même. Dans quoi étais-je allé me fourrer ? À Estrov, la vie était dure et les gens pauvres, mais la misère était plus choquante ici, en pleine ville.

Dima habitait au huitième étage. Comme il n'y avait pas de lumière, il avait sorti une lampe torche pour éclairer le chemin. Le couloir n'avait plus de moquette, des trous dans les murs laissaient voir la tuyauterie et les câbles. De chaque côté, les portes étaient pour la plupart verrouillées, deux ou trois renforcées avec une plaque de métal. Quelque part, un bébé pleurait. Plus loin, un homme poussait des jurons. Un autre riait. Tous ces bruits ne faisaient qu'ajouter au cauchemar, au sentiment qui me submergeait d'être aspiré dans un monde obscur et étranger.

— C'est moi, a annoncé Dima.

Nous étions arrivés devant une porte portant le numéro 83. Quelqu'un avait ajouté le nom de Dima en lettres rouges, mais la peinture avait dégouliné et on aurait dit du sang. C'était peut-être l'effet recherché. Il y avait un trou à l'emplacement de la serrure, et Dima utilisait un cadenas avec une chaîne. Celle-ci pendait, ouverte. Ses amis étaient arrivés avant nous.

— Bienvenue à la maison ! m'a lancé Dima. Viens, je vais te présenter mes copains.

Il a poussé la porte. Je l'ai suivi.

L'appartement était minuscule. Il tenait principalement en une seule pièce, que Dima partageait avec les deux garçons qui m'avaient dépouillé. Trois matelas, quelques coussins et un tapis moisi et décoloré étaient posés sur le sol. Des bougies servaient d'éclairage, et ma première pensée a été que si l'une d'elles se renversait pendant la nuit, on périrait tous brûlés. Une table et quatre chaises occupaient un coin. Le reste était du bric-à-brac. Quelques éléments de la cuisine subsistaient encore, mais on voyait que l'évier n'avait pas servi depuis des années et, sans électricité, le réfrigérateur s'était transformé en placard. Une odeur déplaisante flottait dans la pièce, mélange de sueur humaine, de vêtements pas lavés, de crasse et de moisi.

Dima m'a fait signe d'avancer vers la table et il a dit :

— Voici Yasha. Il va rester avec nous quelque temps.

Ses deux amis jouaient à la bataille avec des cartes si usées qu'elles pendaient mollement entre leurs mains. Ils n'avaient pas l'air ravis de m'accueillir.

— Il paiera un loyer, a précisé Dima. Deux roubles par semaine.

Dima a ouvert le réfrigérateur-placard dont il a sorti une bouteille de vodka et du pain noir. Il a déniché quatre verres sales dans l'évier et nous a servi à boire. Ensuite il a allumé une cigarette, puis m'en a offert une, que j'ai acceptée. Je ne tenais pas spécialement à fumer, mais je voyais là un geste d'amitié, ce dont j'avais le plus besoin.

Dima m'a présenté les deux garçons.

Lui, c'est Roman. Et lui, Gregory.

Roman était grand et mince. Il semblait s'être délibérément étiré. Gregory avait le visage rond, grêlé, des cheveux noirs et huileux. Tous trois n'avaient pas seulement l'air d'adultes, mais de vieux, comme s'ils avaient oublié leur âge véritable, c'est-à-dire environ dix-sept ans. Roman a rassemblé les cartes et les a mises de côté. On savait qui était le chef de la bande. Si Dima déclarait que je pouvais rester, personne ne discutait.

— Parle-nous un peu de toi, soldat, a repris Dima. J'aimerais bien savoir ce qui t'amène à Moscou.

Il m'a fait un clin d'œil et il a ajouté :

— Et surtout pourquoi la police s'intéresse tellement à toi.

— Quoi ?

Je ne m'étais donc pas trompé. En retournant à la gare après ma rencontre avec Dementyev, il m'avait semblé que les enfants se comportaient bizarrement à mon égard. Maintenant je comprenais pourquoi. La police me recherchait.

— C'est vrai. Dis-lui, Greg.

Mais comme Gregory ne disait rien, Dima a continué.

— Ils cherchent un nouveau venu en ville. Quelqu'un qui serait arrivé à la gare Kazansky, vêtu de l'uniforme des Jeunes Pionniers. Ils ont interrogé tout le monde. Ils offrent même une récompense en échange d'informations.

Mon cœur s'est serré. Était-ce un nouveau piège ? Dima m'avait-il invité chez lui pour me faire arrêter ? Pourtant je n'entendais aucun bruit de pas dans le couloir, aucune sirène de police dans la rue.

— Ne t'inquiète pas, soldat ! Personne ne te dénoncera. Pas même pour de l'argent. De toute façon, les flics ne paient jamais.

— Je hais la po-po-po-police, a bégayé Roman.

Son visage s'est crispé quand il a éructé le dernier mot.

— Qu'est-ce qu'ils te veulent ? a demandé Gregory.

Il ne cachait pas son hostilité. Peut-être avait-il peur que j'apporte d'autres problèmes dans sa vie, lui qui en avait déjà bien assez.

Je ne savais pas quoi répondre. Je ne voulais pas mentir, mais je craignais de dire la vérité. Finalement, j'ai été aussi concis que possible.

— Ils ont tué mes parents. Mon père savait quelque chose qu'il n'était pas censé connaître. Ils ont voulu m'éliminer aussi. Je me suis enfui.

— Et ton ami de l'université ? a demandé Dima.

— Il n'était pas mon ami.

Là, j'étais sur un terrain plus sûr. Je leur ai raconté tout ce qui s'était passé dans le bureau de Misha Dementyev. Comment j'avais frappé le professeur avec le bras du squelette. Dima était écroulé de rire.

— J'aurais voulu voir ça ! Un sacré coup de coude que tu lui as donné !

La plaisanterie était un peu facile, mais nous avons tous ri. Dima a rempli de nouveau nos verres et nous avons bu « à la russe », c'est-à-dire cul sec. À ce rythme, la bouteille n'a pas duré longtemps et, une heure plus tard, on s'est mis au lit. Du moins si on peut qualifier de lit un carré de tapis avec une pile de vieux vêtements en guise d'oreiller. Mais j'étais content d'avoir un toit au-dessus de ma tête et, aidé par la vodka, je me suis endormi presque aussitôt.

Le lendemain matin, Dima m'a emmené chez le prêteur sur gages. C'était une petite boutique, avec une vitrine cassée et un vieil homme mal rasé assis derrière un comptoir croulant sous un amas de montres et de bijoux. Je lui ai tendu les boucles d'oreilles de ma mère et je l'ai regardé pendant qu'il les examinait rapidement à l'aide d'un œilleton qu'il gardait vissé sur le visage comme si c'était une partie de lui-même. J'ai senti un bout de moi mourir. Dans *Crime et Châtiment*, le livre qu'on nous avait demandé de lire à l'école, le héros assassine un prêteur sur gages. J'étais tenté d'en faire autant.

Le vieil usurier me proposait huit roubles pour les boucles. Dima a fait monter le prix à douze. Ils se connaissaient bien, tous les deux.

— Tu es un escroc, Reznik, a grommelé Dima.

— Et toi un voleur, Dima, a répliqué l'usurier.

— Un jour, quelqu'un te plantera un couteau dans le ventre.

— Je m'en moque, du moment qu'il m'achète d'abord le couteau.

Dima a pris l'argent et nous sommes sortis. Il m'a remis trois roubles, gardant le reste pour lui. Et comme je lui lançais un regard interrogateur et chargé de reproches, il m'a assené une claque dans le dos en me disant :

— Ça fait trois semaines de loyer d'avance, soldat !

— Et les trois autres roubles ?

— C'est ma commission. Si tu n'avais pas été avec moi, ce vieux grigou t'aurait roulé.

J'étais roulé de toutes les manières, mais je n'ai pas protesté. Dima avait dit que je pourrais rester trois semaines, et c'était exactement ce que je voulais entendre.

— Allons prendre le petit déjeuner, soldat !

On s'est attablés dans le restaurant le plus exigu et le plus sordide qu'on puisse imaginer, et, je ne sais par quel tour de passe-passe, c'est moi qui ai encore payé.

Ainsi a commencé mon séjour à Moscou. Je me suis très vite adapté au mode de vie. En vérité, on ne faisait pas grand-chose. On volait, on mangeait, on survivait. Je passais de longues heures devant la gare avec Dima, Roman et Gregory. Les deux garçons ne débordaient pas de sympathie pour moi mais ils commençaient à accepter ma présence. Quant à Dima, il m'avait pris sous son aile. Je me demandais s'il n'avait pas eu un jeune frère. Il ne parlait jamais de sa vie passée, mais il me traitait avec une sorte de bienveillance fraternelle. En évoquant son souvenir aujourd'hui, je le revois avec son précieux blouson de cuir dont les manches lui tombaient sur les mains, son sourire de travers, sa façon de se pavaner dans la rue, et je me demande s'il est encore en vie, ou mort. Mort, probablement. Les jeunes vagabonds à Moscou ne vivaient pas vieux.

Dima m'a appris à mendier. Il fallait opérer discrètement, car si un policier vous surprenait, il vous ramassait et vous jetait en prison. Mes cheveux blonds et mon jeune âge m'aidaient. Si je me postais à la sortie du théâtre du Bolchoï, tard le soir, je pouvais glaner jusqu'à cinq roubles auprès des riches spectateurs. Il y avait aussi les touristes de la place Rouge. Je m'installais devant la cathédrale Saint-Basile, avec ses tours et ses dômes multicolores. Je n'avais pas besoin de parler. Une fois, un Américain m'a donné cinq dollars, que j'ai rapportés à Dima, et sur lesquels il m'a reversé cinquante kopecks. Il avait un taux de change un peu spécial. Je savais que ça valait beaucoup plus.

Je m'habituais à la ville. Les avenues qui m'avaient d'abord paru gigantesques et menaçantes me devenaient familières. Je circulais dans le métro. J'ai rendu visite à Lénine, dans son tombeau, bien que Dima m'ait dit que le corps était en cire. J'ai vu aussi la tombe de Youri Gagarine, le premier homme dans l'espace. Non que ça signifiait encore quelque chose pour moi. J'allais dans les grands magasins : le GUM, et Yeliseev, des commerces d'alimentation de luxe, et je restais bouche bée devant des produits que je n'aurais jamais les moyens d'acheter. Une fois, je suis entré dans un sauna chic près du Bolchoï, et j'ai adoré me prélasser dans la vapeur bienfaisante, humer le parfum des feuilles d'eucalyptus, me sentir propre.

Et puis je volais.

Nous avions besoin de nourriture, de cigarettes et, plus important, de vodka. Il paraissait parfois impossible de vivre à Tverskaya sans alcool. Le soir, des disputes terribles éclataient dans l'immeuble une fois les bouteilles vidées. On entendait des cris, des bagarres au couteau et, le lendemain, on voyait des traces de sang dans l'escalier. Ceux qui n'avaient pas les moyens d'acheter de la vodka se défonçaient au cirage pour chaussures. Je ne mens pas. Ils l'étalaient sur du pain, qu'ils plaçaient sur un tuyau de chauffage, et aspiraient les effluves.

J'avais beau passer beaucoup de temps à mendier, nous n'avions jamais assez d'argent, et c'est sans surprise que je me suis retrouvé de nouveau dans l'officine de l'usurier Reznik. Avec l'aide de Dima, j'ai obtenu quinze roubles pour le collier de ma mère ; plus que pour les boucles d'oreilles mais moins que je l'espérais. J'étais bien décidé à ne pas me départir de la bague. C'était le seul souvenir qui me restait d'elle.

Peu à peu, inévitablement, je suis devenu un délinquant. L'une des ruses préférées de Dima consistait à se poster devant une épicerie chic et observer les clients qui en sortaient avec leurs sacs de victuailles. Dima attendait à l'écart pendant qu'ils chargeaient leur voiture, puis Roman ou Gregory faisait diversion, et Dima en profitait pour s'emparer de tout ce qu'il pouvait dans le coffre, avant de filer à toutes jambes. J'ai assisté à l'opération deux ou trois fois avant que Dima me laisse jouer le rôle du leurre. Comme j'étais plus jeune que Roman et Gregory, les gens se montraient moins méfiants. Je m'approchais d'eux en feignant d'être perdu, pendant que Dima subtilisait leurs sacs de provisions.

Les trois premières fois, tout a fonctionné à merveille, et nous avons pu nous régaler de toutes sortes de bonnes choses inconnues de nous. Roman et Gregory s'habituaient à moi. Nous avions commencé à jouer aux cartes ensemble – un jeu que tous les Russes connaissent, qui s'appelle le Durak, c'est-à-dire le Fou. Ils m'avaient même dégoté un matelas. Ce n'était guère plus moelleux que le tapis et c'était infesté d'insectes, mais j'avais apprécié le geste.

La quatrième fois, notre numéro s'est soldé par un désastre. Nous étions devant un magasin, dans une rue tranquille. C'était un quartier où nous n'étions jamais venus. Notre cible était un chauffeur de maître, sans doute employé par un riche homme d'affaires. La voiture était une Daimler, et il y avait suffisamment de victuailles à l'arrière pour nous nourrir pendant un mois. Comme d'habitude, je me suis avancé vers l'homme avec un air innocent, et j'ai tenté d'engager la conversation.

— S'il vous plaît, pouvez-vous m'aider ? Je cherche la place Pouchkine…

Du coin de l'œil, je voyais Dima s'approcher furtivement et disparaître derrière la porte levée du coffre.

Le chauffeur m'a foudroyé du regard.

— Fiche le camp !

— Je me suis perdu ! Il faut que j'aille place Pouchkine…

Ma mission consistait à faire durer la conversation trente secondes. Trente secondes qui suffisaient à Dima pour attraper deux ou trois sacs et filer. Mais, soudain, je l'ai entendu pousser un cri et j'ai découvert avec horreur qu'un policier venait de surgir de nulle part. Encore aujourd'hui, je ne comprends pas d'où il arrivait, car nous prenions soin d'inspecter les alentours avant de passer à l'action. On peut juste supposer qu'il nous guettait, que la police avait décidé de sévir contre les vols à l'arraché, et que celui-ci était en planque depuis un long moment. C'était un type immense, avec un cou et des épaules d'haltérophile. Dima gigotait dans son blouson comme un poisson dans un filet.

Le chauffeur a allongé la main pour m'empoigner mais j'ai plongé sous son bras et fait le tour de la voiture en courant. Je ne pouvais rien pour Dima. La seule chose sensée était de fuir, de le laisser se débrouiller, et de me réjouir d'avoir pu m'échapper. Mais j'en étais incapable. En dépit de tout, j'avais une dette envers lui. Je vivais sous son toit depuis maintenant six semaines et il m'avait protégé. Sans lui, je n'aurais pas survécu.

Je me suis jeté sur le policier. Il a été surpris. Je mesurais moins de la moitié de sa taille et c'est à peine si je l'ai déséquilibré. Il n'a pas lâché Dima, il a même resserré sa prise sur lui, en braillant au chauffeur de venir s'occuper de moi. Dima a lancé un coup de poing au policier, sans aucun effet. De sa main libre, celui-ci a saisi le devant de ma chemise, si bien que nous étions maintenant tous les deux captifs. En nous voyant ainsi désarmés et impuissants, le chauffeur s'est décidé à venir en aide au policier.

On nous aurait très certainement jetés en prison, et mon aventure moscovite se serait achevée là. Ma vie aussi, sans doute, si la police m'avait identifié. Mais tout en me débattant, j'ai remarqué qu'un des sacs de provisions s'était renversé. Sur le dessus, il y avait un sachet en plastique contenant une poudre rouge. J'ai réussi à l'attraper, à l'ouvrir et, dans le même mouvement, à lancer la poudre rouge au visage du policier.

C'était du piment. Aveuglé, le policier s'est mis à hurler de douleur en se frottant les yeux. Il avait oublié Dima. Il avait tout oublié. La tête recouverte de poudre rouge, il sautillait sur place. J'ai pris la main de Dima et nous avons filé en courant. Au même moment, une voiture de police est apparue au bout de la rue, droit devant nous, gyrophare allumé. On a changé de trottoir et on s'est engouffrés dans une rue étroite entre deux boutiques. C'était un cul-de-sac, fermé par un mur de briques. Ça ne nous a pas arrêtés une seule seconde. On a escaladé le mur grâce aux briques qui offraient des prises et, de l'autre côté, on a atterri dans un tas de poubelles et de cartons. Dima a fait une roulade et s'est relevé. Une sirène hurlait derrière nous. La police serait là dans quelques secondes. On a foncé dans une autre rue, puis traversé une large avenue à six voies, au milieu des voitures, camions, bus et motos qui fonçaient sur nous de toutes parts. C'est un miracle si on en a réchappé. Une voiture nous a évités de justesse et en a percuté une autre. On n'a même pas ralenti. Ni regardé en arrière. On a parcouru près d'un kilomètre à travers Moscou, plongeant dans les rues de traverse, passant derrière des immeubles, faisant tout et n'importe quoi pour rester hors de vue. Finalement, on a débouché devant une station de métro et on s'y est engouffrés. Une rame attendait le long du quai. Sans se préoccuper de connaître sa destination, on a sauté dedans et on s'est écroulés, épuisés, sur une banquette.

Aucun de nous n'a dit mot avant d'avoir rejoint notre station et les rues qui nous étaient familières. On n'est pas montés tout de suite à l'appartement. Dima m'a emmené dans un café et on a commandé chacun un verre de kvas, une boisson douce, pétillante, à base de pain fermenté.

On était assis près de la fenêtre, hors d'haleine. J'entendais les poumons de Dima siffler. Monter les escaliers était son seul sport, et il venait de courir un marathon.

— Merci, soldat.

— On n'a pas eu de chance.

— Si, j'ai eu de la chance que tu sois là. Tu aurais pu me laisser tomber.

Je n'ai rien répondu.

— Je déteste cette ville, a repris Dima. Je ne voulais pas venir ici.

— Pourquoi es-tu venu ?

— Je ne sais pas.

Il a haussé les épaules puis il a montré son nez cassé.

— Mon père m'a fait ça quand j'avais six ans. Et il m'a flanqué dehors quand j'en avais sept. J'ai atterri dans un orphelinat à Yaroslav. Un endroit atroce... horrible. Tu n'imagines même pas.

Il a allumé une cigarette.

— Ils attachaient les enfants turbulents à leur lit. Ils les laissaient là jusqu'à ce qu'ils baignent dans leurs excréments. Et le bruit ! Les hurlements, les pleurs… Ça n'arrêtait jamais. Je pense que la moitié des enfants étaient fous.

— Tu as été adopté ?

— Personne ne voulait de moi avec mon nez de travers. Je me suis enfui. J'ai quitté Yaroslav et j'ai pris un train pour Moscou. Comme toi.

Il s'est tu. Puis il a repris :

— Il y a une chose que j'aimerais mettre au clair. Le jour de ton arrivée, à la gare Kazansky, tu t'es fait voler ton argent. C'était nous. Roman, Gregory et moi. On t'a piégé.

— Je sais.

Il m'a observé en tirant une bouffée sur sa cigarette.

— C'est bien ce que je pensais. Mais maintenant je l'avoue… OK ?

— Aucune importance. J'aurais fait la même chose.

— Je ne crois pas, soldat. Tu n'es pas comme nous.

— J'aime bien vivre avec vous. Mais je voudrais te demander quelque chose.

— Je t'écoute.

— Ça t'ennuierait de ne plus m'appeler « soldat » ?

— Comme tu voudras, Yasha.

Il m'a tapoté l'épaule. On a fini notre bière de pain et on est rentrés chez nous. Je me suis dit que j'avais enfin réussi à atteindre mon but. Nous étions amis.

Форточник

Fortochnik

Pendant les jours suivants, nous ne sommes quasiment pas sortis. Dima craignait les rondes de police, et j'étais inquiet pour moi-même. Après Estrov, j'étais maintenant recherché pour vol et agression d'un policier. Mieux valait ne pas montrer notre visage dans la rue. Alors on mangeait, on buvait, on jouait aux cartes et, surtout, on s'ennuyait. L'argent commençait à manquer. Je n'ai jamais interrogé Dima sur ce qu'ils avaient fait des roubles qu'ils m'avaient volés. On ne dépensait pas à tort et à travers, pourtant il n'y avait jamais assez pour nos besoins de base. Roman et Gregory rapportaient quelques roubles de temps à autre, mais ils n'avaient pas un physique assez attrayant pour faire la manche avec succès, et le bégaiement de Roman était un handicap supplémentaire.

Pourtant c'est Roman qui, un soir, a lancé l'idée.

— On devrait f-f-f-faire un cam-cam-cambriolage.

Nous étions assis autour de la table, avec de la vodka et un jeu de cartes. Nous n'avions mangé que deux tranches de pain noir de la journée et nous avions tous les quatre mauvaise mine. Nous manquions de vitamines et d'air frais. Je m'étais accoutumé à la puanteur de l'appartement – en fait, j'y contribuais. Mais l'endroit nous paraissait plus glauque que jamais et nous avions une envie folle de sortir faire un tour dans la rue.

— Qui allons-nous cam-cam-cambrioler ? s'est moqué Dima.

Roman a haussé les épaules.

— C'est une bonne idée, a dit Gregory en abattant une carte. Yasha est plutôt menu. Il pourrait être notre fortochnik.

— C'est quoi, un fortochnik ? ai-je demandé.

Dima a levé les yeux.

— Quelqu'un qui s'introduit dans une maison par une fortochka.

Maintenant, je comprenais. Une fortochka était un vasistas de ventilation. De nombreux appartements à Moscou en étaient pourvus avant que la climatisation ne fasse son apparition. C'était une toute petite fenêtre insérée dans une grande, un peu comme une chatière. L'été, les gens ouvraient les fortochkas pour laisser entrer la brise et, bien sûr, c'était comme une invite pour les cambrioleurs, à condition qu'ils soient assez petits pour se faufiler. Gregory avait raison. Lui était trop gras, Roman trop grand et maladroit pour ramper par un vasistas, mais pour moi ce serait facile. J'étais petit pour mon âge, et j'avais beaucoup maigri.

— Oui, c'est une bonne idée, a admis Dima. Mais il nous faut une adresse. Ça ne sert à rien de cambrioler n'importe quel appartement. Et puis c'est dangereux.

Son regard s'est éclairé et il s'est exclamé :

— On pourrait en parler à Fagin !

Fagin était un ancien soldat qui habitait trois étages plus bas, seul dans son appartement. Il avait combattu en Afghanistan, où il avait perdu un œil et la moitié du bras gauche – au cours d'une action, prétendait-il, mais la rumeur disait qu'un trolleybus lui avait roulé dessus alors qu'il était en permission. Fagin n'était pas son véritable nom, bien sûr, mais celui d'un personnage d'un célèbre roman anglais : *Oliver Twist*. L'intérêt, chez Fagin, était qu'il connaissait tout sur tout. Je n'ai jamais su comment il obtenait ses informations, mais si une banque s'apprêtait à effectuer un important transfert de fonds, ou si un marchand de diamants était sur le point de descendre dans un hôtel chic, Fagin était au courant et il monnayait l'information. Tous les habitants de l'immeuble le respectaient. Je l'avais croisé une ou deux fois. C'était un homme de petite taille et rondouillard, le visage hérissé d'une immense barbe broussailleuse, qui parcourait le couloir en traînant les pieds, vêtu d'un manteau crasseux. Il avait davantage l'allure d'un vagabond que d'un criminel de haut vol.

Il avait suffi que Dima pense à lui pour que la décision soit prise. Dès le lendemain, nous sommes descendus dans son appartement, qui avait la même superficie que le nôtre mais qu'il habitait seul, et qui était au moins meublé d'un canapé, et décoré de quelques photos au mur. Et il avait l'électricité. Fagin était un vieil homme répugnant. À sa façon de nous regarder, on ne savait pas trop ce qu'il avait en tête. Si le Père Noël avait fait un plongeon dans un égout, c'est à peu près à ça qu'il aurait ressemblé.

— Vous voulez donc devenir des fortochniks ? s'est-il exclamé avec un petit sourire. Et avant l'hiver et que les fenêtres soient fermées ! Mais vous avez besoin d'une adresse. Ce qu'il vous faut, mes enfants, c'est un endroit qui en vaille la peine !

Il a sorti un calepin en cuir, d'où sortaient de vieux tickets de bus et des reçus en guise de marque-pages. Il l'a ouvert et entrepris de le feuilleter.

— Vous prenez quelle commission ? a demandé Dima.

— Toujours direct, Dimitri. C'est ce qui me plaît chez toi, a souri Fagin. Vous me rapportez tout ce que vous trouvez. Et pas de mensonges ! Je sais quand on cherche à me tromper, croyez-moi, et je vous couperai la langue.

Il nous a lorgnés d'un air mauvais, en découvrant d'un rictus les chicots jaunes qu'étaient ses dents.

— Soixante pour cent pour moi, quarante pour vous. Et ne discute pas, Dimitri. Tu n'obtiendras pas mieux ailleurs. C'est moi qui ai les adresses. Je connais celles qui ne vous poseront aucun problème. Jolis garçons tout minces glissant dans la nuit...

— Cinquante cinquante, a marchandé Dima.

— Fagin ne négocie pas, a répliqué le vieux en tournant une page. Ah, voilà une adresse près de la place Lubyanka. Rez-de-chaussée... Je continue ?

Dima a hoché la tête, acceptant le marché.

— C'est où ?

— Rue Mashkova. Numéro sept. L'appartement d'un riche banquier. Il collectionne les timbres. Certains valent très cher.

Il a tourné une autre page.

— À moins que tu ne préfères une maison dans le vieux quartier de l'Arbat. Beaucoup d'antiquités. Mais attention, la maison a déjà été cambriolée au printemps dernier et c'est un peu tôt pour y retourner.

Une autre page.

— Ah oui… Il y a un bout de temps que je lorgne cette adresse. C'est près du parc Gorki. Un quatrième étage facile d'accès. Petit inconvénient, le propriétaire est Vladimir Sharkovsky. Ce n'est pas rien ! Ça risque d'être dangereux. J'ai autre chose rue Ilinka. Oui, ça c'est parfait ! Joli et facile. Numéro seize. Beaucoup d'argent en espèces, des bijoux…

— Parlez-moi de l'appartement du parc Gorki, ai-je coupé.

Dima s'est tourné vers moi, étonné. Le nom m'avait fait réagir. Sharkovsky. Je l'avais déjà entendu. Je revoyais mon entrée dans le bureau de Dementyev, à l'université, alors qu'il parlait au téléphone.

Oui, bien sûr, M. Sharkovsky. Oui, monsieur. Merci, monsieur.

— Qui est Sharkovsky ?

— Un homme d'affaires, m'a répondu Fagin. Très riche. Très, très, très riche. Et très dangereux, aussi, à ce qu'on dit. Pas le genre d'homme qu'on a envie de croiser la nuit. Encore moins si on cherche à le voler.

— C'est là que je veux aller.

— Pourquoi ? a demandé Dima.

— Parce que je le connais. Du moins… j'ai entendu prononcer son nom.

Sur le moment, ça m'est apparu comme un cadeau, ou presque. Misha Dementyev était mon ennemi. Il avait voulu me livrer à la police. Il avait menti à mes parents. Or, apparemment, il était aux ordres de ce Sharkovsky. À supposer qu'il s'agisse bien du même homme. Donc, cambrioler son appartement prenait un sens à mes yeux. C'était une sorte de mini-revanche.

Fagin a fermé son calepin avec un bruit sec. Nous avions pris notre décision et les raisons de notre choix lui importaient peu.

— Ça ne devrait pas être trop compliqué, a marmonné le receleur. Quatrième étage, rue tranquille. Sharkovsky n'habite pas vraiment là. Il y loge une de ses amies, une actrice.

Il nous a fait un clin d'œil suggérant que l'actrice était beaucoup plus qu'une simple amie.

— Elle est souvent absente. L'appartement pourrait bien être vide. Je vérifierai.

Fidèle à sa promesse, le lendemain, Fagin nous a fourni le renseignement que nous attendions. L'actrice jouait en province dans une pièce intitulée *La Cerisaie* et ne serait pas de retour à Moscou avant la fin du mois. L'appartement était désert mais la fortochka ouverte.

— Ne prenez que ce que vous pouvez porter, a conseillé Fagin. Bijoux, fourrures. Le vison et la zibeline sont légers. Oubliez les téléviseurs et ce genre de choses.

Nous sommes passés à l'action le soir même. Pour nous rendre chez l'actrice, nous devions contourner les murs du Kremlin et traverser le pont Krymsky. Je m'attendais à être nerveux. C'était mon premier véritable délit, sans rapport avec les facéties auxquelles on se livrait avec Léo pendant l'été, les vols de cigarettes ou les pétards devant le poste de police. Même le vol de victuailles dans les coffres de voiture n'était pas du même calibre. Pourtant, bizarrement, je me sentais parfaitement calme. J'avais l'impression d'avoir rencontré mon destin. Si je pouvais apprendre à survivre dans Moscou en étant un voleur, eh bien qu'il en soit ainsi.

Le parc Gorki occupe une vaste superficie au bord de la rivière Moskova. Avec son aire de jeux, ses lacs où l'on peut faire du bateau et son théâtre en plein air, le parc a toujours été le lieu de loisirs préféré des Moscovites. Et ceux qui possédaient un appartement dans le quartier étaient forcément des gens fortunés. L'air y était plus propre et, dans les étages élevés, on jouissait d'une belle vue sur les arbres, sur la Moskova où péniches et bateaux de plaisance naviguaient paisiblement, et, au loin, sur le ministère des Affaires étrangères logé dans un des fameux gratte-ciel de Staline. L'appartement repéré par Fagin se trouvait juste à côté du parc, dans une rue calme qui semblait ne pas appartenir à la ville tant elle était élégante, et sûrement très chère.

Nous y sommes arrivés juste avant minuit, mais tous les réverbères étaient allumés et on pouvait admirer la belle façade en pierre de couleur claire, ses portes et ses fenêtres en arches, ses ornements. L'immeuble était plus petit et plus soigné que le nôtre, avec ses quatre étages et son toit de tuiles orange légèrement en pente.

— Voilà la fenêtre, là-haut.

Dima la pointait du doigt. L'appartement occupait le dernier étage, comme l'avait indiqué Fagin, et je distinguais nettement la fortochka légèrement entrouverte. L'occupante de l'appartement pensait sans doute qu'elle ne risquait rien à cet étage, mais j'ai vu au premier coup d'œil qu'il était possible de monter jusqu'au quatrième grâce aux ornements en saillie de la façade. Il y avait des rebords, des moulures, des colonnes sculptées, et même une gouttière en guise d'échelle. J'aurais la partie la plus délicate mais, une fois à l'intérieur, je descendrais ouvrir la porte d'entrée à mes camarades, et la place serait à nous.

Il n'y avait aucune lumière dans les appartements. Les autres résidents dormaient. La rue était déserte. On l'a traversée aussi vite que possible et on s'est regroupés dans l'ombre de la façade.

— Qu'est-ce que tu en penses, Yasha ? a demandé Dima.

— Je peux y arriver, ai-je assuré.

Pourtant quelque chose me retenait.

— Tu es certain que la femme est absente ?

— On peut se fier à Fagin.

— OK.

— On t'attendra à la porte. Fais attention de ne pas faire de bruit en descendant.

— D'accord. Bonne chance.

Dima m'a fait la courte échelle pour m'aider à me hisser au premier niveau. Au moment où je posais le pied dans ses paumes de mains jointes, nos regards se sont croisés et il m'a souri. Je me sentais troublé. Perplexe. C'était peut-être mon destin, mais qu'auraient dit mes parents s'ils m'avaient vu à cet instant ? Eux qui m'avaient élevé dans un esprit de droiture et d'honnêteté. J'étais sidéré par la rapidité avec laquelle j'étais devenu un voleur. Quelle serait la prochaine étape si je restais plus longtemps à Moscou ?

J'ai commencé à monter. Mes trois amis se sont égaillés. Nous avions décidé que, si un policier venait faire sa ronde, Gregory m'avertirait en poussant un cri de chouette. Pour l'instant il n'y avait personne, et l'ascension ne présentait aucune difficulté. L'architecte de l'immeuble n'avait pas manqué d'idées pour la décoration, le style et l'élégance, mais il n'avait pas pensé à la sécurité.

Cependant, plus je montais, plus ça devenait périlleux. La gouttière était un peu descellée. Si j'y faisais porter tout mon poids, je risquais de l'arracher du mur. Certains motifs ornementaux avaient commencé à se désagréger, rongés par les intempéries. En posant brièvement mon pied sur une pierre taillée en forme de diamant, un morceau s'est détaché et j'ai entendu le choc sur le trottoir, tout en bas. Je me suis plaqué contre la façade et agrippé de mes deux mains pour ne pas tomber à mon tour. Une chute du premier étage m'aurait tout juste valu une entorse, mais à cette hauteur, c'est le cou que je me serais brisé. Heureusement, je suis parvenu à me stabiliser. J'ai baissé les yeux et aperçu Dima debout sous un réverbère. Il avait vu ce qui s'était passé et il m'a fait un signe de la main – soit pour m'encourager, soit pour m'inciter à faire plus attention.

J'ai respiré à fond pour me calmer, et j'ai repris mon ascension vers le troisième, puis le quatrième étage. Au niveau du troisième, j'ai jeté un coup d'œil par une fenêtre et aperçu la forme vague de deux personnes couchées sous une couverture de fourrure. Par chance, ils dormaient d'un sommeil de plomb. Je me suis hissé le plus rapidement possible pour atteindre enfin la corniche qui courait sur la façade le long du quatrième étage. Le rebord ne mesurait pas plus de quinze centimètres et je devais me coller au mur en me déplaçant sur la pointe des pieds, les talons dans le vide. Il suffisait que je m'écarte un tant soit peu pour perdre l'équilibre. Mais j'étais parvenu jusque-là sans accroc, et j'étais bien décidé à aller jusqu'au bout.

En me glissant jusqu'à la fenêtre munie de la fortochka, j'ai découvert deux nouveaux obstacles. D'une part, l'entrebâillement était plus étroit que je ne l'avais imaginé. D'autre part, la manœuvre s'annonçait plus délicate, car je serais obligé de me hisser jusqu'au fenestron avant de me faufiler à l'intérieur. Cela impliquait que je devrais m'appuyer de tout mon poids sur la vitre principale. Or la fortochka n'était séparée de la fenêtre porteuse que par un cadre étroit et, si je n'y prenais garde, celle-ci risquait d'exploser sous moi et de me couper en deux. J'ai regardé en bas pour chercher un encouragement de la part de Dima, mais je ne le voyais plus.

J'ai levé le bras pour palper le bord de la fortochka. Celle-ci était bien débloquée. Derrière la vitre, la pièce était plongée dans l'obscurité, mais je discernais vaguement un salon, avec un coin repas et une cuisine attenante. J'ai posé ma seconde main sur le bord du vasistas. Je n'avais pas le choix : il me faudrait passer la tête la première. Il n'était tout simplement pas possible de lever la jambe. Avec mon front, j'ai poussé le fenestron ouvert. Puis je me suis penché pour entrer la tête. À présent la vitre reposait sur ma nuque, et j'ai pensé aux prisonniers condamnés à être guillotinés, jadis. En essayant de réduire au maximum le poids de mon corps portant sur la fenêtre principale, je me suis arqué en avant. L'orifice était étroit. Pas plus de quarante centimètres de côté. Une chatière, rien de plus. Mes épaules passaient tout juste. L'abattant de la fortochka me raclait le dos. J'ai poussé un peu plus, et c'est le haut de mes fesses qui s'est trouvé pris en sandwich. J'étais coincé ! Je ne pouvais plus bouger, ni dans un sens, ni dans l'autre, et je me suis imaginé avec effroi obligé de rester ainsi bloqué toute la nuit en attendant que quelqu'un me découvre et appelle le police. Ou bien la fenêtre allait céder. J'ai poussé plus fort. J'avais l'impression de vivre une deuxième naissance. Le cadre me rentrait dans la peau. Je ne sais comment, la loi de la gravité a fini par l'emporter. J'ai plongé en avant dans les ténèbres et heurté lourdement le sol. J'étais dedans !

Sans le tapis, je me serais cassé le nez et j'aurais ressemblé à Dima. S'il y avait quelqu'un dans l'appartement, le bruit l'aurait forcément alerté. J'ai donc attendu un instant, prêt à voir la porte s'ouvrir et la lumière s'allumer. Mais non. Rien. Puis je me suis souvenu du couple du troisième étage, couché sous la couverture de fourrure. Ils avaient dû entendre, juste au-dessus de leurs têtes, le choc sourd que j'avais fait en tombant. J'ai attendu encore une minute. Mon bras formait un curieux angle et je me suis demandé si je ne m'étais pas disloqué l'épaule, mais en déplaçant mon corps pour reprendre une position plus confortable, j'ai constaté que tout allait bien. Dima et les deux autres avaient sans doute suivi mes acrobaties et attendaient probablement déjà en bas que je leur ouvre la porte. Il était temps de m'activer.

J'ai commencé par examiner la pièce où je me trouvais. Maintenant que ma vue s'était accoutumée à la semi-obscurité, je découvrais un vaste et luxueux séjour. Comme l'avait dit Fagin, le propriétaire était riche. Je n'avais jamais vu un pareil décor. Le mobilier était moderne et visiblement neuf. Ayant vécu dans une maison en bois d'un village reculé, je n'avais jamais vu, ni même imaginé, des tables en verre et métal, des canapés en cuir, de délicats cabinets aux tiroirs ornés d'anneaux. Tout ce sur quoi je m'étais assis ou couché jusqu'alors était vieux et minable. Un superbe tapis recouvrait le sol devant la cheminée, et si je devais n'emporter que cela, l'aventure en vaudrait la peine. Comme ce devait être plus confortable que le matelas bosselé où je dormais rue Tverskaya !

Des tableaux dans des cadres dorés étaient accrochés aux murs. Je ne comprenais pas ce qu'ils représentaient. On aurait dit des taches de peinture jetées au hasard, sans sujet. Chez moi, il y avait quelques photos sous verre, une tapisserie dans la chambre de mes parents, des images découpées dans des magazines, mais rien qui ressemblait à ça. Après l'espace salon, venait une table de salle à manger : un plateau en bois ovale, et quatre chaises, puis la cuisine ouverte, si immaculée qu'elle devait rarement servir. Mon regard s'est promené sur le four électrique, l'évier et ses robinets rutilants. Inutile d'aller chercher de l'eau au puits quand on habitait ici. Un haut réfrigérateur occupait un angle. J'ai ouvert la porte et un faisceau lumineux m'a enveloppé. Les étagères regorgeaient de nourriture : jambon, fromage, fruits, salades, champignons marinés, blinis. Incapable de me retenir, j'ai fait main basse sur tout ce qui s'offrait, enfournant le maximum dans ma bouche sans m'occuper de savoir si c'était salé ou sucré.

J'étais là, planté devant le réfrigérateur, la bouche et les mains pleines, quand une clé a cliqueté dans la serrure. La porte de l'appartement s'est ouverte et tout s'est illuminé.

Finalement, Fagin s'était trompé.

Un homme me dévisageait. Il a très vite compris. L'expression de son visage est passée de la surprise à la fureur. Il portait un manteau de fourrure noir, des gants noirs, un chapeau comme en ont les gangsters américains dans les films, et une écharpe en soie blanche. Il n'était pas grand mais solidement bâti, et il émanait de lui une impression de force et de puissance. Cela se lisait dans ses yeux d'une extraordinaire intensité, sous les paupières lourdes et les épais sourcils noirs. Sa peau avait la vitalité et la couleur d'un mort dans son cercueil, et tel qu'il se tenait là, dans l'encadrement de la porte, il en avait la même immobilité cadavérique. Son visage était sans rides, sa bouche une ligne mince. J'apercevais les bords d'un tatouage sur son cou : des flammes rouges. Cela suggérait que son corps tout entier, sous les vêtements, était en flammes. Sans rien connaître de lui, j'ai compris que je m'étais fourré dans de très sales draps. Rencontrer le diable ne m'aurait pas davantage effrayé.

— Qui est-ce, Vlad ?

Une femme était apparue derrière lui. J'ai aperçu un col de vison et une chevelure blonde.

— Un intrus. Un adolescent.

Son regard s'est brièvement détaché de moi pour se porter sur la fenêtre. Il n'avait pas besoin de poser de questions. Il savait comment j'étais entré. Et il savait que j'étais seul.

— Tu veux que j'appelle la police ? a proposé la femme.

— Non. Inutile.

Il parlait d'une façon mesurée, avec une morne assurance. Ça n'annonçait rien de bon. S'il ne voulait pas prévenir la police, c'est qu'il avait décidé de régler l'affaire lui-même, et il n'allait sûrement pas me serrer la main pour me remercier de ma visite. Il allait me tuer. Peut-être avait-il un revolver dans sa poche de manteau. Peut-être allait-il me déchiqueter à mains nues. Je l'en croyais tout à fait capable.

Je ne savais pas comment réagir. Mon seul désir était de filer et de retrouver la rue. J'ignorais si Dima et les autres avaient deviné ce qui se passait, mais même s'ils avaient compris, ils ne pouvaient rien pour moi. La porte principale de l'immeuble était verrouillée. S'ils avaient été malins, ils devaient déjà être en route pour la rue Tverskaya. J'ai essayé de réfléchir. Je n'avais qu'une solution : passer devant cet homme et foncer dans le couloir. La femme ne tenterait pas de m'arrêter. J'ai regardé autour de moi et, là, j'ai commis l'erreur la plus stupide que je pouvais commettre. Il y avait un couteau à pain sur le plan de cuisine. Je l'ai saisi.

L'homme n'a pas bougé. Il n'a pas prononcé un mot. Il m'a simplement jeté un regard offusqué. Comment osais-je toucher à un objet qui lui appartenait ? Et le menacer chez lui ? C'était ce qu'il exprimait sans rien dire. Le contact du couteau dans le creux de ma main ne m'a pas ragaillardi. Au contraire. Toutes mes forces m'avaient quitté dès l'instant où je l'avais saisi, et sa lame dentelée étincelante me faisait horreur.

— Je ne veux pas d'ennuis, ai-je marmonné d'une voix que je ne reconnaissais pas. Laissez-moi partir et personne ne sera blessé.

Il n'avait nullement l'intention de me laisser partir. Il a avancé. Instinctivement, sans même savoir ce que je faisais, j'ai allongé le bras. Il s'est arrêté. Derrière lui, j'ai aperçu le visage pétrifié de la femme. L'homme a baissé les yeux. J'ai suivi son regard. La pointe du couteau avait traversé son manteau et poursuivi sa course dans son torse. J'étais tétanisé. J'ai reculé et lâché le couteau. La lame a tinté en tombant.

L'homme semblait ne ressentir aucune douleur. Il a palpé l'entaille dans son manteau comme si cela lui importait plus que sa chair. Quand il a retiré sa main, il y avait du sang sur son gant.

J'étais désarmé, épinglé par son regard terrible.

— Qu'est-ce que tu as fait ?

— Je... je...

Il s'est avancé et m'a lancé son poing en plein visage. J'ai entendu un craquement. Jamais je n'avais été frappé avec une telle violence. Je n'imaginais même pas qu'un être humain puisse faire aussi mal à un autre. J'avais l'impression d'avoir reçu un coup de barre de fer. La femme a crié. J'étais déjà en train de m'écrouler quand l'homme m'a expédié son deuxième poing dans la figure. Ma tête a été projetée en arrière, tandis que mon corps s'effondrait en avant. Je me souviens d'un éclair blanc, que j'ai pris pour la mort. J'ai perdu connaissance avant même de toucher le sol.

Русская рулетка

Roulette russe

J'ai rouvert les yeux dans une obscurité totale, couché sur le côté dans un espace confiné, les genoux remontés, la bouche bâillonnée, les mains attachées. Ma première pensée a été que j'étais enfermé dans une boîte, qu'on m'avait enterré vivant. Pendant soixante secondes, j'ai poussé un hurlement muet, le cœur battant à tout rompre, à peine capable de respirer, les muscles tendus pour lutter contre les sangles qui me cisaillaient les poignets. Et puis, je ne sais comment, j'ai fini par maîtriser ma panique. Ce n'était pas une boîte. J'étais dans un coffre de voiture. Celle-ci était restée immobile un moment, mais j'entendais maintenant le ronronnement d'un moteur, bientôt suivi d'un mouvement de démarrage. Ma situation n'en était pas meilleure pour autant. On m'avait laissé la vie sauve, mais pour combien de temps ?

J'étais dans un sale état. Ma tête m'élançait, tant à l'intérieur qu'à l'extérieur. Tout un côté de mon visage était enflé. Le seul fait de remuer les lèvres m'était douloureux, et je n'arrivais pas à fermer un œil. Le poing de l'homme m'avait cassé la pommette. Je n'osais pas imaginer à quoi je ressemblais. D'ailleurs, quelle importance ? Je n'avais que quelques heures à vivre.

Je supposais que l'homme de l'appartement était Vladimir Sharkovsky. Fagin nous avait prévenus qu'il était dangereux, mais c'était bien pire. D'après ce que j'avais vu de lui, Sharkovsky était un véritable psychopathe. Aucun individu normal n'avait un regard pareil. Il avait réagi à mon attaque avec une froideur extrême, mais lorsque la colère l'avait saisi, c'était comme si un démon avait surgi des flammes de l'enfer. Et il n'avait pas appelé la police. C'était ça, le pire. Il me conduisait dans un lieu inconnu et, une fois là-bas, il ferait de moi ce qu'il voudrait. Celle seule pensée m'effrayait. Comptait-il me torturer pour me punir ? J'avais entendu dire que des centaines d'enfants disparaissaient chaque année des rues de Moscou. Je risquais de faire partie du nombre.

Je ne saurais dire combien de temps a duré le trajet. Les mains ligotées derrière le dos, je ne pouvais pas voir ma montre. J'ai fini par somnoler. Je ne dormais pas, simplement je dérivais aux marges de la conscience. Ç'aurait été agréable de rêver de mes parents et de ma vie à Estrov, de passer mes dernières heures sur Terre à revivre les moments heureux, mais la douleur m'en empêchait. Par intervalles, je revenais à la réalité, à ma difficulté de respirer dans le coffre sans aération, à mon envie de me redresser, de m'étirer, d'aller aux toilettes, d'être n'importe où ailleurs qu'ici. La voiture continuait de rouler.

Enfin, nous sommes arrivés à destination. La voiture a ralenti et marqué un arrêt. J'ai entendu une voix d'homme qui donnait un ordre, puis ce qui ressemblait au déclic d'une porte métallique. Nous avons redémarré, sur une autre surface à présent : du gravier crissait sous les pneus. Après quoi la voiture s'est immobilisée et le moteur s'est tu. La portière du conducteur s'est ouverte, refermée, des pas ont froissé le gravier. J'étais en alerte, prêt à voir le coffre s'ouvrir, mais il ne s'est rien passé. Les pas se sont éloignés. Longtemps après, ne les entendant pas revenir, je me suis dit qu'on allait me laisser croupir ici toute la nuit, comme un bagage dont personne n'a besoin.

C'est ce qui est arrivé. Je suis resté dans le noir et le silence, sans la moindre idée du temps que j'allais passer là ni de ce qu'il adviendrait quand on me délivrerait. C'était intentionnel, bien sûr, pour me casser le moral et me torturer. J'étais la victime de ma propre imagination. Je n'avais rien d'autre à faire sinon compter chaque minute. Incapable de bouger, de s'étirer, mon corps subissait un supplice. La seule possibilité était d'essayer de dormir pour combattre la peur. L'idée d'être abandonné dans ce réduit me terrifiait. La nuit a été longue, atroce. Quand le coffre s'est enfin ouvert, je n'avais plus peur de la mort. Je crois même que je l'aurais accueillie avec soulagement. Un court tunnel d'horreurs suivi de la délivrance.

Un homme se penchait vers moi. Ce n'était pas celui de l'appartement de Moscou. Celui-ci était massif, avec des épaules très larges, un cou épais, vêtu d'un costume gris bon marché avec une chemise blanche et une cravate noire. Ses cheveux blonds étaient tellement brillantinés qu'ils se dressaient en épis. Il portait des lunettes noires et un émetteur radio derrière l'oreille, relié par un fil à un micro de gorge. Sa peau était d'un blanc laiteux, et l'idée m'a effleuré qu'il avait passé sa vie dans une prison, ou dans une institution similaire. En tout cas, il n'avait pas vu souvent le soleil.

Il a tendu une main et, d'un seul mouvement, il m'a extrait du coffre pour me mettre debout, en équilibre contre l'arrière de la voiture. Sans cet appui, je serais tombé. Mes jambes n'avaient plus aucune force. La seule expression de son visage était le dégoût, et je ne pouvais pas le lui reprocher. Je puais. Mes vêtements étaient chiffonnés, mon visage recouvert d'une croûte de sang. Il a plongé une main dans sa poche et j'ai tressailli en voyant qu'il en sortait un couteau, déjà prêt à sentir la lame s'enfoncer dans ma poitrine. Au lieu de ça, il s'est penché pour trancher les liens derrière mon dos. Mes poignets avaient un aspect horrible : ils étaient tout bleus et gonflés. Je ne pouvais pas remuer les doigts ; je sentais des milliers d'épingles y fourmiller à mesure que le sang revenait les irriguer.

— Tu vas nous suivre, a dit l'homme d'une voix grave et rauque, dénuée d'émotion, comme si parler lui était désagréable.

Nous ? J'ai tourné la tête et découvert un deuxième homme debout à côté de la voiture. Pendant un instant j'ai cru que mon cerveau me jouait des tours après mon long enfermement. Le deuxième homme était identique au premier. Même taille, mêmes traits, mêmes vêtements. Des jumeaux. Mais on aurait dit qu'ils s'étaient entraînés à approfondir leurs ressemblances afin de devenir indiscernables. Ils avaient la même coupe de cheveux, les mêmes lunettes noires, et ils se déplaçaient en même temps, comme une image miroir.

Le premier jumeau n'avait pas cherché à savoir mon nom. Il ne voulait rien connaître de moi.

— Où sommes-nous ? ai-je marmonné, gêné par les dégâts causés à mon visage.

— Ne pose pas de questions. Fais ce qu'on te dit.

Il a esquissé un geste. J'ai avancé et, pour la première fois, j'ai pu observer ce qui m'entourait. Je me trouvais dans un grand et beau parc, avec des allées, une pelouse tondue avec soin et de grands arbres. Le parc était ceinturé par un mur de briques haut de plusieurs mètres et surmonté de barbelés. Au-delà s'élevaient d'autres arbres. La voiture qui m'avait amené était une Lexus noire, garée tout près d'un porche voûté, muni d'une barrière qui montait et descendait. L'unique voie de sortie, sans doute. À côté il y avait une cabane de gardien : une construction en bois avec une grande baie vitrée derrière laquelle un homme en uniforme nous observait. J'ai d'abord pensé qu'il s'agissait d'une sorte de prison. Il y avait des projecteurs et des caméras de surveillance installées le long du mur d'enceinte à intervalles réguliers.

On se dirigeait vers un groupe de huit maisons de bois dissimulées derrière quelques sapins, à une cinquantaine de mètres du portail d'entrée. Les huit maisons étaient modernes, neutres, presque identiques. Dans les pays de l'Ouest, on aurait appelé ça des cabanes de chantier préfabriquées, à cette différence qu'elles étaient un peu plus grandes, et reliées entre elles par deux escaliers extérieurs. Il n'y avait pas de barreaux aux fenêtres. Ce n'étaient pas des cellules. J'ai supposé qu'elles abritaient le personnel travaillant sur le domaine. Une bâtisse plus grande, en briques, se dressait à proximité. Peut-être une cantine.

J'ai regardé derrière moi sans demander la permission. Et je me suis arrêté net. Où diable m'avait-on conduit ? Je n'avais jamais rien vu de pareil.

Une allée de gravier, bordée de lampadaires et de fleurs de chaque côté, traversait le parc entre le portail d'entrée et une monumentale maison blanche. Pas une maison, un palais. Mais pas un palais de conte de fées. Une architecture contemporaine, neuve, d'un blanc éclatant, composée de deux ailes et d'un bâtiment principal qui devait à lui seul contenir une cinquantaine de pièces. Il y avait des terrasses avec des balustrades blanches, des colonnes blanches avec des portes immenses s'ouvrant derrière, des galeries, des balcons et, couronnant tout cela, un dôme blanc pareil à celui d'un planétarium, ou même d'une cathédrale. Une demi-douzaine d'antennes satellite étaient juchées sur le toit, ainsi que des paraboles de télévision et un relais de radio. Un homme se tenait là-haut. Il m'observait avec des jumelles. Il portait le même uniforme que le gardien de l'entrée, mais avec quelque chose en plus : un fusil-mitrailleur accroché à l'épaule.

À mesure qu'on approchait de la maison, les jardins devenaient plus ornementaux, avec des statues sur des socles, des bancs en marbre, des allées parfaitement entretenues, des tonnelles, des bosquets taillés dans des formes fantastiques, des parterres de fleurs dessinant des motifs sophistiqués. Des armées de jardiniers devaient travailler à longueur d'année pour obtenir ce résultat. D'ailleurs j'en apercevais quelques-uns, poussant des brouettes ou agenouillés par terre pour arracher des mauvaises herbes. L'allée se divisait en deux à l'approche de la maison, contournant une fontaine de marbre blanc où, au milieu des jets d'eau, s'entrelaçaient des dieux et des sirènes. Deux Rolls-Royce, une Bentley et une Ferrari étaient garées dehors. Mais le maître des lieux ne possédait pas seulement des automobiles. Son hélicoptère privé était immobilisé sur une aire de ciment discrètement située près d'une maison d'été, sous une bâche, les pales attachées.

— Qu'est-ce que tu attends ? m'a lancé le premier jumeau.

— Qui habite ici ?

En guise de réponse, j'ai reçu un coup dans le côté. Il avait visé le rein et ça faisait très mal.

— Pas de questions, j'ai dit.

J'ai vite appris les règles et le principe de base : je ne valais rien et n'importe qui pouvait me faire n'importe quoi. J'ai ravalé ma douleur et continué d'avancer vers la plus petite des cabanes, à la lisière de l'ensemble. Par la porte ouverte, j'ai vu une pièce meublée d'un lit en fer étroit, d'une table et d'une chaise. Pas de tapis, pas de rideaux, aucune décoration. Une seconde porte menait au cabinet de toilette.

— Tu as cinq minutes, a dit l'homme. Jette tes vêtements. Tu n'en auras plus besoin. Lave-toi et rends-toi présentable. Ne quitte pas cette pièce. Si tu sors, les gardes t'abattront.

Il m'a laissé seul. Je me suis déshabillé et je suis entré dans la salle de bains pour me laver. Je savais que j'étais en danger. Bientôt, je serais mort. Pourtant cette douche a été une expérience fantastique. L'eau était chaude et il y avait suffisamment de pression pour m'asperger entièrement. Il y avait même du savon. Cela faisait trois semaines que je n'étais pas allé au bain public, le banya, et une crasse noire s'écoulait dans le siphon. Le souvenir du bain public a ramené mes pensées vers Dima. Que faisait-il en ce moment ? Avait-il assisté à mon embarquement dans le coffre de la voiture devant l'immeuble de Sharkovsky ? Et, si oui, serait-il en mesure de venir me chercher ? Cette éventualité, au moins, était une raison d'espérer.

Mon visage était toujours très douloureux, et lorsque je me suis examiné dans le miroir, le spectacle était aussi effrayant que je l'avais imaginé. C'est à peine si je me suis reconnu. J'avais un œil à demi fermé et cerné par un énorme hématome. Ma joue ressemblait à un fruit pourri, avec une large entaille au point d'impact du poing. Par chance, j'avais encore toutes mes dents. Mes blessures me donnaient une idée de ce qui m'attendait. On ne m'avait pas conduit ici pour m'offrir un séjour de détente. On me préparait pour quelque chose. Ma punition était encore à venir.

Je suis revenu dans la chambre. Mes vieux vêtements avaient disparu et j'ai eu un pincement au cœur en réalisant que la bague de ma mère avait disparu avec eux. J'avais rangé le sachet dans la poche arrière de mon pantalon. Pas question de le réclamer, évidemment. Une immense vague de tristesse m'a envahi. Cette bague que ma mère avait portée, il me semblait qu'en la touchant je la touchais elle. Maintenant qu'on me l'avait prise, j'avais l'impression de n'avoir plus rien de commun avec le garçon que j'avais été. J'étais devenu un autre.

On m'avait fourni un survêtement noir, des chaussettes noires et des chaussures sans lacets. Après m'être séché avec la serviette de bain accrochée près de la douche, je me suis habillé. Les vêtements étaient à ma taille.

— Tu es prêt ?

Les jumeaux m'attendaient dehors.

Je les ai rejoints. Ils m'ont jeté un regard neutre, totalement dénué d'intérêt.

— Suis-nous, a dit l'un.

Leur vocabulaire était très limité.

Nous avons repris l'allée en direction de la grande maison. En chemin, nous avons croisé un autre garde, qui tenait en laisse un berger allemand. Une caméra de télévision montée au-dessus de l'entrée principale surveillait notre progression. Mais les jumeaux m'ont guidé vers le côté de la maison, jusqu'à une porte de service qui ouvrait sur un couloir. Les murs étaient nus et le sol dallé de carrelage noir et blanc. C'était l'entrée des domestiques. Nous avons dépassé une buanderie, un local à chaussures, puis une office, juste à côté d'une cuisine. J'ai entrevu une femme en robe noire et tablier blanc qui astiquait l'argenterie. Elle ne m'a pas remarqué, ou bien elle a feint de ne pas me voir. Dans mes chaussures souples, je ne faisais aucun bruit. Je me sentais nauséeux et je savais pourquoi. J'avais peur.

Nous avons traversé un immense vestibule. C'était le grand hall de la maison. Un escalier majestueux y descendait, encadré par deux colonnes de marbre. Le hall lui-même était gigantesque. On aurait pu y garer une douzaine de voitures. Un vase de fleurs trônait sur une table – pour le composer, on avait dû dévaliser un fleuriste. Un lustre pendait au plafond, avec des centaines de pendeloques en cristal qui étincelaient comme un feu d'artifice. À côté, les éclairages du métro de Moscou avaient l'air ordinaires et criards. D'autres portes donnaient sur le hall. C'était trop pour moi. Si un vaisseau spatial m'avait enlevé pour me déposer sur la Lune, je n'aurais pas été plus dépaysé.

— Ici…

L'un des jumeaux a toqué à une porte en chêne et il est entré sans attendre la réponse. Je l'ai suivi.

L'homme de l'appartement de Moscou se tenait assis derrière un gigantesque bureau ancien. Derrière lui, des étagères de livres couvraient tout un mur et, sur un côté, se dressait un globe terrestre qui parais-

sait si vieux que certains pays n'y figuraient probablement pas, en attente d'être découverts. Le globe
était encadré par deux fenêtres ornées de rideaux
de velours rouge qui donnaient sur la fontaine et
l'allée. Il régnait une douce chaleur dans la pièce.
Une cheminée en pierre occupait un pan de mur :
deux diablotins accroupis soutenaient le manteau de
la cheminée sur leurs épaules. Un chien dalmatien
était couché devant. Les murs étaient littéralement
couverts de tableaux. Le plus grand était le portrait
de l'homme qui me faisait face, et je dois dire que
la version peinte était la plus plaisante des deux. Il
n'avait pas levé les yeux de ses dossiers. Il lisait un
document et notait des observations dans la marge
avec un stylo à plume noir.

Un revolver était posé devant lui.

Et tandis que j'attendais qu'il daigne lever les yeux,
j'ai observé ce revolver. C'était un modèle ancien, visiblement, avec un canon en acier de douze centimètres
de long et une crosse noire émaillée. Contrairement
aux pistolets automatiques dotés d'un chargeur,
celui-ci était muni d'un barillet à six chambres. Une
balle était posée à côté, sur le bureau.

— Assieds-toi, m'a dit l'homme en désignant le
fauteuil vide en face de lui.

En avançant, j'avais davantage l'impression de flot-
ter que de marcher. Je me suis assis. Derrière moi,
la porte s'est fermée avec un déclic. Les jumeaux
s'étaient retirés.

J'attendais que le maître de lieux prenne la parole. Il
portait un costume sans doute très cher et qui n'avait
pas été fabriqué en Russie. Le tissu était trop luxueux,
la coupe trop parfaite. Il avait une chemise bleu pâle
et une cravate marron. Maintenant qu'il n'avait plus
ni son manteau ni son chapeau, je pouvais constater

qu'il était très musclé et que son crâne était totalement chauve. Non parce qu'il avait perdu ses cheveux mais parce qu'il les rasait, et cela laissait sur son cuir chevelu une ombre sombre qui rehaussait son air de mort-vivant. J'attendais avec appréhension qu'il pose sur moi ses yeux lourds et laids. J'avais des élancements douloureux dans le visage et encore envie d'aller aux toilettes. Mais je n'osais rien dire. Ni bouger.

Enfin il a reposé son stylo à plume, et il m'a demandé :

— Comment t'appelles-tu ?

— Yasha Gregorovitch.

— Yassen ?

Il avait mal entendu. Ma joue était si enflée que j'articulais difficilement. Yassen est un prénom très inhabituel. En russe, le mot signifie frêne. Mais je ne l'ai pas corrigé. J'avais décidé qu'il valait mieux ne pas parler à moins d'y être obligé.

— Quel âge as-tu ? a repris l'homme.

— Quatorze ans.

— D'où viens-tu ?

Je me souvenais de l'avertissement de ma mère.

— De Kirsk. Une petite ville loin d'ici. Vous n'en avez sûrement jamais entendu parler.

Il a réfléchi un instant puis il s'est levé, il a contourné son bureau et s'est planté devant moi. Il prenait son temps, pesait calmement la situation. Et soudain il m'a giflé. La gifle n'était pas particulièrement violente, en tout cas moins que son coup de poing de la veille, mais cela suffisait. Ma pommette était déjà cassée et j'en suis presque tombé de mon siège de douleur. Des petits points noirs voltigeaient devant mes yeux. J'ai cru que j'allais vomir.

Le temps que je reprenne mes esprits, Sharkovsky était allé se rasseoir.

— Ne t'avise jamais de faire des suppositions à mon sujet. Et lorsque tu t'adresses à moi, tu dis « monsieur ». C'est compris ?

— Oui, monsieur.

— Bien. Tu as des parents ?

— Non, monsieur. Ils sont morts.

— Et hier soir, quand tu t'es introduit dans mon appartement, tu étais seul ?

— Oui, monsieur.

J'avais décidé de ne pas lui parler de Dima, de Roman et de Gregory. Si je lui révélais leurs noms, il enverrait un de ses hommes à Tverskaya pour les tuer. Comme il allait me tuer, j'en étais convaincu.

— Comment et pourquoi as-tu choisi mon appartement ?

— En passant devant. J'ai vu que la fenêtre était ouverte et il n'y avait pas de lumière. Je n'ai pas vraiment réfléchi.

Ma réponse a semblé le satisfaire. Il a sorti une cigarette d'un étui sur lequel étaient gravées ses initiales : VS. Il a allumé la cigarette et reposé l'étui près du revolver.

— Vladimir Sharkovsky. Je m'appelle Vladimir Sharkovsky.

Je n'ai pas dit que je connaissais son nom. Je l'ai simplement regardé fumer en silence. J'avais envie d'une cigarette, moi aussi, mais j'avais encore plus envie d'aller aux toilettes. Mon intestin gargouillait.

— Tu dois te demander pourquoi tu es encore en vie ? a poursuivi Vladimir Sharkovsky. En fait, tu devrais être mort. Hier soir, en traversant le pont, j'ai songé à te jeter dans la Moskova. Ça m'aurait réjoui de te regarder couler. Je t'ai amené ici dans l'intention de te mettre entre les mains de Josef et de Karl pour qu'ils t'infligent un châtiment et te tuent. D'ailleurs, je n'ai toujours pas arrêté ma décision.

Son regard s'est brièvement posé sur le revolver, puis il a repris :

— Si tu es assis devant moi en ce moment, c'est pour une seule et unique raison. Simple question de timing. Tu as peut-être une chance. Il y a une semaine, ç'aurait été différent. Mais aujourd'hui...

Il a laissé sa phrase en suspens et tiré une bouffée sur sa cigarette. Une volute de fumée bleue s'est élevée vers le plafond. Une bûche a craqué dans la cheminée. Le dalmatien a tressailli et s'est rendormi aussitôt. Jusque-là, Vladimir Sharkovsky n'avait manifesté aucune émotion. Il s'exprimait d'une voix plate, atone. Si des machines avaient appris à parler, elles auraient parlé comme lui.

— Je suis un homme prudent, a poursuivi Sharkovsky. L'une des raisons de ma réussite est d'avoir toujours utilisé ce qui m'était donné. Je ne rate jamais une occasion. Que ce soit pour investir dans une entreprise, verser des pots-de-vin pour me faire une place dans une banque, profiter de la faiblesse d'un haut fonctionnaire corruptible. Ça peut être aussi la rencontre avec un gosse des rues, voleur et incapable comme toi. Si je peux utiliser ce qui se présente, je n'hésite pas. Voilà comment je vis.

» Tu dois comprendre une chose. Je réussis formidablement bien dans les affaires. La Russie est en pleine mutation. Les vieilles méthodes sont derrière nous. Pour ceux qui ont une vision des possibilités d'avenir, les avantages sont infinis. Toi, tu n'as rien. Tu voles parce que tu as faim et tu ne songes à rien d'autre qu'à ton prochain repas minable. Moi, je possède le monde. Et maintenant, je te possède, toi, Yassen Gregorovitch.

» Un grand nombre de gens travaillent à mon service, dans cette maison. En raison de la nature de mes affaires et de ce que je suis, je suis obligé d'être prudent. Josef et Karl, les deux hommes qui t'ont amené ici, sont mes gardes du corps personnels. Ils sont derrière la porte, et je préfère te prévenir qu'il y a un bouton d'alarme sous mon bureau. Si tu tentes quoi que ce soit, si tu me menaces encore, ils arrivent dans la seconde. Tu peux te féliciter qu'ils n'aient pas été avec moi à Moscou. C'est l'appartement privé d'une amie à moi. S'ils avaient été là, dès l'instant où tu as saisi ce couteau, ils t'auraient abattu.

» Je ne vais pas te tuer tout de suite parce que je pense pouvoir t'utiliser. Un poste s'est libéré. Un emploi pour lequel, normalement, il est difficile de trouver un candidat. Comme je te l'ai dit, tu bénéficies d'un bon timing. Tu es certainement stupide et mal élevé, mais tu pourrais faire l'affaire.

Sharkovsky s'est tu et il m'a fallu quelques secondes pour comprendre qu'il attendait une réponse. Je n'arrivais pas à croire ce que je venais d'entendre. Il m'offrait un travail !

— Je serais très heureux de travailler pour vous, monsieur.

Ses yeux se sont figés sur moi, pleins de mépris.

— Heureux ? a-t-il répété avec un rictus. Tu dis des idioties. Tu parles sans réfléchir. Je n'ai pas l'intention de te rendre heureux. Au contraire. Tu t'es introduit dans mon appartement. Tu as tenté de me blesser et tu as saccagé un manteau magnifique, une veste et une chemise. Tu m'as même entaillé la peau. Pour cela, tu dois payer. Tu dois être puni. Si tu acceptes ma proposition, tu passeras chaque heure de ta vie à regretter de m'avoir rencontré. Je ne t'offre pas de te payer. Tu m'appartiens. Je vais me servir de toi. À partir de cet instant, j'attends de toi une obéissance totale. Tu feras ce que je te dirai. Sans hésiter.

Il a esquissé un geste vers la cheminée.

— Tu vois ce chien ? C'est-ce que tu es désormais. Tu ne représenteras rien d'autre à mes yeux.

Il a écrasé son mégot. J'ai compris que l'entretien le lassait, qu'il voulait en finir.

— Que voulez-vous que je fasse, monsieur ? Quel genre de travail ?

Je n'avais pas le choix. Je voulais vivre. Le laisser m'employer à sa guise en attendant de trouver un moyen de m'évader. Dans le coffre d'une voiture, par-dessus le mur, n'importe comment, je m'évaderais.

— Tu feras le ménage. Tu porteras des messages. Tu laveras le sol. Tu aideras les jardiniers. Mais ça, ce n'est rien. J'ai besoin de toi pour une autre tâche, bien plus importante... Tu seras mon goûteur de nourriture.

— Votre quoi ?

J'ai failli éclater de rire. Si je l'avais fait, il m'aurait abattu sur-le-champ. C'était ridicule. À l'école, on nous avait parlé des empereurs romains, Jules César et d'autres, qui employaient des esclaves pour goûter les plats qu'on leur servait. Mais on était en Russie, au XXᵉ siècle ! Il ne pouvait pas parler sérieusement !

— J'ai beaucoup d'ennemis, a expliqué Sharkovsky avec gravité. Certains me craignent. D'autres me jalousent. Tous tireraient profit de ma disparition. L'année dernière, j'ai été la cible de trois attentats. Ça se passe ainsi, de nos jours. Plusieurs de mes associés ont eu moins de chance. Ou plutôt, ils ont été moins prudents. Et ils sont morts.

» En dehors de ma femme et de mes enfants, je ne peux me fier à personne. Même ma famille proche pourrait un jour toucher de l'argent pour me causer du tort. J'emploie un grand nombre de gens pour me protéger, et je dois en employer beaucoup d'autres pour les surveiller. Je ne fais confiance à aucun.

Son regard sombre m'a sondé et il a ajouté :

— Et toi, puis-je te faire confiance ?

J'essayais de donner un sens à ses paroles. Qu'attendait-il de moi exactement ? Que je m'asseye à sa table et que je pique ma fourchette dans ses blinis et son caviar ?

— Je ferai tout ce que vous me demanderez, monsieur.

— Vraiment ?

— Oui, monsieur.

— N'importe quoi ?

— Oui...

Je commençais à me sentir mal à l'aise.

C'était la réponse qu'il espérait. La pire chose à dire.

— On va voir.

Il a pris le revolver et ouvert le barillet pour me montrer qu'il était vide. Ensuite il a saisi la balle, un petit cylindre argenté, et l'a tenue entre le pouce et l'index comme un savant faisant une démonstration. Je l'observais en silence. Je ne savais pas ce qui allait se passer mais je sentais mon cœur tambouriner. Il a inséré la balle dans l'une des alvéoles et a refermé le barillet d'un coup sec. Ensuite il a fait tourner le barillet plusieurs fois, si vite que le mouvement est devenu flou. Il était maintenant impossible de savoir dans quelle alvéole la balle était logée.

— Tu dis que tu feras n'importe quoi pour moi. Alors voilà. Ce revolver a six coups. Tu as vu qu'il ne contient qu'une seule balle, et tu ignores comme moi dans quelle chambre est cette balle.

Il a placé le revolver sur le bureau juste devant moi.

— Mets le canon dans ta bouche et presse la détente.

Je l'ai regardé avec des yeux ronds.

— Je ne comprends pas.

— C'est pourtant simple ! Mets le revolver dans le fond de ta bouche et tire.

— Mais… pourquoi ?

— Parce que, il y a cinq secondes, tu m'as affirmé que tu ferais tout ce que je te demanderais. Maintenant je veux que tu me le prouves. J'ai besoin de savoir si je peux me fier à toi. Soit tu appuies sur la détente, soit tu n'appuies pas. Réfléchissons aux conséquences, Yassen Gregorovitch. Si tu refuses d'obéir, c'est que tu as menti, donc tu ne me sers plus à rien. Dans ce cas, pour toi, c'est la mort. Si au contraire tu fais ce que je demande, deux possibilités se présentent à toi. Soit tu te tues, et dans quelques minutes mes domestiques viendront nettoyer ta cervelle sur mon tapis. Ce qui serait fâcheux. Mais tu as aussi de bonnes chances de vivre et, dans ce cas, tu me serviras. La décision t'appartient, et tu dois faire ton choix maintenant. Je n'ai pas toute la journée.

Il me torturait. Il me demandait de jouer à ce jeu horrible pour prouver qu'il exerçait sur moi un pouvoir total. Je ne devrais jamais discuter. Ne jamais refuser un ordre. Si je me pliais à sa volonté, j'acceptais que ma vie ne m'appartienne plus en propre. J'étais à lui totalement.

Que faire ? Quel choix avais-je ?

J'ai pris le revolver. Il était plus lourd que je ne m'y attendais. Et je n'avais plus de force. Au-dessous de mon épaule, plus rien ne semblait fonctionner normalement, ni mon poignet, ni ma main, ni mes doigts. Mon pouls battait des records, et respirer me coûtait d'immenses efforts. Ce que cet homme exigeait de moi était terrible, inconcevable. Six chambres dans le barillet, et une seule balle. Donc, une chance sur six de mourir. Quand je presserais la détente, rien ne se produirait, ou bien un morceau de métal me traverserait la tête à trois cents à l'heure. Si je ne le faisais pas, il me tuerait. Le résultat serait le même. J'ai senti des larmes brûlantes rouler sur mes joues. Il me paraissait impossible que ma vie en soit arrivée là.

— Ne pleure pas comme un bébé, a dit Sharkovsky. Finissons-en.

J'avais des crampes dans le bras et le poignet. Je sentais la pulsation du sang dans mes veines. Presque involontairement, mon index s'est recourbé sur la détente. Pendant une fraction de seconde, j'ai songé à tirer sur Sharkovsky, à vider tout le barillet. Mais pour quel bénéfice ? Il avait probablement un deuxième revolver caché quelque part et, si je ne le tuais pas du premier coup, il aurait tout le temps de m'abattre.

— Je vous en supplie, monsieur…

— Je n'ai que faire de tes larmes et de tes supplications. Seule ton obéissance m'intéresse.

— Mais…

— Fais-le !

J'ai levé le canon du revolver le long de ma joue.

— Dans ta bouche !

Jamais je n'oublierai son insistance, cette précision obscène. J'ai glissé le canon entre mes dents, le métal froid a frotté contre mon palais. Il avait un goût amer. J'avais conscience du trou noir, du museau de l'arme pointé sur ma gorge, avec, peut-être, une balle juste derrière, prête à entamer son court voyage. Sharkovsky jubilait. Je pense qu'il se moquait du résultat. Je n'arrivais pas à respirer. Mon estomac se révulsait. Mon index s'est crispé mais je ne parvenais pas à le commander. J'entendais déjà l'explosion. Je sentais la déchirure brûlante, je voyais les ténèbres s'abattre comme une lame tranchante sur ma vie.

— Fais-le !

Une chance sur six.

J'ai pressé la détente.

Le chien du revolver s'est rabattu. Combien de millimètres avant le percuteur ? J'étais certain de vivre mes derniers instants. Pourtant tout se déroulait avec une lenteur effrayante. Le temps paraissait s'étirer indéfiniment.

Le chien est retombé avec un déclic assourdissant. Rien.

Pas d'explosion. La chambre était vide.

Une vague de soulagement m'a submergé, mais elle n'était pas agréable. J'avais l'impression d'être vidé, comme si ma vie entière et toutes les choses heureuses que j'avais connues m'étaient arrachées. À partir de cette seconde, j'appartenais à Sharkovsky. C'était le but de sa démonstration. J'ai lâché le revolver. Il est tombé lourdement sur le bureau, entre nous deux. Le canon était humide de ma salive.

— Tu peux partir.

Sharkovsky avait probablement pressé le bouton sous son bureau pour prévenir ses deux gardes du corps, car ils sont apparus sans que je les entende. Ou alors ils avaient assisté à toute la scène à mon insu.

Je me suis levé. Mon corps me semblait étranger. Quelque chose à l'intérieur de moi était mort.

— Yassen Gregorovitch travaille pour moi, à présent, leur a indiqué Sharkovsky. Conduisez-le en bas et montrez-lui.

Les jumeaux m'ont fait sortir du bureau et emmené dans le couloir par lequel nous étions arrivés. Mais, cette fois, ils m'ont fait descendre un escalier menant au sous-sol. Là, une immense porte de réfrigérateur ouvrait sur une chambre froide. L'un des jumeaux a ouvert la porte et l'autre est entré à l'intérieur. Il est ressorti en poussant un brancard roulant, sur lequel gisait un cadavre recouvert d'un drap blanc. Il a soulevé le drap, dévoilant un corps nu. Celui d'un jeune homme âgé de dix ans de plus que moi à peine. Sa mort était récente. Il avait le visage déformé par la douleur. Ses mains étaient crispées sur sa gorge.

Je n'avais pas besoin d'explication. Ce jeune homme était mon prédécesseur au poste de goûteur de nourriture.

Un poste s'est libéré, avait dit Sharkovsky. Maintenant je comprenais pourquoi.

Серебряный бор
La Forêt d'argent

J'ai fait ma première tentative d'évasion le jour même.

Je savais que je ne pourrais pas rester. Pas question de continuer de subir les jeux sadiques de Sharkovsky, ni de goûter sa nourriture quand j'avais de fortes probabilités de finir sur un chariot métallique dans une chambre froide. Ils m'avaient laissé seul le reste de la journée. Ils pensaient peut-être que j'avais besoin de temps pour me rétablir, et ils ne se trompaient pas. J'étais à peine arrivé dans ma chambre que j'ai vomi. Ensuite, j'ai dormi pendant trois heures. L'après-midi, un des jumeaux m'a apporté d'autres vêtements : une salopette, des bottes, un tablier, un costume. Chaque tenue correspondait à une tâche définie. J'ai laissé le tas de vêtements par terre. Je refusais de participer. Il ne fallait pas compter sur moi.

Sitôt la nuit venue, j'ai quitté ma chambre pour explorer le domaine vidé de ses jardiniers mais encore patrouillé par des gardes. Il m'a vite paru évident que le mur ceinturant toute la propriété était infranchissable. Il était trop haut et les rouleaux de barbelés m'auraient déchiqueté. La seule issue possible était le porche d'entrée. Au moins, je pouvais concentrer toute mon attention dessus. Or, en l'observant bien, je me suis aperçu que le portail n'était pas aussi protégé qu'il le paraissait. Trois vigiles en uniforme, assis derrière la vitre de la cabane en bois, surveillaient l'accès. Ils disposaient aussi d'écrans de télévision reliés aux caméras de surveillance. Le passage était fermé par une barrière rouge et blanche, qu'ils devaient lever, et tous les véhicules qui entraient étaient fouillés. L'un des gardes inspectait le dessous des voitures à l'aide d'un miroir plat sur roulettes, tandis qu'un autre vérifiait les papiers du conducteur. Quand aucun véhicule ne se présentait, ils n'avaient rien à faire. L'un lisait le journal, les autres regardaient dans le vide avec un air d'ennui profond. C'était le moment propice pour se faufiler. Je ne voyais pas de grande difficulté.

J'avais établi mon plan. Il était sept heures et je supposais que tout le monde dînait. Je n'avais rien avalé de la journée mais je n'étais pas d'humeur à manger. Toujours vêtu de mon survêtement noir – la couleur m'aiderait à me cacher dans l'obscurité –, je me suis glissé hors de la chambre. Une fois certain que personne ne rôdait alentour, j'ai couru jusqu'à la cabane du poste de garde et me suis accroupi sous la vitre, plaqué contre la paroi de bois. L'allée menant à la route de Moscou s'ouvrait devant moi. J'avais du mal à croire que c'était aussi facile.

Ça ne l'était pas. J'ai découvert l'existence des capteurs à infrarouge seulement en passant devant l'un d'eux. Une sirène d'alarme assourdissante s'est aussitôt déclenchée. Dans la seconde, tout le secteur a été illuminé par de puissants projecteurs qui m'ont littéralement transpercé. J'étais pris au piège entre leurs faisceaux. Il était inutile de courir. J'aurais été abattu avant même d'avoir fait trois pas. J'en étais réduit à rester immobile, l'air idiot, attendant que les gardes viennent m'empoigner.

La punition a été immédiate et terrible. Les jumeaux m'ont frappé comme si j'étais un punching-ball. Ce n'est pas tant leur brutalité qui m'a choqué, mais plutôt leur indifférence. Ils étaient employés par Sharkovsky, d'accord. Ils exécutaient ses ordres. Mais quel genre d'homme faut-il être pour tabasser un enfant et se regarder ensuite dans la glace sans honte ? Ils prenaient soin de ne pas me briser les os, mais quand ils m'ont traîné jusque dans ma chambre, j'étais à peine conscient. Ils m'ont jeté sur mon lit et sont partis. Je me suis évanoui avant même qu'ils aient franchi la porte.

Ma seconde tentative d'évasion a suivi de peu : dès que j'ai été capable de tenir debout, c'est-à-dire le lendemain. C'était stupide, bien sûr, mais je me disais que c'était la dernière chose à laquelle ils s'attendaient et qu'ils relâcheraient un peu leur surveillance. Ils me croyaient exténué, cassé. C'était vrai, mais j'étais par-dessus tout déterminé. Cette fois, c'est un camion de livraison qui m'en a fourni l'occasion. Sitôt après le petit déjeuner qu'un jumeau m'avait apporté – sans doute pour vérifier mon état –, on m'a envoyé à la grande maison pour décharger une cinquantaine de caisses de vin et de champagne que Sharkovsky avait commandées. Ils se moquaient bien que mes plaies se rouvrent. Le livreur attendait un peu à l'écart pendant que je transportais les caisses au sous-sol.

La cave à vin se trouvait à côté de la chambre froide. C'était une sorte de caverne qui abritait des centaines de bouteilles alignées face à face dans des casiers spéciaux. L'opération m'a pris environ deux heures. Une fois toutes les caisses déchargées, j'ai remarqué qu'il restait un tas de cartons vides dans le fond du camion et je n'ai eu aucun mal à me dissimuler derrière à l'insu du chauffeur. Les gardes n'iraient sûrement pas fouiller le camion à la sortie.

Le chauffeur est venu fermer le hayon arrière, puis il a démarré. Le camion a descendu l'allée et fait halte devant la barrière. J'attendais l'instant de vérité, l'accélération indiquant que nous avions franchi le portail et quitté la propriété. Cet instant n'est jamais venu. Le hayon s'est rouvert et une voix a crié :

— Sors de là !

Un des jumeaux. Encore. J'ignore comment il pouvait être aussi certain de me trouver là. Peut-être qu'une caméra m'avait repéré. Peut-être qu'il s'y attendait depuis le début. Je me suis redressé, l'estomac noué, et je suis sorti du camion. Je n'étais pas sûr de pouvoir supporter une nouvelle correction, mais j'ai essayé de cacher à quel point j'avais peur. Pas question de me trahir.

— Viens avec moi, a ordonné le jumeau.

Son visage ne laissait rien paraître. Je l'ai suivi dans l'allée. Cette fois, nous avons contourné la grande maison. De l'autre côté, il y avait une serre, longue d'une cinquantaine de mètres, avec des vitres encadrées de panneaux de bois blancs. Ça évoquait plutôt un pavillon d'été. Une succession de portes coulissantes permettait de tout ouvrir pendant la belle saison, mais nous étions fin octobre et elles étaient fermées. Le jumeau en a fait coulisser une et nous sommes entrés. La serre abritait en réalité une immense piscine carrelée de bleu, de taille presque olympique. L'eau était chauffée. Une couche de vapeur flottait à la surface. Des chaises longues étaient disposées sur le bord et il y avait un bar généreusement fourni, avec un comptoir en miroir et des tabourets en cuir.

Sharkovsky faisait des longueurs. Nous étions là, à l'observer, tandis qu'il parcourait le bassin d'un bout à l'autre à la nage papillon, sur un rythme régulier. J'ai compté seize longueurs sans un seul arrêt. Pas une fois il n'a jeté un coup d'œil dans ma direction. C'était ainsi qu'il entretenait sa forme physique, et je ne pouvais m'empêcher de remarquer l'extraordinaire musculature de son dos et de ses épaules. Je voyais aussi ses tatouages. Il avait une étoile de David au centre du dos, mais ce n'était pas un symbole de foi religieuse. Au contraire, le sigle était la proie de flammes et souligné par le slogan : Mort au Sionisme. C'étaient les mêmes flammes que j'avais aperçues au-dessus de son col de chemise, à Moscou. Enfin, il a cessé de nager et s'est hissé hors de l'eau. Son torse s'ornait d'un autre tatouage : un aigle imposant, ailes déployées, perché sur une croix gammée nazie. Sharkovsky avait une légère bedaine, mais il n'était pas gras. Un petit pansement était collé sous un de ses tétons – sans doute l'entaille que je lui avais faite avec le couteau à pain. Avec son minuscule short de bain, il était assez grotesque.

Enfin il a remarqué ma présence. Il a ramassé une serviette et s'est approché. Je tremblais. Je ne pouvais pas m'arrêter. Je m'attendais au pire.

— Yassen Gregorovitch ! Il paraît que tu as essayé de nous quitter la nuit dernière ? On t'a puni mais cela ne t'a pas empêché de renouveler l'expérience aujourd'hui. Exact ?

— Oui, monsieur.

— Je te comprends. C'est une preuve de courage. Mais ton geste rompt le marché que toi et moi avons conclu dans mon bureau hier. Tu as accepté de travailler pour moi. Tu as accepté de m'appartenir. L'as-tu déjà oublié ?

— Non, monsieur.

— Bien. Alors écoute. Tu ne peux pas t'échapper d'ici. C'est impossible. Si tu essaies encore, il n'y aura plus de discussion, ni de punition. Je te ferai tuer, tout simplement. Tu as compris ?

— Oui, monsieur.

Il s'est tourné vers le jumeau :

— Josef, emmène Yassen. Donnez-lui une autre raclée. Avec une canne, cette fois. Ensuite, enfermez-le, tout seul, sans nourriture. Vous me ferez savoir quand il sera de nouveau en état de travailler. C'est tout.

Pourtant Josef ne bougeait pas. Sharkovsky attendait que je dise quelque chose.

— Merci, monsieur.

— Je t'en prie, Yassen, a souri Sharkovsky. Tout le plaisir est pour moi.

J'allais passer les trois années suivantes chez Vladimir Sharkovsky.

Je ne pouvais plus courir le risque d'une nouvelle évasion, sauf si je décidais de me suicider. Il m'a fallu une semaine pour me remettre de la séance de tabassage. Je ne dirai pas que ça m'a cassé sur le plan psychologique, mais j'ai vraiment compris que, le jour où j'avais mis le revolver dans ma bouche, j'avais signé un contrat avec le diable. Je n'étais pas seulement le serviteur de Sharkovsky. J'étais sa chose, son esclave.

La propriété où nous vivions était sa datcha, sa résidence secondaire. Elle était située dans Serebryany Bor, la Forêt d'argent, à quelques kilomètres du centre de Moscou, une région très appréciée des gens riches. Dans la forêt, l'air était plus pur, la vie plus paisible et retirée. Il y avait des lacs, des chemins ombragés où l'on pouvait faire courir ses chiens, des réserves de chasse et de pêche. Aucune de ces activités ne m'était accessible, bien entendu, puisque je n'avais pas l'autorisation de quitter la propriété. J'étais limité au même décor, aux mêmes visages, aux mêmes corvées subalternes. Je ne recevais aucune gratification, ni aucune promesse d'avancement ou de libération. C'est un châtiment terrible pour un être humain, surtout à l'âge que j'avais.

Pourtant, peu à peu, et peut-être inévitablement, j'ai accepté mon sort. La blessure de mon visage a guéri et, par chance, n'a laissé aucune trace. J'ai commencé à m'habituer à ma nouvelle vie.

Je travaillais en permanence à la datcha. Quinze heures par jour, sept jours par semaine. Je n'avais aucun congé et, comme Sharkovsky me l'avait annoncé, je ne touchais pas le moindre kopeck. La permission de vivre était mon seul salaire. Noël, Pâques, la fête nationale, la fête du Travail, mon anniversaire, toutes ces dates se fondaient pour moi dans les jours ordinaires.

Sharkovsky m'avait embauché pour goûter sa nourriture, mais il avait précisé que ce ne serait qu'une petite partie de mon travail. Il a tenu parole. Je coupais et transportais le bois pour la cheminée. Je nettoyais les salles de bains et les toilettes. J'aidais à la buanderie et à la cuisine. Je faisais la vaisselle. Je m'occupais du chien et ramassais ses crottes. Je portais les valises. Je débouchais les canalisations. Je lavais les voitures. Je cirais les chaussures. Mais jamais je ne me plaignais. Je savais que ça ne servirait à rien. Le travail ne cessait jamais.

Sharkovsky occupait la grande maison avec sa femme, Maya, et ses deux enfants, Ivan et Svetlana. Pour Maya, j'étais invisible. Elle passait le plus clair de son temps à lire des magazines et des romans – elle adorait les histoires d'amour – ou à faire du shopping à Moscou. Elle avait autrefois été mannequin et restait très séduisante, mais la vie auprès de Sharkovsky commençait à laisser des traces et je la surprenais parfois jetant un coup d'œil anxieux dans son miroir, passant le bout d'un doigt sur une ride ou une mèche grisonnante. Je me demandais si elle connaissait l'existence de l'appartement du parc Gorki et de l'actrice. En un sens, Maya était presque aussi prisonnière que moi, et c'est peut-être la raison pour laquelle elle m'évitait. Ma situation lui rappelait trop la sienne.

La famille était rarement réunie. Sharkovsky dirigeait des affaires dans le monde entier. En plus de son hélicoptère, il possédait un jet privé basé à l'aéroport de Moscou. Le jet était continuellement en stand-by, prêt à l'emmener à Londres, New York, Hong Kong ou n'importe où ailleurs. Je l'ai entrevu un jour à la télévision à côté du président des États-Unis. Il prenait ses vacances aux Bahamas ou dans le sud de la France, où il possédait un yacht de cent cinquante mètres, avec vingt et une cabines d'invités, deux piscines et son propre sous-marin. Son fils, Ivan, faisait ses études à Harrow School, à Londres. Les Russes fortunés tenaient absolument à mettre leurs enfants dans les écoles anglaises. Svetlana n'avait que sept ans à mon arrivée, mais elle aussi était très occupée. Des précepteurs venaient à la datcha lui enseigner la danse, le piano, l'équitation, le tennis (il y avait un court sur le domaine), les langues étrangères, la poésie, etc. Lorsqu'ils étaient en bas âge, les enfants Sharkovsky avaient eu chacun deux nounous, une pour la journée, une pour la nuit. À présent ils avaient deux gouvernantes à plein temps… et moi.

Seize membres du personnel vivaient en permanence à la propriété. Tous dormaient dans des cabanes en bois similaires à la mienne, à l'exception de Josef et de Karl, qui logeaient dans la grande maison. Il y avait les deux gouvernantes – des femmes autoritaires toujours pressées et toujours renfrognées. L'une d'elles se prénommait Nina et m'avait pris en grippe dès le départ. Elle se promenait avec une cuiller en bois dans son tablier et, à la première occasion, s'en servait pour me taper sur la tête. Apparemment, il lui avait échappé que nous étions tous les deux des domestiques. Mais je n'osais pas me plaindre de son agressivité. Je devinais qu'elle détestait travailler pour Sharkovsky autant que moi. Malheureusement, elle avait décidé de se défouler sur moi.

Ensuite venait Pavel, un homme de cinquante ans, petit, nerveux, toujours vêtu de blanc. C'était un personnage important pour moi car il est était le chef cuisinier. C'étaient ses plats que je goûtais. Je dois reconnaître qu'il excellait dans son domaine. Tout ce qu'il cuisinait était délicieux, et je découvrais des aliments dont je ne soupçonnais même pas l'existence. Avant d'arriver à la datcha, je n'avais jamais mangé de saumon, de faisan, de veau, d'asperges, de fromages français… ni même d'éclair au chocolat. Pavel n'utilisait que les ingrédients les meilleurs et les plus frais, qui lui arrivaient de tous les pays du monde. Je me souviens notamment d'un gâteau en forme de cathédrale russe, recouvert d'un glaçage à la feuille d'or, qu'il avait préparé pour l'anniversaire de Maya et qui avait dû coûter des sommes folles.

Je n'ai jamais été proche de Pavel, pourtant il occupait la cabane voisine de la mienne. Il était dur d'oreille et parlait peu. Célibataire, sans enfant, il ne pensait qu'à son travail.

Le personnel comptait également un entraîneur physique, et deux chauffeurs – Sharkovsky possédait une flotte de voitures importante et ne cessait d'en acheter de nouvelles. Six gardes armés patrouillaient sur la propriété et surveillaient l'entrée à tour de rôle. Il y avait un intendant général, qui fumait beaucoup et toussait autant, chargé d'entretenir le court de tennis et la piscine chauffée. Je ne perdrai pas de temps à décrire tous ces gens, ni les jardiniers qui apparaissaient chaque matin et travaillaient dix heures par jour. Aucun ne fait réellement partie de mon histoire. Ils étaient là, c'est tout.

Mais je dois mentionner le pilote de l'hélicoptère, un homme tranquille d'une quarantaine d'années, avec des cheveux argentés et coupés ras dans un style militaire. Il s'appelait Arkady Zelin et avait autrefois volé avec la VVS, l'armée de l'Air soviétique. Il ne fumait pas et ne buvait pas. Sharkovsky n'aurait jamais confié sa vie à un homme pas totalement fiable. Zelin se tenait toujours prêt, pour le cas où son maître aurait besoin de partir d'urgence, mais il lui arrivait de passer des semaines entières à la datcha, et quand l'hélicoptère était arrimé au sol, il n'avait pas grand-chose à faire. Comme Maya, Zelin bouquinait beaucoup. Et il entretenait sa forme physique en faisant des pompes et du jogging autour de la propriété. Il n'était pas autorisé à utiliser la piscine, ni la salle de sport aménagée à côté.

Arkady Zelin était l'une des rares personnes à avoir pris la peine de se présenter à moi, et je lui ai très vite révélé ma passion pour les hélicoptères. Il pilotait un

Bell 206 Jet Ranger à quatre places – commandé au Canada par Sharkovsky –, et même si je n'avais pas la permission de m'en approcher de trop près, je l'observais souvent de loin. Une évasion était inenvisageable mais il m'arrivait de rêver que l'hélicoptère m'emporterait un jour loin d'ici. Je ne pouvais pas m'y cacher. Le coffre à bagages était verrouillé et, de toute façon, on m'aurait aussitôt repéré. Mais je me disais que, un jour, peut-être, je parviendrais à convaincre Zelin de m'emmener avec lui s'il volait seul. C'était une idée absurde, mais j'avais besoin de me raccrocher à un espoir, même ridicule, si je ne voulais pas devenir fou. Alors je passais du temps avec le pilote. Nous jouions ensemble au dulak, le jeu de cartes que j'avais appris avec Dima et les autres. Parfois je me demandais ce qui était arrivé à mes anciens acolytes, mais le temps effaçait peu à peu leur souvenir.

Un autre membre du personnel comptait aussi beaucoup pour moi. Il s'appelait Nigel Brown. C'était un Anglais d'une cinquantaine d'années, mince, avec des cheveux roux hirsutes et un visage pincé. Jadis principal dans une école privée du Norfolk, il en avait gardé la tenue vestimentaire : pantalon de velours et éternelle veste de tweed avec des pièces de cuir aux coudes. Par Zelin, je savais que Nigel Brown avait été contraint de quitter son école à la suite d'un scandale et de prendre une retraite anticipée. En tout cas, M. Brown n'évoquait jamais son passé. Sharkovsky l'avait engagé comme précepteur pour aider Ivan et Svetlana à passer leurs examens. D'autres professeurs venaient à la datcha, mais lui y vivait à demeure.

Tout le personnel se réunissait le soir. Comme je l'avais supposé, la bâtisse en briques à côté des cabanes de bois était une salle de loisirs, avec une cuisine et une salle à manger où nous prenions nos repas. Il y avait quelques canapés défoncés, des fauteuils, une table de billard, un téléviseur, une machine à café et un téléphone public – les appels étaient tous contrôlés, et je n'avais pas le droit de m'en servir. Après dîner, les gardes qui n'étaient pas de service, les chauffeurs et, parfois, le cuisinier, venaient s'y asseoir et fumer. M. Brown ne trouvait jamais rien à leur dire, mais il s'était pris d'intérêt pour moi, peut-être en raison de mon jeune âge, et il avait décidé de m'enseigner l'anglais. Il prenait cette tâche très à cœur et mes progrès l'enchantaient. Et comme j'avais selon lui un don pour les langues étrangères, il a entrepris de m'apprendre aussi le français et l'allemand. C'est à lui que je dois de savoir parler plusieurs langues.

M. Brown buvait. La boisson était probablement la raison de son renvoi du collège du Norfolk. Au début de chaque cours, il ouvrait une bouteille de vodka et, à la fin, c'est à peine si je comprenais ce qu'il disait, quelle que soit la langue employée. Vers minuit, il était généralement inconscient, et je le ramenais dans sa chambre. Son alcoolisme présentait une certaine utilité pour moi. Ce n'était pas un homme prudent et, sous l'influence de l'alcool, il parlait à tort et à travers.

C'est par Nigel Brown que j'ai appris le peu que je savais sur Vladimir Sharkovsky.

— Comment a-t-il fait fortune ?

C'était six mois après mon arrivée, lors d'une soirée étouffante. Il n'y avait pas un souffle de brise et les moustiques bourdonnaient sous les lumières électriques.

— Bah, tout ça c'est de la politique, a répondu Nigel Brown, passant de l'anglais au russe, qu'il parlait couramment. La fin du communisme a créé une sorte de grand vide. Quelques hommes s'y sont engouffrés et Sharkovsky en faisait partie. Ils ont littéralement pompé tout l'argent du pays jusqu'au dernier rouble. Certains ont gagné des milliards ! M. Sharkovsky a investi dans des entreprises. Métaux, produits chimiques, automobiles... Il achetait, vendait, et l'argent coulait à flots.

— Mais pourquoi a-t-il besoin d'être autant protégé ?

— Parce que c'est un salaud.

Nigel Brown a souri comme s'il était étonné de ce qu'il venait de dire, mais il a poursuivi.

— M. Sharkovsky a des amis dans la police, chez les politiciens, dans la mafia. C'est un homme très dangereux. Dieu seul sait combien de personnes il a éliminées pour parvenir où il est. L'ennui, c'est qu'on ne peut agir ainsi sans se faire d'ennemis. Sharkovsky est vraiment *a shark*.

Il a répété le mot en anglais.

— Tu comprends ce que signifie *shark*, Yassen ? C'est un requin. Un énorme poisson, redoutable, qui peut te dévorer tout cru. Bien, revenons à nos verbes irréguliers au passé simple. I buy, you bought. I see, you saw. I speak, you spoke...

Sharkovsky devait avoir une foule d'ennemis. À la datcha, on vivait comme en état de siège. Ainsi que je l'avais découvert à mes dépens, il n'existait aucun moyen d'entrer ni de sortir incognito. Le portail était muni d'appareils à rayons X et de détecteurs de métaux – comme dans un aéroport moderne –, et personne n'entrait ni ne sortait sans être fouillé. Les jardiniers arrivaient les mains vides et laissaient leurs outils sur place une fois leur travail terminé. Le passé des précepteurs, des chauffeurs, des gouvernantes, de tout le personnel sans exception, avait été épluché dans le détail. Sauf le mien, car je n'étais rien.

Josef et Karl ne quittaient pas leur patron. Les caméras de surveillance fonctionnaient en permanence. Tout le monde épiait tout le monde. D'autres hommes d'affaires russes se montraient prudents, mais aucun n'allait jusqu'à ces extrémités. Sharkovsky était paranoïaque mais, à en juger par ce que j'avais vu sur un chariot dans la chambre froide, il avait des raisons de l'être.

Il faisait très attention à ce qu'il mangeait et buvait. Par exemple, il n'acceptait l'eau minérale que dans des bouteilles qu'il ouvrait lui-même pour s'assurer que le bouchon n'avait pas été descellé, et uniquement dans des bouteilles en verre car ses ennemis aurait pu contaminer un récipient en plastique à l'aide d'une seringue hypodermique. Il lui arrivait de manger directement la nourriture sortie d'un paquet ou d'une boîte de conserve, sans d'ailleurs le moindre plaisir, mais si c'était un plat cuisiné, je devais le goûter avant lui.

La plupart du temps, j'intervenais dans la cuisine avant que les plats ne lui soient apportés. Je prenais une bouchée directement dans la poêle ou la casserole, sous la surveillance de Josef et Karl, et sous le regard anxieux de Pavel. Il m'est difficile de décrire ce que je ressentais. D'un côté, je dois reconnaître qu'une partie de moi y prenait plaisir. Comme je l'ai déjà dit, la nourriture était succulente. De l'autre, ça restait une expérience assez déplaisante. Je n'avais droit qu'à une bouchée, et je gardais à l'esprit que cette bouchée suffirait à m'empoisonner. D'une certaine manière, chaque séance de dégustation était une version de la roulette russe que Sharkovsky m'avait obligé à subir le premier soir. J'apprenais à aiguiser mes sens pour détecter le goût amer du poison, ou le simple soupçon d'une anomalie. L'ennui c'est que, à peine détecté, le poison m'aurait déjà tué.

174

Après quelque temps, j'arrivais à chasser cette pensée de mon esprit. Je faisais simplement ce qu'on me demandait, comme un robot, sans rechigner. Au fond, j'avais une relation très étrange avec la mort. Elle et moi cohabitions en permanence, et pourtant nous nous ignorions. C'était la seule façon de continuer.

Ce que je redoutais le plus, c'étaient les dîners mondains auxquels j'étais contraint d'assister dans l'immense salle à manger, avec ses lustres étincelants, ses doubles rideaux blanc et or, son mobilier ancien de style français, ses innombrables bougies. Sharkovsky invitait souvent des associés et des amis. Au début, je craignais que Misha Dementyev, le professeur de l'université de Moscou, ne fasse un jour son apparition. Il connaissait Sharkovsky. D'ailleurs, il était la raison de ma présence ici. Que se passerait-il s'il me reconnaissait ? Est-ce que ma situation s'aggraverait davantage ? Mais Dementyev n'est jamais venu à la datcha, et j'en ai déduit qu'il n'était qu'un subalterne dans l'empire de Sharkovsky ; il n'y avait aucune raison qu'il soit invité dans un cercle d'intimes. Presque tous les hôtes arrivaient dans des voitures de luxe. Certains, même, en hélicoptère. Tous étaient aussi riches et odieux que Sharkovsky.

On m'avait donné un costume gris avec une chemise blanche et une cravate noire pour les soirs de réception – le même uniforme que les gardes du corps. Je me postais derrière Sharkovsky, comme on me l'avait ordonné, les yeux rivés au sol et les mains derrière le dos. Je n'avais évidemment pas le droit de parler. À chaque plat servi, je m'avançais et, avec ma propre fourchette, je prélevais une bouchée dans l'assiette du maître de maison, je mastiquais, hochais la tête, et reculais à ma place. Sharkovsky avait peur pour sa vie, ça ne faisait aucun doute, mais il prenait aussi plaisir à ce protocole. Il adorait jouer à l'empereur romain, m'exhiber et m'humilier devant ses amis.

Si le père était cruel, le fils était pire. Ivan Sharkovsky s'est aperçu que j'existais lors d'un de ces dîners. Malgré l'interdiction qui m'était faite de regarder les convives, je l'ai aperçu du coin de l'œil qui m'examinait. Âgé d'un an de plus que moi, Ivan ressemblait à son père sous bien des aspects. Il avait la même noirceur, mais distribuée différemment. Mêmes cheveux noirs et bouclés, mêmes mâchoires lourdes, même bouche tombante. Et cet air de ronchonner en permanence. Son père était solide et musclé. Lui était gras et joufflu, avec des lèvres épaisses et des paupières trop grandes pour ses yeux. À le voir ainsi, vautré sur la table, enfournant la nourriture dans sa bouche, il dégageait quelque chose de bestial.

— Papa ? Où l'as-tu déniché, celui-là ?

— Qui ?

Sharkovsky présidait en bout de table, sa femme Maya à côté de lui. Elle portait un impressionnant collier de diamants qui brillait de mille feux sous les lustres. Chaque fois qu'ils recevaient des invités, Sharkovsky insistait pour qu'elle se pare de ses bijoux.

— Le goûteur !

— À Moscou, a répondu Sharkovsky, avec un geste négligent comme s'il m'avait déniché dans une boutique.

— Est-ce qu'il peut goûter ma nourriture ?

Sharkovsky s'est penché en avant, sa fourchette pointée vers son fils. Il avait beaucoup bu – champagne et vodka – et même s'il n'était pas ivre, son élocution était un peu pâteuse.

— Tu n'as pas besoin d'un goûteur. Tu n'es pas un personnage important. Personne ne voudrait te tuer.

Les invités ont pris ça pour une bonne plaisanterie et se sont esclaffés bruyamment, mais Ivan s'est vexé et j'ai deviné que je ne tarderais pas à en faire les frais.

Dès le lendemain après-midi, il est venu me trouver. Il faisait froid. J'étais occupé à laver une des voitures de son père au jet d'eau. Dès que je l'ai vu arriver, je me suis arrêté et j'ai baissé la tête comme on me l'avait appris. Nous étions censés traiter tous les membres de la famille comme des rois. J'espérais encore qu'il passerait son chemin, mais j'anticipais ce qui allait se produire. Je savais que j'allais avoir des problèmes.

— Comment t'appelles-tu ? m'a demandé Ivan, qui connaissait très bien mon nom.

— Yassen Gregorovitch.

— Moi, Ivan.

— Oui, je sais.

Il m'a jeté un regard interrogateur, et j'ai senti une menace planer au-dessus de moi.

— Mais tu ne m'appelles pas Ivan, n'est-ce pas ?

— Non, … monsieur.

Ça m'écorchait les lèvres de lui parler ainsi, mais je savais que c'était ce qu'il voulait.

Il a regardé la voiture.

— Combien de temps il te faut pour la laver ?

— Une heure.

Je n'exagérais pas. C'était la Bentley, et elle était très sale. Une fois le lavage terminé, elle devrait avoir l'air de sortir du magasin d'exposition.

— Je vais t'aider.

Ivan a tendu la main vers le tuyau d'arrosage qui coulait toujours sur le sol. Je le lui ai donné à regret, redoutant ce qui allait suivre. Il l'a d'abord pointé vers la voiture, en plaçant son index sur l'extrémité de façon à provoquer un jet puissant. L'eau a éclaboussé le pare-brise et les portières. Puis il a orienté le jet vers moi. Ma tête, mon torse, mes bras, mes jambes… Et pendant qu'il me douchait, je ne pouvais que subir, impuissant. Si ça s'était passé dans mon village, je l'aurais mis à terre. Là, j'ai dû faire appel à toute ma volonté pour me retenir de lui coller mon poing dans la figure. C'était ce qu'il cherchait. Me montrer qu'il exerçait un contrôle total sur moi. Prouver qu'il pouvait m'humilier à sa guise.

Quand il en a eu assez, il a souri et m'a rendu le tuyau d'arrosage. Pour finir, il a renversé le seau d'eau sale d'un coup de pied pour éclabousser la carrosserie.

— Pas de chance, Yassen. Tu vas être obligé de recommencer.

Figé, dégoulinant, je l'ai regardé tourner les talons et s'éloigner.

À partir de ce jour, Ivan n'a pas cessé de me tourmenter. Son père était sûrement au courant, car Ivan n'aurait jamais agi ainsi sans sa permission. À n'importe quelle heure du jour ou de la nuit, je recevais l'ordre, généralement transmis par Josef, Karl ou l'une des gouvernantes, de me rendre dans la grande maison. Là, il y avait des chaussures de foot à nettoyer, des valises à déplacer, des vêtements à repasser. Sachant que je vivais dans une petite cabane en bois, privé de tout, Ivan aimait me voir dans sa chambre spacieuse et confortable, remplie de belles choses. Et malgré la remarque vexante de son père, il me faisait parfois goûter sa nourriture et m'observait avec délectation me pencher sur l'assiette. Souvent, il me jouait de vilains tours. Par exemple, je m'apercevais qu'il avait délibérément ajouté une énorme quantité de sel ou de piment au plat pour me rendre malade. J'attendais avec impatience le jour où il retournerait dans son collège anglais et me laisserait enfin tranquille.

Trois ans.

Je grandissais, je devenais plus robuste, et j'apprenais des langues étrangères. Mais en dehors de ça, j'étais comme mort. Je ne voyais rien du monde, sinon ce qu'en montrait la télévision. L'abomination de ma situation n'était pas dans les corvées ni les humiliations quotidiennes. C'était la perspective de passer le reste de ma vie ici, de nettoyer les toilettes et les couloirs jusqu'à ce que je sois vieux et, pire, d'en être reconnaissant. Déjà je commençais à sentir qu'une partie de moi acceptait ce que j'étais devenu. Je ne songeais plus à m'évader. Je ne m'interrogeais plus sur ce qui existait de l'autre côté du mur. Un soir où il y avait réception, en découvrant dans un miroir du hall une tache sur ma chemise, je me suis surpris à être sincèrement embêté de mettre mon maître dans l'embarras devant ses invités. Quand j'en ai pris conscience, quand j'ai compris ce que j'étais en train de devenir, ou ce que j'étais déjà devenu, je me suis dégoûté moi même.

Je ne pensais jamais à Estrov. C'était comme si mes parents n'avaient pas existé. Même les semaines passées à Moscou me semblaient très loin. Il était clair que Dima ne me retrouverait jamais, et même en supposant qu'il réussisse à me localiser, il lui serait impossible de m'atteindre. Mes pensées se focalisaient exclusivement sur les tâches à accomplir, jour après jour. C'était la revanche de Sharkovsky. En me laissant la vie, il m'avait privé de mon humanité.

Et la vie aurait pu continuer ainsi.

Mais les choses ont brusquement changé un jour, au début de l'été de ma troisième année de captivité. Ivan venait d'achever sa dernière année à Harrow et rentrerait bientôt. Svetlana passait des vacances chez des amis près de la mer Noire. Sharkovsky recevait des invités à dîner et on m'avait envoyé à la salle à manger pour aider aux préparatifs.

Je ne sais pas pourquoi, je suis arrivé en avance. Alors que je remontais l'allée vers la grande maison, une voiture m'a dépassé et s'est arrêtée devant l'entrée principale. Un homme en est sorti, a couru vers la porte et s'est engouffré précipitamment à l'intérieur. Je l'avais déjà vu. Il s'appelait Brodsky. C'était l'un des associés de Sharkovsky à Moscou. Ils possédaient plusieurs entreprises ensemble, et avaient d'autres activités communes qu'il valait probablement mieux ne pas connaître. Je suis allé dans la cuisine et, quelques instants après, le téléphone intérieur a sonné. M. Brodsky voulait du thé. Pavel étant occupé à préparer le dîner – saumon grillé de l'Atlantique agrémenté de caviar rouge et noir –, les gouvernantes à dresser la table, et moi en costume de goûteur, j'ai été désigné pour faire le thé et le porter.

Avec mon plateau, j'ai traversé le grand hall qui m'était à présent si familier que j'aurais pu y trouver mon chemin les yeux bandés. Le majestueux escalier, les colonnes de marbre, le gigantesque vase de fleurs et le lustre à pendeloques ne m'impressionnaient plus. La porte du bureau était entrebâillée. En temps normal, j'aurais toqué avant d'entrer, posé le plateau sur une table, et me serais vivement retiré. Mais, cette fois, j'ai entendu un mot qui m'a stoppé net et cloué au sol.

— Ils recommencent à poser des questions sur Estrov. Il va falloir faire quelque chose avant que la situation nous échappe…

Estrov.

Mon village.

C'était la voix de Brodsky. Estrov. Que savait-il d'Estrov ? Osant à peine respirer, j'ai attendu la réponse de Sharkovsky.

— Occupe-t'en, Mikhaïl.

— Ce n'est pas aussi simple, Vladimir. Ce sont des journalistes occidentaux. Ils travaillent à Londres. S'ils établissent un lien entre toi et les événements…

— Pourquoi feraient-ils le lien ?

— Ils ne sont pas stupides. Ils ont déjà découvert que tu étais un actionnaire.

— Et alors ? a rétorqué Sharkovsky, comme s'il ne se sentait pas concerné. Nous étions plusieurs actionnaires. Qu'est-ce que je suis supposé avoir fait ?

— Tu voulais augmenter la productivité. Tu voulais plus de bénéfices. Tu leur as donné l'ordre de modifier les procédures de sécurité.

— Est-ce que tu m'accuses, Mikhaïl ?

— Non, bien sûr que non. Je suis ton plus proche conseiller et ton ami. Je me fiche de la mort de quelques péquenauds. Mais ces journalistes flairent un bon sujet. Et ce serait mauvais pour nous si le nom d'Estrov était mentionné dans la presse britannique ou ailleurs.

— Toutes les précautions ont été prises à l'époque, a répondu Sharkovsky. On n'a laissé aucune preuve. Nos amis du ministère ont tout fait pour ça. Ça n'est jamais arrivé ! Laisse ces idiots de journalistes fouiner et poser des questions. Ils ne trouveront rien. Et si je sens qu'ils risquent de devenir dangereux pour moi ou mes affaires, je m'occuperai d'eux. Même à Londres, il y a des accidents de voiture. Allons, cesse de te tracasser et bois un verre.

— J'ai demandé du thé.

— Il devrait déjà être servi. Je vais rappeler.

C'est un miracle si je n'ai pas été surpris à espionner derrière la porte. Pour ne pas éveiller les soupçons, je devais attendre que les échos de la conversation s'estompent avant d'entrer dans le bureau. J'ai compté jusqu'à dix, frappé deux coups discrets à la porte, et je suis entré, le visage impassible. Il était vital pour moi de leur cacher que je les avais entendus parler. Mais quand j'ai avancé dans la pièce, la tasse et la soucoupe se sont mises à tinter sur le plateau d'argent, et je suis sûr que je devais être livide.

Par chance, c'est à peine si Sharkovsky m'a jeté un coup d'œil.

— Pourquoi as-tu mis si longtemps, Yassen ?

— Je vous demande pardon, monsieur. J'ai dû attendre que l'eau boue.

— D'accord. File.

J'ai esquissé un salut et me suis empressé de sortir.

Je tremblais de tous mes membres en traversant le hall. C'était comme si toutes les souffrances et les misères que j'avais endurées depuis trois ans s'étaient amalgamées pour me revenir en pleine tête et m'assener un coup final. Les incessantes cruautés de Vladimir Sharkovsky ne suffisaient pas. Qu'il m'ait réduit à l'état d'esclave décervelé ne suffisait pas. Il était directement impliqué dans la mort de mes parents, de Léo et de tous les habitants du village.

Mais était-ce réellement une grande surprise ? Le jour où j'avais entendu prononcer son nom pour la première fois, c'était à l'université de Moscou, dans le bureau de Misha Dementyev, qui s'entretenait avec lui au téléphone. Or Dementyev avait lui aussi trempé dans les événements d'Estrov. Par ailleurs, Nigel Brown m'avait fourni un indice en m'apprenant que Sharkovsky avait investi dans les produits chimiques. J'aurais pu établir le lien. Mais, d'un autre côté, comment aurais-je pu imaginer ? Ça dépassait l'imagination.

Ce soir-là, dans la salle à manger, en regardant Sharkovsky couper le saumon que je venais de goûter pour lui devant tous les invités, j'ai juré de le tuer. C'était sûrement dans ce but que le destin m'avait conduit ici. Désormais, peu importait que je vive ou que je meure.

Je le tuerais. J'en faisais le serment.

Je le tuerais.

Мсханик

Le mécanicien

Cette nuit-là, je n'ai quasiment pas dormi. Chaque fois que je fermais les yeux, je voyais des revolvers, des couteaux de cuisine, des fourches et des bêches de jardin, des marteaux et des haches. Je vivais au milieu d'armes de toutes sortes et, Sharkovsky y a l'habitude de me voir dans les parages, je me disais que je pourrais l'approcher et me venger du massacre d'Estrov.

Mais il y avait un obstacle. Josef et Karl – que j'avais enfin appris à distinguer – étaient toujours à proximité, et même en supposant que je puisse atteindre Sharkovsky avant qu'ils ne m'en empêchent, ils me tueraient aussitôt. Allongé sur mon lit de bois, dans ma chambre nue et la lumière froide du petit jour, je suis arrivé à la conclusion que toute tentative de ma part mènerait à ma propre mort. Il devait exister un autre moyen.

J'avais la nausée, j'étais triste comme les pierres. Je me souvenais de Fagin lisant les noms et les adresses dans son calepin en cuir. Pourquoi avais-je choisi Sharkovsky ?

Pour la première fois depuis longtemps, j'envisageais à nouveau de m'évader. Je connaissais les risques. Si j'échouais, c'était la mort. D'une façon ou d'une autre, le résultat était le même.

J'avais néanmoins un avantage. Désormais, je connaissais la datcha comme ma poche, y compris les systèmes de sécurité. J'ai ouvert un des cahiers d'exercices que m'avait donnés Nigel Brown – noirci de listes de vocabulaire anglais – et sur une page vierge, à la fin, j'ai dessiné au crayon un plan de la propriété. Je voulais définir la meilleure issue possible.

Il n'y en avait pas une seule.

Les caméras de surveillance couvraient chaque centimètre du parc. Escalader le mur était irréalisable. En dehors des barbelés, il y avait des capteurs dissimulés sous la pelouse, capables d'enregistrer mon approche. Sympathiser avec un garde ? Impensable. Ils avaient bien trop peur de Sharkovsky. Avec sa femme, Maya ? Avais-je une chance de la convaincre de m'emmener quand elle allait faire des courses à Moscou ? Ridicule. Elle n'avait aucune raison de m'aider.

Même en supposant qu'un miracle me permette de sortir, que faire une fois dehors ? La Forêt d'argent m'était inconnue, je ne savais même pas s'il y avait un arrêt de bus ou une gare à proximité. Et si un autre miracle me permettait d'atteindre Moscou, je n'étais pas certain que Dima soit toujours là pour m'accueillir rue Tverskaya. En revanche, je savais que Sharkovsky utiliserait tous ses contacts dans la police et dans la pègre pour me retrouver. Peu lui importerait que je sois resté son prisonnier pendant trois ans déjà. À ses yeux, nous avions conclu un marché et jamais il ne tolérerait que je le rompe. Je travaillais pour lui, ou j'étais mort.

Les semaines suivantes, le train-train a repris son cours. Je lavais, je balayais, je récurais, je m'abaissais. Pourtant, rien n'était plus pareil. Je ne supportais plus d'être dans la même pièce que Sharkovsky. Goûter sa nourriture me rendait physiquement malade. Il était le responsable de la tragédie d'Estrov, l'investisseur dont mes parents s'étaient plaints la veille de leur mort. Si je ne pouvais pas m'éloigner de lui, j'allais devenir fou. Je finirais par le tuer ou par me tuer moi-même. Je n'avais plus la force de rester sous son toit.

J'avais caché mon cahier d'exercices sous mon matelas et, chaque soir, je le sortais pour y noter des idées. Peu à peu, je me suis rendu compte que j'avais eu raison dès le début. Il n'existait qu'un seul moyen de quitter la datcha : l'hélicoptère Bell Jet Ranger. J'ai tourné une nouvelle page et y ai inscrit en haut le nom du pilote : Arkady Zelin, souligné de deux traits. Que savais-je sur lui ? Comment le persuader de m'emmener hors d'ici ? Avait-il une faiblesse, une faille que je pouvais exploiter ?

Je le connaissais depuis trois ans, mais je ne peux pas dire que nous étions amis. Zelin était un solitaire, qui préférait souvent manger seul. Pourtant, on ne pouvait pas vivre dans un monde aussi fermé sans dévoiler certaines choses sur soi, et il nous arrivait de discuter ensemble, surtout lorsqu'on jouait aux cartes. Zelin appréciait ma passion pour les hélicoptères. Il m'avait même laissé observer le fonctionnement du moteur un jour où il le démontait pour une révision générale. Mais il avait fixé une limite : interdiction de m'asseoir dans le cockpit. Les gardes n'auraient pas aimé ça. Et puis il y avait Nigel Brown. Lui aussi connaissait un peu Zelin, et quelques verres ont suffi pour lui faire dire ce qu'il en savait.

Arkady Zelin.

Armée de l'Air soviétique. Jeu ?

Saratov.

Une femme ? Un fils.

Ski… France/Suisse. Retraité ?

C'étaient là tous les renseignements que je détenais sur l'homme grâce auquel j'espérais m'évader. Je relisais ces mots jetés sur la page blanche.

Que signifiaient-ils ?

Zelin avait servi dans les forces aériennes soviétiques, mais on l'avait surpris à voler de l'argent à un ami. Il était passé en cour martiale et avait été contraint de quitter l'armée. Il en gardait une certaine amertume, clamait son innocence et se déclarait victime d'un coup monté. Or il était toujours fauché. Je le soupçonnais d'être accro au jeu et d'y dépenser tout son salaire. Souvent je le voyais consulter la page des courses dans le journal, et je l'avais une ou deux fois entendu placer des paris par téléphone.

Zelin possédait un appartement minable dans la ville de Saratov, au bord de la Volga, mais il y allait très rarement. Il avait trois semaines de vacances par an – trop peu à son goût –, qu'il prenait à l'étranger, en Suisse ou en France, en hiver. Il adorait skier. Il m'avait un jour confié qu'il aurait aimé travailler dans une station de ski et transporter en hélicoptère de riches clients en haut des glaciers. Il avait été marié et conservait dans son portefeuille la photographie d'un garçon d'environ onze ou douze ans, vraisemblablement son fils. Je me rappelais la fois où j'étais arrivé dans la salle de loisirs avec un énorme hématome sur le visage – j'avais mal astiqué l'argenterie et

Josef m'avait presque assommé. En me voyant, Zelin n'avait rien dit, mais je l'avais senti perturbé, et je me demandais s'il me serait possible de jouer sur sa fibre paternelle. Pourtant il ne parlait jamais de son fils, ni d'ailleurs de sa femme. Il ne voyait ni l'un ni l'autre. Peut-être l'avaient-ils chassé de leur vie. Il semblait vraiment très seul. C'était le genre d'individu qui ne pense qu'à soi simplement parce qu'il n'y a personne d'autre dans son entourage.

J'aurais pu continuer de gribouiller dans le cahier jusqu'à le remplir entièrement, mais ça n'aurait avancé à rien. Sharkovsky avait programmé plusieurs voyages à l'étranger au cours de l'été et, chaque fois qu'il partait en hélicoptère, je m'interrompais dans ma tâche du moment pour observer l'appareil décoller et s'élever au-dessus des arbres avant de disparaître dans le ciel. Je n'avais rien à offrir pour monnayer mon évasion. Et je savais que jamais Zelin ne se brouillerait avec son employeur. J'ai donc fini par oublier le pilote et commencé à réfléchir à d'autres plans.

Encore un autre été est passé et je me suis juré que ce serait le dernier à la datcha, que je ne serais plus là à Noël. Mais août a cédé la place à septembre et rien ne s'est produit. J'éprouvais du dégoût et de la colère envers moi-même. Non seulement je ne m'étais pas évadé, mais je n'avais pas essayé. Pour aggraver les choses, Ivan Sharkovsky était revenu. Il avait quitté son collège de Harrow et s'apprêtait à entrer à Oxford. Son père avait probablement promis à l'université de financer une bibliothèque ou une piscine, sinon je ne crois pas qu'Ivan aurait été admis.

J'étais dans le parc, en train de pousser une brouette vers le tas de compost, lorsque je l'ai soudain vu surgir devant moi, me bloquant le passage. Ivan était toujours aussi gras. Nous étions à peu près de la même taille mais il était beaucoup plus lourd. Je me suis arrêté et j'ai baissé la tête.

— Yassen ! s'est-il écrié en crachant les deux syllabes de mon nom d'une voix chantante. Es-tu content de me voir ?

— Oui, monsieur.

— Toujours esclave de mon père ?

— Oui, monsieur.

Avec un petit sourire narquois, il s'est penché pour prendre une poignée de feuilles sales dans la brouette et me les a jetées à la figure. Ensuite il s'est éloigné dans un éclat de rire.

À partir de cet instant, son comportement à mon égard a pris un tour nouveau, très angoissant pour moi. Ses attaques sont devenues plus physiques. S'il se mettait en colère, il me giflait ou me frappait, ce qu'il ne faisait jamais avant. Un soir, à la table du dîner où je servais, j'ai eu le malheur de renverser un peu de son vin. Il a saisi sa fourchette et me l'a plantée dans la cuisse. Son père a assisté à la scène sans tiquer. Chacun dans son genre, ils étaient aussi fous l'un que l'autre. Je commençais à croire qu'Ivan ne serait satisfait qu'en me voyant mort.

C'était le mois où Nigel Brown fut renvoyé. Ce n'était pas réellement une surprise pour lui. Il ne donnait plus de cours à Ivan, et sa sœur Svetlana avait été admise au Cheltenham Ladies College en Angleterre. M. Brown n'avait donc plus aucune raison de rester. Il avait maintenant soixante ans et sa carrière était terminée. Il évoquait vaguement l'idée de retourner dans le Norfolk, mais, à l'entendre, l'endroit ne lui plaisait guère. Je suis souvent étonné de voir certaines personnes suivre, au cours de leur vie, une voie qui les conduit là où elles ne désirent pas aller. On avait du mal à imaginer que cet homme usé et ridé, avec sa vodka et sa veste de tweed, ait pu un jour être un enfant plein de rêves et d'espoirs. Était-il vraiment né pour devenir ce qu'il était devenu ?

J'ai dîné avec lui un soir, peu avant son départ. Arkady Zelin nous avait rejoints. Le pilote était rentré de Moscou le matin même avec Sharkovsky, qui revenait des États-Unis. M. Brown avait déjà bu deux verres et il était d'humeur songeuse.

— Une fois que je ne serai plus là, continue de travailler les langues que je t'ai apprises, Yassen. Ils me laisseront peut-être t'envoyer des livres.

Il était gentil mais je savais qu'il ne croyait pas vraiment à ce qu'il disait. Une fois parti, je n'entendrais plus jamais parler de lui.

— Et vous, Arkady ? a repris M. Brown en se tournant vers le pilote. Vous allez continuer de travailler pour Sharkovsky ?

— Je n'ai aucune raison de m'en aller, a répondu Zelin.

— Non, en effet. Je vois que vous vous en sortez très bien. Jolie montre !

C'était typique du professeur de remarquer un détail de ce genre. Quand nous faisions des exercices, il détectait immédiatement une faute d'orthographe au milieu d'une page entière. J'ai regardé le poignet de Zelin juste avant qu'il ne le recouvre avec sa manche.

— On me l'a donnée. Ça ne vaut pas cher.

— Une Rolex ? a insisté M. Brown.

— Pourquoi vous mêlez-vous toujours de ce qui ne vous regarde pas ? Occupez-vous donc de vos affaires.

Jusqu'à la fin du repas, Zelin a gardé le silence, et, sitôt terminé, il a quitté la table alors qu'il avait promis de jouer aux cartes. J'ai travaillé mon allemand pendant une heure avec M. Brown, mais le cœur n'y était pas et il a fini par interrompre la leçon. Il a pris la bouteille sur la table et il est allé s'enfoncer dans un fauteuil au bout de la pièce. Resté seul, je me suis mis à réfléchir. C'était un détail infime. Une Rolex neuve. Mais je trouvais bizarre que Zelin ait cherché à la dissimuler. Et pourquoi s'était-il mis en colère ?

J'aurais pu oublier l'incident si, le lendemain, quelque chose ne me l'avait rappelé. Sharkovsky devait partir pour Leningrad à la fin de la semaine. C'était une visite importante et il préférait s'y rendre en hélicoptère plutôt que par la route. Dans la matinée, j'ai aperçu Zelin qui travaillait sur l'appareil. Une inspection de routine qui n'avait rien d'exceptionnel. Mais, juste avant le déjeuner, il s'est présenté à la porte de la grande maison. Il se trouve que j'étais là, occupé à laver les fenêtres du rez-de-chaussée, et j'ai entendu sa conversation avec Sharkovsky.

— Je suis désolé, monsieur, nous ne pourrons pas utiliser l'hélicoptère.

Sharkovsky était venu à la porte, en tenue de cavalier. Il avait appris à monter l'année précédente et acheté deux chevaux, pour lui et pour sa femme. Il avait également fait construire une écurie près du court de tennis et employait un des jardiniers comme palefrenier. Zelin était en salopette et essuyait ses mains pleines de cambouis sur un mouchoir blanc.

— Que se passe-t-il avec l'hélicoptère ? a aboyé Sharkovsky.

Il était très colérique, ces temps-ci. La rumeur disait que ses affaires n'allaient pas fort. C'était sans doute la raison de ses fréquents déplacements.

— Un dysfonctionnement dans la servocommande, monsieur. Un des pistons semble fissuré. Il va falloir le remplacer.

— Vous pouvez le faire ?

— Non, monsieur. Pas vraiment. Et puis il faut commander la pièce...

Sharkovsky était pressé.

— Alors appelez le mécanicien ! Comment s'appelle-t-il... Borodine ?

— Je viens de téléphoner à son bureau. C'est très embêtant, Borodine est malade. Mais... ils peuvent envoyer quelqu'un d'autre.

— Fiable ?

— Oui, monsieur. Il s'appelle Rykov. J'ai travaillé avec lui, autrefois.

— Très bien. Voyez ça.

Maya attendait son mari. Sharkovsky est sorti sans ajouter un mot.

Je n'avais pas la certitude absolue que Zelin mentait, mais je sentais quelque chose de louche. Toutes les journées à la datcha se ressemblaient. Quand je dis que la vie y était réglée comme une horloge, je parle vraiment d'une existence mécanique et ennuyeuse. Or, soudain, voilà que trois grains de sable venaient perturber son tic-tac, coup sur coup. L'hélicoptère, en parfait état de marche la veille, tombait subitement en panne. Le mécanicien habituel, un homme vif et bavard qui venait une fois tous les deux mois, était souffrant. Enfin il y avait cette nouvelle montre, et l'étrange comportement de Zelin.

Ce n'était pas tout. Le remplacement d'un piston n'était pas si compliqué. J'avais lu des magazines sur les hélicoptères toute ma vie et j'en connaissais presque autant sur le sujet que si j'avais piloté. J'étais certain que Zelin avait une pièce de rechange et pouvait effectuer la réparation lui-même.

Alors que mijotait-il ? Je n'ai rien dit, mais je l'ai surveillé toute la matinée et, quand le mécanicien est arrivé, je me suis arrangé pour me trouver dans les parages.

Il conduisait une camionnette verte avec le sigle MVZ Hélicoptères sur le côté. Il est descendu devant le portail pour présenter ses papiers d'identité aux gardes. C'était un homme de petite taille, corpulent, avec une tignasse de cheveux gris et un double menton. Il était vêtu d'une salopette verte, marquée elle aussi des initiales MVZ sur la poche de poitrine. Il a patienté pendant que les gardes fouillaient le véhicule. Pour une fois, le détecteur de métaux ne leur était d'aucune aide. La camionnette était remplie de pièces détachées en métal. La fouille laissait le mécanicien indifférent. Il en a profité pour fumer une cigarette, puis, l'opération terminée, il a redémarré en adressant un salut amical aux gardes et s'est dirigé tout droit vers l'aire de stationnement de l'hélicoptère, où l'attendait Arkady Zelin. Ils ont passé l'après-midi à travailler.

Il faisait chaud et, vers quatre heures, l'une des gouvernantes m'a envoyé leur porter un plateau avec des sandwichs et de la limonade. Le mécanicien, Rykov, a trottiné vers moi, un large sourire aux lèvres.

— Qui es-tu, toi ?

— Yassen, monsieur.

— Qu'y a-t-il de bon dans ces sandwichs ?

Il en a pris un et l'a ouvert avec un doigt sale.

— Jambon et fromage. Merci, Yassen. C'est très gentil à toi.

Il avait déjà croqué dans le sandwich et parlait la bouche pleine. Ensuite il a fait un petit signe à Zelin et ils se sont remis au travail.

Je l'ai revu une deuxième fois en venant chercher le plateau. De nouveau il a paru content de me voir, mais j'ai trouvé Zelin plus crispé, plus silencieux que jamais. Or je le connaissais bien. On ne joue pas aux

194

cartes avec quelqu'un sans deviner un peu ce qu'il pense. Je le sentais nerveux, et je me demandais pourquoi il ne portait pas sa montre neuve. Le moteur de l'hélicoptère était presque totalement remonté. Je traînais autour d'eux, attendant de rapporter le plateau. Il m'a paru naturel d'engager la conversation.

— Vous pilotez ces engins aussi ? ai-je demandé à Rykov.

— Non, pas moi. Je me contente de les démonter et de les remonter.

— C'est difficile ?

— Il suffit de savoir ce qu'on fait.

— Ça ne vous dit rien de voler ?

— Pas vraiment, a répondu Rykov en secouant la tête.

Il a sorti une cigarette et l'a allumée.

— Je ne saurais pas quoi faire avec un manche à balai entre les genoux. Je préfère rester en sécurité sur le plancher des vaches.

— Ça suffit, Yassen, a grommelé Zelin. Tu n'as rien à faire ? Allez, file.

— Oui, M. Zelin.

J'ai ramassé le plateau avec les verres sales pour le rapporter à maison. Mais j'avais découvert un détail intéressant. Le mécanicien ne connaissait rien aux hélicoptères. Même moi j'aurais pu lui dire qu'un Bell n'a pas de manche à balai. Il est doté d'une commande cyclique qui contrôle les rotors. Et cette commande n'est pas devant le pilote, mais sur le côté. Quant à Zelin, il avait menti sur le dysfonctionnement du piston, comme il avait menti sur la maladie du mécanicien habituel. J'en étais maintenant certain.

Dès cet instant, je ne les ai pas quittés de l'œil. Je savais que je risquais de gros ennuis. J'avais dix paires de chaussures à cirer, et une pile de cageots à casser dans la cave. Mais il n'était pas question pour moi de rentrer dans la maison. Zelin projetait quelque chose. Si Rykov n'était pas un mécanicien d'hélicoptère, qui était-il ? Un voleur ? Un espion ? Peu importait. Zelin l'avait fait venir dans la propriété, ils étaient donc de mèche. C'était l'occasion que j'attendais. Je pouvais le faire chanter. Soudain, je l'ai imaginé aux commandes de l'hélicoptère. Il allait me faire sortir d'ici.

Ma plus grande angoisse était qu'Ivan rentre de bonne heure. Il était parti à Moscou au volant du nouveau coupé Mercedes que son père lui avait offert pour son anniversaire, et s'il revenait plus tôt que prévu, il me trouverait sûrement une nouvelle corvée à faire. À cinq heures, il n'y avait toujours aucun signe de lui, mais Sharkovsky et sa femme sont rentrés de leur promenade et j'ai ramené les chevaux à l'écurie. Tous les jardiniers étaient partis. Il ne restait que les gardes habituels, qui déambulaient deux par deux, inconscients qu'un événement inhabituel se tramait.

Alors que je revenais des écuries, j'ai entendu le moteur de l'hélicoptère démarrer, et le bruit augmentait rapidement de volume. Rykov n'était visible nulle part mais sa camionnette verte était toujours garée à côté. Donc, il n'était pas parti. J'ai fait comme si j'allais entrer dans la maison, puis, au dernier moment, j'ai couru me cacher derrière l'une des voitures de Sharkovsky. C'était la Lexus avec laquelle on m'avait amené. Si quelqu'un me trouvait là, je pourrais toujours prétendre la nettoyer.

J'apercevais Arkady Zelin dans le cockpit, qui vérifiait les instruments de contrôle. Soudain, le mécanicien a surgi de l'autre côté de l'appareil et s'est dirigé vers la maison, et donc vers moi, une liasse de feuillets à la main. Si les gardes le voyaient, tout leur paraîtrait normal : il avait terminé son travail et avait besoin d'une signature sur son ordre de mission. Mais Rykov se montrait prudent. Il avançait dans l'ombre. Personne ne l'a vu, sauf moi, entrer par la porte de service.

Je lui ai emboîté le pas. J'agissais impulsivement parce que je n'avais toujours pas compris ce qui se passait. J'avais seulement conscience que les apparences étaient trompeuses.

Je me suis glissé furtivement dans le couloir qui desservait les locaux de service : la buanderie et le local à chaussures, où j'avais passé tant d'heures, de nuit comme de jour, à des corvées monotones. Il n'y avait pas âme qui vive et c'était très inhabituel. Normalement, le mécanicien n'aurait pas pu entrer aussi facilement. L'une ou l'autre des gouvernantes se serait interposée, l'aurait sommé d'attendre pendant qu'elle envoyait chercher Karl ou Josef. Rykov m'avait précédé de quelques minutes seulement. Il aurait dû être là. Le silence autour de moi était palpable. Aucune lumière n'était allumée. J'ai jeté un coup d'œil dans la cuisine. Une marmite mijotait sur les fourneaux, mais aucun signe de Pavel.

J'étais tenté d'appeler, pourtant quelque chose me soufflait de garder le silence. J'ai dépassé le cellier. La porte était entrebâillée, et cela aussi était étrange car on la laissait toujours fermée de crainte que le chien ne vienne chiper quelque chose. Je l'ai ouverte en grand et, cette fois, tout a pris un sens. Ç'aurait dû me paraître évident dès le début. Comment avais-je pu autant tarder à comprendre ?

La gouvernante était là, étendue sur le sol. Je ne comptais plus le nombre de fois où Nina m'avait giflé, grondé pour ma lenteur ou ma maladresse, tapé sur la tête sous le moindre prétexte. Le manche de sa cuiller en bois dépassait de la poche de son tablier, mais désormais elle ne s'en servirait plus. Elle avait été abattue à bout portant, sans doute avec une arme munie d'un silencieux car je n'avais pas entendu de détonation. Elle gisait sur le dos, les bras écartés dans un geste de surprise. Une flaque de sang s'élargissait autour de ses épaules.

Arkady Zelin avait été soudoyé. Il n'y avait pas d'autre explication. Lui qui manquait toujours d'argent, avait subitement une montre de luxe toute neuve. Rykov était un tueur venu à la datcha pour assassiner Sharkovsky. Et le moyen le plus sûr pour introduire une arme, malgré les détecteurs de métaux et les appareils à rayons X, était de la faire passer dans un véhicule bourré de matériel métallique. Il suffisait de la démonter et d'en disperser les éléments parmi les autres pièces détachées. Ensuite, une fois le travail exécuté, le moyen le plus rapide pour quitter les lieux était l'hélicoptère. Celui-ci attendait en ce moment même, prêt à décoller, les rotors tournant à pleine puissance.

J'avais la bouche sèche. Ma première impulsion était de tourner les talons et de partir en courant. Si Rykov m'apercevait, il me tuerait sans sourciller, comme il avait tué Nina. Mais je n'ai pas bougé. Je ne pouvais pas. C'était ma seule chance et je devais la saisir. Je me suis souvenu de la petite hache accrochée dans la buanderie, que j'avais utilisée jusqu'à en avoir des ampoules à force de couper le petit bois pour allumer le feu dans la cheminée du bureau de Sharkovsky. En m'efforçant de faire le moins de bruit possible, et de ne pas regarder la gouvernante morte, j'ai décroché la hache. C'était dérisoire contre une arme à feu, pourtant je me sentais moins démuni. J'ai avancé vers la porte qui donnait dans le grand hall. Elle était entrouverte. Osant à peine respirer, j'ai glissé un coup d'œil par l'entrebâillement.

J'arrivais juste à temps pour la fin de la partie.

Le hall était dans la pénombre. Le soleil se couchait derrière la maison et ses derniers rayons étaient trop bas pour atteindre les fenêtres. Les lumières étaient éteintes. J'entendais le vrombissement de l'hélicoptère, dehors, mais un rideau de silence semblait être tombé sur la maison. Josef gisait dans l'escalier, abattu d'une balle. Rykov me tournait le dos. Il avançait, son pistolet automatique à silencieux dans la main, en direction du bureau. Ses pas ne faisaient aucun bruit sur l'épais tapis. Soudain, la porte du bureau s'est ouverte et Vladimir Sharkovsky est apparu, en chemise et cravate, mais sans veste. Il avait sans doute entendu quelque chose, la chute du corps de Josef dans l'escalier, et il venait voir ce qui se passait.

— Qu'est-ce que…

Rykov n'a pas dit un mot. Il a fait un pas et il a tiré à trois reprises sur Sharkovsky, dans le torse et dans l'estomac. C'est à peine si j'ai entendu un plop. Le résultat a été radical et spectaculaire. Sharkovsky a été si violemment projeté en arrière que ses pieds ont décollé du sol, et sa tête a été la première à entrer en contact avec le parquet. Si les balles ne l'avaient pas tué avant, il serait mort la nuque brisée. Quelques soubresauts ont agité ses jambes, puis il n'a plus bougé.

Qu'ai-je ressenti à cet instant ? Rien. Je n'allais évidemment pas verser des larmes sur Sharkovsky. J'étais soulagé qu'il soit mort. Mais pas au point de danser de joie. Et puis j'étais effrayé. Je me demandais comment tirer avantage de la situation. Tout se déroulait si vite que je n'avais pas le temps de déchiffrer mes émotions. J'étais en état de choc, je suppose.

C'est alors qu'une voix a surgi de la pénombre.

— Ne bouge pas. Et pose ton arme !

Rykov a tourné la tête mais il ne voyait rien. Moi, j'étais dissimulé derrière la porte. C'était Karl. Il venait de la cave. Peut-être était-il allé me chercher, vérifier si j'avais cassé les cageots comme il me l'avait demandé. Il se tenait derrière Rykov, sur le côté, et il se déplaçait dans le hall en tenant son revolver à deux mains, à hauteur de tête.

Rykov s'est figé. Il avait toujours son automatique et je me demandais s'il avait eu le temps de le recharger. Il avait tiré au moins cinq balles. Il ne pouvait pas voir l'homme qui le menaçait mais il gardait son calme.

— Je vous paierai cent mille roubles si vous me laissez partir, a dit Rykov.

Il parlait d'une façon très différente de celle du mécanicien avec qui j'avais discuté. Sa voix était plus jeune, plus cultivée.

— Qui t'envoie ? a demandé Karl.

— Scorpia.

Ce nom ne signifiait rien pour moi. Pas plus que pour Karl.

— Baisse ton arme très lentement, a ordonné celui-ci. Pose-la sur le tapis pour que je la voie... Devant toi.

Rykov ne pouvait rien faire. S'il ne voyait pas le garde du corps, il ne pouvait pas le descendre.

— Rendez-vous service, a plaidé Rykov. Vous avez perdu votre travail. Prenez mon argent et partez.

Silence. Rykov a compris qu'il devait obéir. Il a poussé son pistolet du bout du pied. Le pistolet a glissé et s'est arrêté à une vingtaine de centimètres du mort.

Karl s'est avancé dans le hall, son revolver toujours pointé sur la nuque de Rykov. Il a jeté un coup d'œil à sa droite et découvert le cadavre de Josef étendu les bras en croix dans l'escalier. Une crispation a traversé son visage et j'ai compris qu'il allait tuer l'assassin de son frère. Il a continué d'avancer et il est passé devant la porte derrière laquelle je me cachais. Je me suis donc soudain trouvé juste dans son dos.

— Cent cinquante mille dollars, a repris Rykov. C'est plus d'argent que vous n'en verrez jamais de toute votre vie.

— Tu as tué mon frère.

Rykov a compris. Inutile de discuter. En Russie, les liens du sang, surtout entre frères, sont très forts.

Karl était tout près de Rykov à présent. Alors, sans vraiment réfléchir, j'ai pris la décision sans doute la plus cruciale de ma vie. Je me suis glissé par l'entre-bâillement et, la hache à la main, j'ai fait trois pas dans le hall. Karl m'a entendu à la toute dernière seconde. Trop tard. Je l'ai frappé avec le bout arrondi de la hache à l'arrière de la tête. Il s'est écroulé mollement devant moi. De son côté, Rykov a réagi avec une vivacité incroyable. Sans savoir ce qui s'était passé derrière son dos, il s'est jeté vers le pistolet qu'il venait de pousser devant lui. J'ai été plus rapide. Avant qu'il ait le temps de s'en saisir, j'avais lâché la hache, récupéré le revolver de Karl, et je le braquais sur lui, en m'efforçant de contenir le tremblement de ma main.

Rykov m'a vu et s'est immobilisé, les yeux arrondis par la surprise. Il n'en revenait pas.

— Toi !

— Écoutez-moi, M. Rykov. Je pourrais vous tuer tout de suite. Si je tire une seule balle, tout le monde va rappliquer. Jamais vous ne pourrez fuir.

— Qu'est-ce que tu veux ?

— Partir d'ici.

— Je ne peux pas.

— Mais si, vous pouvez. Vous devez m'aider !

J'en bégayais.

— Je savais que vous n'étiez pas un vrai mécanicien. Je savais que Zelin et vous étiez de mèche. Mais je n'ai rien dit. C'est grâce à moi si vous avez réussi à faire ce que vous êtes venu faire.

J'ai esquissé un signe de tête en direction du corps de Sharkovsky.

— Je te donnerai de l'argent, a dit Rykov.

— Je n'en veux pas. Je veux que vous m'emmeniez avec vous. Je n'ai pas choisi de vivre ici. Je suis prisonnier. Je suis leur esclave. Tout ce que je vous demande, c'est de m'emmener aussi loin que possible. Ensuite, vous me laisserez. Qui vous êtes et pour qui vous travaillez ne m'intéresse pas. Je suis content que Sharkovsky soit mort. Vous comprenez ? Alors, marché conclu ?

Rykov a fait semblant de réfléchir, mais vite. L'hélicoptère vrombissait toujours à l'extérieur, et bientôt les gardes viendraient voir ce qui se passait. Arkady Zelin risquait de céder à la panique et de partir sans lui. Rykov n'avait plus le temps.

— Laisse-moi reprendre mon arme.

— Non ! Nous allons sortir ensemble. Ce sera bien mieux pour vous. Les gardes me connaissent et ils se poseront moins de questions.

Comme il continuait d'hésiter, j'ai ajouté :

— Vous faites ce que je dis, ou vous ne partirez jamais.

— D'accord. Allons-y.

Nous avons repris le couloir, dépassé la buanderie où gisait la gouvernante morte. J'étais terrifié. Je suivais un homme qui venait de tuer trois personnes sans la moindre hésitation, et je savais que je serais la quatrième si je lui laissais la moindre chance. Je prenais soin de ne pas m'approcher trop près de lui.

S'il tentait de me donner un coup de pied en arrière ou de m'empoigner, je tirerais. Et le revolver de Karl n'avait pas de silencieux. La détonation déclencherait l'alarme générale.

Rykov était impassible. Il n'a pas dit un mot quand nous sommes sortis de la maison et avons traversé la pelouse dans la semi-pénombre, en direction de l'aire de l'hélicoptère. Je ne lui avais pas menti. L'un des gardes nous observait de loin mais il n'a pas bougé. Ma présence auprès de Rykov signifiait pour lui que tout était normal.

Zelin, lui, a eu un choc en nous voyant.

— Qu'est-ce qu'il fait ici !

À cause du vacarme, je n'entendais rien, mais le sens était clair. Je luttais pour tenir fermement le revolver malgré le souffle des rotors. C'était le moment le plus périlleux, et je le savais. À l'instant de monter dans l'appareil, Rykov pouvait m'arracher mon arme et m'abattre. Il était aussi capable de me tuer à mains nues. J'hésitais. Valait-il mieux monter le premier ou après lui ? Et s'il y avait un autre pistolet caché sous l'un des sièges ?

Je me suis décidé et j'ai crié.

— Je monte le premier ! Vous suivez.

En me hissant sur le siège arrière, j'ai pointé le revolver sur Zelin, et non sur Rykov. Rykov ne savait pas piloter. Donc, s'il tentait quoi que ce soit, j'abattrais Zelin et l'hélicoptère serait immobilisé au sol. Je pense qu'il a deviné mon raisonnement. J'ai même cru discerner l'ombre d'un sourire quand il a grimpé sur le siège à côté du pilote.

Zelin a crié deux mots inaudibles. Rykov s'est penché à son oreille pour lui répondre. C'était peut-être une sentence de mort dirigée contre moi. Pour l'instant, j'avais l'avantage, mais la situation serait inversée après l'atterrissage. Je ne serais plus en mesure de les tenir en respect tous les deux, et ils en profiteraient pour me désarmer.

Tout à coup, une sirène d'alarme a retenti dans la maison, plus stridente encore que le bruit de l'hélicoptère. Aussitôt, les projecteurs se sont allumés et deux gardes se sont élancés vers nous en sortant leur arme. Dans le même temps, une Jeep garée près du porche a démarré, ses phares rasant la pelouse. Rykov a claqué la portière derrière lui et Zelin a pris les commandes. Les museaux des armes automatiques crépitaient dans les ombres du soir. Une rafale a ricoché sur la vitre du cockpit. Il était en verre armé. Bien entendu.

L'hélicoptère a pris de la hauteur, oscillant au-dessus de la pelouse comme s'il était retenu par une ancre. Les balles des armes automatiques emplissaient l'air comme des lucioles.

Zelin a manœuvré la commande cyclique. Aussitôt, l'hélicoptère a effectué une rotation avant de s'élever au-dessus du mur d'enceinte, au-dessus de la forêt, dans le ciel qui s'assombrissait.

Et moi avec lui.

Болтино

Boltino

J'avais réussi. Pour la première fois depuis trois longues années, j'étais à l'extérieur de la datcha. Même si je n'avais pas été dans un hélicoptère, j'aurais eu l'impression de voler.

Sharkovsky était mort. Il le méritait, et j'étais heureux qu'il ne soit plus en mesure de me traquer. Allait-on m'accuser de sa mort ? Les gardes m'avaient vu partir avec Rykov. Ils savaient que j'avais pris part à ce qui s'était passé. Mais ce n'était pas moi qui avais introduit le mécanicien à l'intérieur de la propriété. C'était Zelin. Avec un peu de chance, l'entourage de Sharkovsky se concentrerait sur eux et m'oublierait.

Je n'étais pas encore en sécurité. Loin de là.

Zelin et Rykov avaient mis chacun un casque, ce qui leur permettait de communiquer librement malgré le bruit des rotors, alors que toute conversation était pour moi inaudible. Quel était leur plan ? Je savais que Zelin n'avait pas apprécié que je vienne, mais ce n'était pas lui qui commandait. Tout dépendait de Rykov. Il avait peut-être déjà prévenu par radio de mon arrivée. Je risquais de trouver un comité d'accueil à ma descente de l'hélicoptère et d'être abattu sur-le-champ. Le soi-disant mécanicien avait montré que la vie humaine ne signifiait rien pour lui. Il avait tué Nina, Josef et Sharkovsky sans ciller. Il ne verrait aucun inconvénient à ajouter un jeune inconnu à la liste.

Mais ça m'était égal. Je détestais ce que j'étais deve-nu à la datcha. J'avais dix-huit ans, je nettoyais les toi-lettes, je lessivais les couloirs, je m'agenouillais devant Ivan pour lui cirer ses chaussures et, pire, je me comportais comme un singe de cirque dans les dîners mondains de son père. J'avais exécuté toutes ces tâches pour survivre, mais à quoi servait une existence aussi humiliante ? Si je devais mourir maintenant, au moins je l'aurais choisi. J'avais saisi l'occasion. Je m'étais évadé. Je m'étais prouvé que je n'étais pas un perdant, finalement.

Et puis je découvrais tant de sensations nouvelles. Je n'avais jamais volé. Le seul fait d'être assis sur le luxueux siège en cuir du Bell Jet Ranger était extraor-dinaire. Moi qui avais toujours rêvé de piloter un hélicoptère, j'étais là, penché au-dessus de l'épaule de Zelin pour le regarder manœuvrer les commandes. Je regrettais de ne pas voir davantage le paysage, car la nuit tombait déjà et les faubourgs de Moscou se réduisaient à une multitude de lumières électriques. Tant pis si ce voyage me conduisait à la mort. J'étais heureux ! Sharkovsky n'existait plus. Je m'étais enfui. Je volais.

Après une dizaine de minutes, Rykov s'est tourné vers moi pour me tendre une bouteille en plastique remplie d'eau. J'ai refusé d'un signe de tête et reculé en pointant mon revolver. Je redoutais une ruse. Rykov a haussé les épaules pour me signifier que je me trompais, mais il a repris sa place. Nous avons continué ainsi pendant une demi-heure, ensuite Zelin a amorcé une descente. Je l'ai senti à la pression dans mes oreilles. En dessous, tout était noir, et j'ai pensé que nous survolions un plan d'eau. Peu après, l'appareil s'est posé en douceur, Zelin a coupé le moteur et les rotors ont ralenti.

Rykov a ôté son casque et s'est tourné vers moi.

— Et maintenant ?

— Où sommes-nous ? ai-je demandé.

— Près d'une ville appelée Boltino. Au nord de Moscou.

Il a défait sa ceinture de sécurité.

— Tu as ce que tu voulais, Yassen. Tu as échappé à Vladimir Sharkovsky. Nous sommes tous persuadés que le monde sera meilleur sans lui. Arkady et moi allons prendre un avion qui nous attend pour terminer notre voyage. C'est ici que nous allons nous séparer, Yassen.

Sans se soucier du revolver pointé sur lui, comme s'il oubliait mon existence, Rykov a ouvert la porte et il est descendu de l'hélicoptère.

Arkady Zelin m'a soufflé à voix basse :

— Tu n'aurais jamais dû faire ça. Tu ne connais pas ces gens-là…

— Qui ? Scorpia ?

Je me souvenais d'avoir entendu Rykov prononcer ce nom.

— Ils te tueront.

Zelin a détaché sa ceinture pour rejoindre Rykov.

Tout à coup, je n'avais plus envie de me retrouver seul. Je les ai suivis. J'ignorais totalement où nous avions atterri. L'hélicoptère était posé sur une bande de terre très claire. Du sable, peut-être. Devant nous s'ouvrait une vaste étendue d'eau, avec une trentaine de voiliers et de yachts amarrés à une jetée. De chaque côté, des arbres. Et, derrière nous, ce qui ressemblait à des hangars ou des entrepôts. Rykov s'était affairé et, le temps que je les rejoigne, il s'était métamorphosé. Sa tignasse de cheveux gris était en réalité une perruque. Ses cheveux avaient la même couleur que les miens, et ils étaient coupés court. Il avait aussi retiré quelque chose de sa bouche qui lui déformait le visage, et son double menton avait disparu. C'était un homme maintenant plus jeune et plus mince. Il a ôté sa salopette. Dessous, il portait un jean et un tee-shirt noirs. L'homme venu à la datcha en camionnette verte, avec le sigle MVZ Hélicoptères, s'était volatilisé. Personne ne le reverrait jamais.

— Où allez-vous ? ai-je demandé.

— On quitte le pays.

— En bateau ?

— En avion, Yassen.

J'ai regardé autour de moi, interloqué. Comment un avion pouvait-il atterrir dans cet endroit ?

— Un hydravion, a précisé Rykov. Tu ne le vois pas ?

En effet, l'appareil était là, flottant sur l'eau. Le pilote était déjà dans le cockpit, attendant de les conduire à leur prochaine destination. L'hydravion était blanc, avec deux hélices perchées sur les ailes, et une queue encore plus haute qui lui donnait l'air de décoller même à l'arrêt.

— Emmenez-moi.

Rykov a souri.

— Pourquoi je t'emmènerais ?

J'avais toujours le revolver. J'aurais pu le forcer à m'emmener. Du moins essayer. Mais je savais que c'était une mauvaise idée, que je finirais par me faire tuer. Au lieu de ça, je devais faire un geste, lui montrer que j'étais digne de confiance. Je courais un gros risque, mais je n'avais pas le choix. J'ai retourné le revolver, crosse en avant, et le lui ai tendu. Rykov a paru sincèrement étonné. Il aurait pu m'abattre sans le moindre risque. Hormis Zelin et le pilote, il n'y avait personne alentour.

— Je vous ai sauvé la vie, Rykov. À la datcha, si je n'avais pas été là, Karl vous aurait tué. Et puis, je ne sais pas pourquoi vous avez éliminé Sharkovsky, mais vous ne pouviez pas le haïr autant que moi. Nous sommes du même côté.

Rykov a soupesé le revolver. Zelin nous observait en silence, le visage très pâle.

— Je ne suis d'aucun côté, Yassen, a dit Rykov. On m'a payé pour l'exécuter.

— Alors emmenez-moi. Peu importe où vous allez. Je travaillerai pour vous. Je pourrais vous être utile. Je ferai tout ce que vous me direz. Je parle trois langues. Je...

J'ai laissé ma phrase en suspens.

Rykov tenait toujours le revolver. Il était peut-être amusé. Ou bien il se demandait dans quelle partie du corps il allait me loger une balle. Difficile de dire ce qu'il avait en tête. Finalement il a parlé, mais pas à moi.

— Qu'est-ce que tu en penses, Arkady ?

— Je pense qu'on devrait partir.

— Avec ou sans passager supplémentaire ?

Il y a eu un silence. J'ai compris que ma vie était dans la balance. Arkady Zelin me connaissait depuis trois ans. Il avait joué aux cartes avec moi. Je n'avais jamais été une menace pour lui. Allait-il m'abandonner maintenant ?

Enfin, il a répondu :

— Emmène Yassen si tu veux. Ce n'est pas un méchant garçon. Ils le traitaient comme un chien.

— Très bien, a dit Rykov en glissant le revolver dans sa ceinture. Mes employeurs pourraient peut-être t'utiliser. À eux de décider. Mais, d'ici là, tu feras exactement ce que je te dis.

— Oui, monsieur.

— Ne m'appelle pas monsieur.

Rykov marchait déjà sur la jetée. En le voyant, le pilote de l'hydravion a mis le contact. On aurait dit le moteur d'une des grosses tondeuses à gazon de la datcha, et en regardant les petites hélices, les ailes disgracieuses, je me suis demandé s'il allait vraiment réussir à décoller. Arkady Zelin portait un sac de voyage qu'il avait sorti de l'hélicoptère. Tout ce qu'il possédait était sans doute dedans. Il quittait la Russie et, s'il était avisé, il n'y reviendrait jamais. Les hommes de Sharkovsky me laisseraient peut-être tranquille, mais lui, ils le traqueraient. J'ignorais combien d'argent il avait touché pour sa complicité, mais j'espérais pour lui que le prix incluait un changement d'identité complet.

Nous sommes montés dans l'hydravion. Par chance, il y avait quatre places. Le pilote de l'hydravion m'a ignoré. Il était trop prudent pour poser des questions inutiles.

Mais moi, j'avais besoin de savoir.

— Où va-t-on ?

— À Venise, m'a répondu Rykov.

Chez Scorpia, aurait-il dû ajouter. La plus dangereuse organisation criminelle du monde. Et j'allais me jeter dans ses bras.

Венеция

Venise

Il faisait nuit lorsque nous avons amerri.

L'hydravion a jailli des ténèbres pour effectuer sa descente. Cette fois encore, seuls le bruit du moteur et un serrement au creux de l'estomac m'ont prévenu de la fin du voyage. L'appareil a touché l'eau, rebondi, puis glissé sur la surface avant de s'immobiliser. Le pilote a coupé les gaz et le silence nous a enveloppés. Par la fenêtre, j'apercevais quelques lumières scintiller dans le lointain. Je scrutais le visage de Rykov, éclairé par la lueur des cadrans de contrôle, pour essayer de deviner ses intentions. Je craignais encore qu'il décide de m'éliminer. Mais il ne laissait rien paraître.

Et maintenant ?

Je ne le savais pas encore, mais Venise était la destination idéale pour les voyageurs qui se déplacent en hydravion, surtout s'ils préfèrent passer incognito.

Il est possible que la police italienne ou le contrôle aérien aient été soudoyés, en tout cas personne ne semblait avoir remarqué notre amerrissage. Pendant deux ou trois minutes, aucun de nous n'a dit mot. Puis on a entendu le ronronnement d'un moteur et, en collant le nez contre la vitre, j'ai entrevu un bateau à moteur qui émergeait de l'obscurité pour s'approcher de nous. Le pilote de l'hydravion a ouvert la porte et nous sommes sortis.

Le bateau mesurait une dizaine de mètres de long. Il était en bois, avec une cabine à l'avant et des sièges de cuir à l'arrière. Deux hommes se trouvaient à bord, le capitaine et le matelot, lequel nous a aidés à descendre. S'ils étaient étonnés de voir un passager supplémentaire, ils ne l'ont pas montré. Aucune parole n'a été échangée. Rykov m'a fait un signe et je me suis assis à l'arrière, sur le pont découvert, malgré la fraîcheur de la nuit. Zelin a pris place en face de moi. Il serrait contre lui son sac de voyage, plongé dans ses pensées.

Le bateau s'est écarté, tandis que le pilote de l'hydravion remettait les gaz pour décoller aussitôt. J'étais très impressionné. Toute l'opération avait été réglée au millimètre. Il n'y avait eu qu'une seule erreur : moi. Après dix minutes de traversée, le bateau a accosté le long d'une jetée en bois branlante, hérissée de piquets rouge et blanc inclinés dans tous les sens. Rykov est monté sur le ponton mais Zelin n'a pas bougé, et j'ai compris qu'il ne venait pas avec nous.

Je lui ai tendu la main.

— Merci, M. Zelin. Merci de m'avoir laissé vous accompagner.

— La datcha était un endroit invivable et Sharkovsky un type méprisable. Quand je pense à tout ce qu'il t'a fait subir… Je suis désolé de ne pas t'avoir aidé.

— C'est terminé, maintenant.

— Oui, pour nous deux, a dit Zelin en me serrant la main. J'espère que tout se passera bien, Yassen. Prends soin de toi.

J'ai sauté sur le ponton et le bateau s'est éloigné. Quelques instants plus tard, il disparaissait dans la lagune.

Rykov et moi sommes partis à pied. Il m'a conduit dans un appartement situé près des anciens docks où nous avions accosté. Mais je me demande pourquoi je continue de l'appeler Rykov. Comme j'allais bientôt le découvrir, ce n'était pas son vrai nom. Il n'était pas mécanicien, et peut-être même pas russe, même s'il parlait ma langue couramment. Pendant le peu de temps que nous avons passé ensemble, il ne m'a fait aucune confidence et, de mon côté, j'ai eu la prudence de ne pas le questionner. Dans ce domaine d'activité, qui est devenu le mien, ce qui vous définit n'est pas qui vous êtes mais qui vous n'êtes pas. Si vous voulez garder un temps d'avance sur la police et les agences de renseignement, vous ne devez jamais laisser la moindre trace derrière vous.

Nous sommes arrivés devant une porte coincée entre deux boutiques dans une rue anonyme. Rykov l'a ouverte et nous sommes entrés dans un couloir, prolongé par un escalier en colimaçon. L'appartement était au quatrième étage. Il a déverrouillé une seconde porte et allumé la lumière. J'ai découvert une pièce carrée, blanchie à la chaux, avec un plafond haut et des poutres apparentes. L'endroit était assez impersonnel et j'ai supposé que Rykov y logeait rarement, seulement quand il séjournait à Venise. Le mobilier paraissait neuf. Un canapé faisait face à la télévision. Il y avait une table entourée de quatre chaises et une petite cuisine. Les photos accrochées au mur représentaient des vues de la ville. L'appartement n'avait pas l'air d'avoir été habité récemment.

— Tu as faim ? a demandé Rykov.

— Non, ça va.

— Il y a des boîtes de conserve dans le placard, si ça te tente.

En vérité j'avais faim, mais j'étais surtout fatigué. Épuisé, vidé. Comme si toutes les souffrances accumulées depuis trois ans s'écoulaient de moi. Tout s'était arrêté si brusquement que j'avais du mal à l'intégrer.

— Et maintenant, qu'est-ce qu'on fait ? ai-je demandé.

Rykov a désigné une porte que je n'avais pas remarquée, à côté du réfrigérateur.

— Il n'y a qu'une seule chambre. Tu dormiras sur le canapé. Je dois sortir un moment. Ne cherche pas à t'en aller. Tu as bien compris ? Tu restes dans cette pièce. Et tu n'utilises pas le téléphone. Si tu y touches, je le saurai.

— Je n'ai personne à qui téléphoner. Ni aucun endroit où aller.

— Bien. Je vais te donner des couvertures. Fais comme chez toi.

Il est parti peu après. J'ai bu un verre d'eau, puis j'ai installé les couvertures sur le canapé et me suis couché tout habillé. Je me suis endormi immédiatement. C'était la première fois depuis trois ans que je ne dormais pas dans ma cabane en bois.

Je n'ai pas entendu Rykov rentrer. C'est lui qui m'a réveillé le lendemain matin en ouvrant les volets. Il s'était de nouveau changé et j'ai mis quelques secondes à le reconnaître. Il portait un costume et des lunettes noires. Il paraissait svelte et musclé, dix ans de moins que le mécanicien venu réparer le Bell Jet Ranger.

— Il est neuf heures. Je ne peux pas croire que Sharkovsky te laissait dormir aussi longtemps. C'est l'heure à laquelle tu devais prendre ton service, non ?

— Oh non. À la datcha, je me levais à six heures tous les matins.

— Tu peux utiliser la douche. Je t'ai mis du linge propre. Je pense que c'est ta taille. Ne traîne pas. Je veux aller prendre un petit déjeuner dehors.

Dix minutes plus tard, j'étais lavé et vêtu d'un tee-shirt bleu pâle qui m'allait très bien. Nous sommes sortis et j'ai découvert Venise dans la lumière d'un jour d'automne.

Il n'existe rien de pareil au monde. Encore aujourd'hui, quand je ne travaille pas, c'est là-bas que je vais me relaxer. J'adore me promener au coucher du soleil, regarder les mouettes planer, observer le trafic sur la lagune : les bateaux-taxis, les bateaux-ambulances, les bateaux de transport, les *vaporetti*, et, bien sûr, les gondoles. Je peux marcher des heures dans les rues et les ruelles qui donnent l'impression de jouer au chat et à la souris avec les canaux, qui vous amènent soudain à une église, une fontaine, une statue, un minuscule pont en dos d'âne, ou bien à une vaste place grouillante de touristes, où jouent des musiciens aux terrasses des cafés. Chaque recoin recèle une surprise. Chaque rue est une œuvre d'art. Je suis heureux de n'avoir jamais été obligé d'y tuer quelqu'un.

Rykov m'a emmené au coin de la rue, dans un café ancien avec un sol carrelé et une gigantesque machine à espresso qui crachait des nuages de vapeur. On s'est assis à une petite table antique et il a commandé des *cappuccini*, du jus d'orange et des *tramezzini*, ces petits sandwichs au pain de mie fourrés de jambon et de fromage. Je n'avais rien mangé depuis vingt-quatre heures et c'était mon premier contact avec la gastronomie italienne. J'ai englouti les sandwichs et je n'ai pas protesté quand Rykov a commandé une deuxième assiette. Un canal coulait devant le café et j'étais fasciné de voir toutes sortes d'embarcations passer devant la vitrine.

— Donc, tu t'appelles Yassen Gregorovitch, a dit Rykov.

Il me parlait en anglais depuis notre arrivée à Venise. Peut-être pour me tester, mais plus probablement parce qu'il préférait abandonner la langue russe en même temps que le personnage qu'il avait joué.

— Quel âge as-tu ?

— Dix-huit ans… Bientôt dix-neuf.

— Sharkovsky t'a kidnappé à Moscou et gardé prisonnier pendant trois ans. Tu étais son goûteur. C'est bien ça ?

— Oui.

— Tu as de la chance. Nous avons essayé de l'empoisonner une fois et nous envisagions de recommencer. Tes parents sont morts ?

— Oui, tous les deux.

— Arkady Zelin m'a parlé de toi dans l'hélicoptère. Et de Sharkovsky. Je ne comprends pas pourquoi tu as enduré ce calvaire aussi longtemps. Pourquoi tu ne lui as pas planté un couteau dans le ventre, à cette brute.

— Parce que je voulais vivre. Karl ou Josef m'auraient tué aussitôt si j'avais tenté quoi que ce soit.

— Tu étais prêt à travailler à son service jusqu'à la fin de tes jours ?

— J'ai fait ce qu'il fallait pour survivre. Maintenant il est mort et je suis ici.

— C'est juste.

Rykov a allumé une cigarette sans m'en offrir une. De toute façon je n'en avais pas envie. C'est une des rares bonnes choses qui me soient arrivées à la datcha.

Comme je n'avais pas le droit d'avoir des cigarettes, j'avais été forcé d'arrêter de fumer. Depuis, je n'ai pas recommencé.

— Et vous, qui êtes-vous ? ai-je demandé à Rykov. Et qui est Scorpia ? Ce sont eux qui vous ont payé pour assassiner Sharkovsky ?

— Je vais te donner un bon conseil, Yassen. Ne pose pas de questions et ne mentionne plus jamais ce nom. Surtout en public.

— J'aimerais quand même savoir pourquoi je suis ici. Ça vous aurait été plus facile de m'éliminer à Boltino.

— Ne crois pas que je n'aie pas été tenté. En fait, il se peut que j'aie commis une grave erreur. Nous verrons. La seule raison pour laquelle je t'ai épargné, c'est parce que j'avais une dette envers toi. J'ai été stupide de ne pas voir le second garde du corps. D'habitude, je suis plus prudent. Sans toi je serais mort. Mais ne te fais pas de fausses idées. À présent nous sommes quittes. La dette est annulée. Tu n'es rien pour moi. Tu ne travailleras pas pour moi. Et je ne m'intéresse pas à ce qui va t'arriver.

— Alors pourquoi m'avoir amené ici ?

— Parce que mes employeurs veulent te rencontrer. Nous allons les voir maintenant.

— Où ?

— Au Palais de la Veuve. On y va en bateau.

Ce nom m'évoquait un édifice sombre, vieux, lugubre, avec des rideaux noirs tirés devant les fenêtres. En réalité, le Palais de la Veuve était un endroit étonnant qui semblait sorti des livres de contes de mon enfance, avec une façade en briques roses et blanches, et des dizaines de fenêtres étincelant au soleil. Une galerie couverte courait tout le long du premier étage, soutenue par de fines colonnes reliées par des arches. Et le palais n'était pas bâti à côté du canal : il semblait s'enfoncer dedans. L'eau clapotait contre la porte d'entrée basse, et les marches de marbre disparaissaient sous la surface opaque.

Le bateau a accosté juste devant et nous sommes descendus. Un homme attendait sous le porche ; grand, large d'épaules, les bras croisés, il portait un costume noir sur une chemise blanche. Il nous a examinés brièvement, puis nous a fait signe d'avancer. Je regrettais déjà d'être venu. En passant du soleil à l'ombre, j'ai pensé à ce que Zelin m'avait dit en quittant l'hélicoptère. *Tu ne connais pas ces gens-là. Ils te tueront.* Trois longues années passées à obéir aux ordres de Sharkovsky avaient peut-être émoussé mon jugement. Je n'avais plus l'habitude de décider par moi-même.

J'aurais mieux fait de fuir avant le petit déjeuner. Sauter dans un train ou me rendre à la police pour demander de l'aide. Au lieu de ça, je me jetais dans la gueule du loup.

Un imposant escalier avec des marches en marbre blanc et une rampe en fer forgé montait en spirale. Rykov s'y est engagé et je l'ai suivi, quelques pas derrière lui. Aucun de nous ne parlait. J'étais nerveux mais lui très à l'aise. Il montait tranquillement, les mains dans les poches. Nous sommes arrivés devant un couloir décoré de tableaux dans des cadres dorés. Des portraits d'hommes et de femmes morts depuis plusieurs siècles. Rykov s'est avancé jusqu'à une double porte. Avant de l'ouvrir, il s'est tourné pour me souffler à voix basse :

— Ne parle pas sans y être invité. Dis la vérité. Elle saura si tu mens.

Elle ? La veuve ?

Rykov a frappé et poussé la porte sans attendre la réponse.

La femme qui nous attendait semblait bien trop jeune pour avoir déjà perdu un mari. Elle n'avait pas plus de vingt-six ou vingt-sept ans. Ma première pensée a été qu'elle était très belle. La seconde, qu'elle était dangereuse. Petite, avec de longs cheveux tirés en arrière dont la noirceur contrastait avec la blancheur de sa peau, elle ne portait pas de maquillage hormis un rouge à lèvres écarlate, si brillant qu'il en paraissait cruel. Elle était vêtue d'une robe de soie noire, ouverte sur la gorge, rehaussée par un simple collier d'or. Elle aurait pu être mannequin ou actrice, mais la lueur qui dansait dans ses yeux disait qu'elle n'était ni l'une ni l'autre.

Elle se tenait assise derrière une table très élégante et ornementée, et tournait le dos à une rangée de fenêtres qui donnaient sur le Grand Canal. Deux chaises étaient disposées devant elle et nous y avons pris place sans attendre qu'elle nous y invite. Elle ne faisait rien lorsque nous sommes entrés. Il était évident qu'elle nous attendait.

— M. Grant, a-t-elle dit. Et il m'a fallu deux secondes pour me rendre compte qu'elle s'adressait à Rykov.

— Comment cela s'est-il passé ?

Sa voix était juvénile. Elle s'exprimait en anglais, avec un accent étrange que je n'arrivais pas à définir.

— Sans aucun problème, Mme Rothman, a répondu Rykov/Grant.

— Vous avez tué Sharkovsky ?

— De trois balles. Je me suis introduit dans sa propriété grâce au pilote d'hélicoptère, qui m'en a fait sortir. Tout s'est déroulé selon le plan.

— Pas tout à fait.

Elle souriait, mais j'ai senti que ce n'était pas bon signe. J'avais raison. Lentement, elle s'est tournée vers moi comme si elle venait seulement de remarquer ma présence. Ses yeux se sont attardés un instant.

— Je ne me rappelle pas vous avoir demandé de ramener un jeune Russe.

Grant a haussé les épaules.

— Yassen m'a aidé et je l'ai ramené parce que c'est ce qui ma semblé le plus simple. J'ai pensé qu'il pourrait vous être utile, à vous et à... Scorpia. Il n'a pas de passé, pas de famille, pas d'identité. Et il a montré un certain courage. Mais si vous n'avez pas besoin de lui, je vous en débarrasserai. Sans frais supplémentaires, bien entendu.

J'avais fait beaucoup d'efforts pour suivre leur conversation. Nigel Brown avait été un bon professeur et j'étais bien avancé en anglais, mais c'était la première fois que j'entendais parler cette langue par d'autres personnes, et il y avait deux ou trois mots qui m'échappaient. Néanmoins j'avais saisi l'essentiel. J'avais compris la proposition de Grant et je savais que, une fois de plus, ma vie était en jeu. Le pire était que je ne pouvais rien faire. Ni rien dire. Jamais je n'aurais pu sortir indemne de cette maison. J'en étais réduit à attendre le bon vouloir de cette femme.

Elle prenait son temps. Elle m'étudiait. Et je m'efforçais de masquer la peur qui me serrait l'estomac.

— C'est très généreux de votre part, M. Grant, a-t-elle enfin répondu. Mais qui vous dit que je ne peux pas régler ça moi-même ?

Je ne l'avais pas vu baisser la main sous la table, mais quand elle l'a levée, elle tenait un revolver. Un revolver argenté qui brillait à force d'avoir été poli. Elle le tenait presque comme un accessoire de mode, son index parfaitement manucuré enroulé autour de la détente. Elle le pointait sur moi et je voyais qu'elle était mortellement sérieuse. Elle avait la nette intention de s'en servir.

J'ai voulu parler, mais aucun son n'a franchi mes lèvres.

— C'est très regrettable, a poursuivi Mme Rothman. Je ne prends aucun plaisir à tuer, toutefois vous connaissez nos règles. Scorpia ne peut accepter un travail mal exécuté.

Sa main n'avait pas bougé mais ses yeux ont glissé vers Grant.

— Sharkovsky n'est pas mort.

— Quoi ?

Grant était sous le choc.

La main de Mme Rothman s'est légèrement déplacée et le revolver s'est retrouvé pointé sur Grant. Elle a tiré. Grant est mort sur le coup. L'impact l'a projeté en arrière, et sa chaise a basculé sur le sol.

J'étais éberlué. Le bruit de la détonation sonnait dans mes oreilles. Le revolver était de nouveau braqué sur moi.

— Qu'as-tu à dire pour ta défense ?

— Sharkovsky est mort !

Je hoquetais, incapable de mettre de l'ordre dans mes idées.

— Rykov l'a abattu de trois balles sous mes yeux.

— C'est sans doute vrai. Malheureusement, nos informateurs affirment que Sharkovsky a survécu. Il a été hospitalisé à Moscou. Son état est critique mais, selon les médecins, il peut s'en sortir.

Je ne savais pas comment réagir à cette nouvelle. Ça paraissait insensé. Les balles avaient été tirées presque à bout portant. L'impact avait même soulevé Sharkovsky du sol ! J'avais toujours dit que c'était un vrai démon. Il lui fallait peut-être plus de trois balles pour l'achever.

Mme Rothman me visait toujours. J'attendais qu'elle presse la détente. Tout à coup, elle a souri, comme si de rien n'était, elle a posé son arme et s'est levée.

— Un verre de Coca ? m'a-t-elle proposé.

— Pardon ?

— S'il te plaît, ne m'oblige pas à me répéter, Yassen. C'est ennuyeux. On ne peut pas rester ici pour bavarder, à côté d'un cadavre. C'est indigne. Allons dans l'autre pièce.

Elle s'est dirigée vers une porte que je n'avais pas remarquée, qui était intégrée au milieu d'une bibliothèque et recouverte de faux livres pour se fondre dans le décor. La porte donnait dans un salon plus vaste, avec deux sofas moelleux de part et d'autre d'une table en verre, et une imposante cheminée en pierre. Des fleurs fraîches étaient disposées dans un vase et diffusaient leur arôme dans toute la pièce. Un verre de Coca, pour moi, et un thé glacé, pour elle, avaient déjà été servis.

On s'est assis.

— Est-ce que cet incident t'a choqué, Yassen ?

J'ai secoué la tête, n'osant toujours pas parler.

— C'était déplaisant, je te l'accorde, a repris Mme Rothman. Cependant, dans notre domaine d'activité, on ne peut pas se permettre d'être indulgent. Ce n'est pas la première fois que M. Grant commet une erreur. Le seul fait de te ramener ici au lieu de se débarrasser de toi à Boltino m'a fait douter de son jugement. Mais oublions ça. Tu es là, et je veux que nous parlions de toi. M. Grant m'a expliqué les grandes lignes, maintenant je veux entendre le reste. Tes parents sont morts, si j'ai bien compris ?

— Oui.

— Raconte-moi dans quelles circonstances. Je veux tout savoir. Mais sois bref. Ne te perds pas dans les détails. Seul l'essentiel m'intéresse. Une longue journée m'attend.

Je lui ai tout raconté. À ce moment-là, je ne voyais aucune raison de ne pas le faire. Estrov, l'usine, Moscou, Dima, Dementyev, Sharkovsky... J'étais étonné de constater que ma vie entière pouvait se réduire à si peu de mots. Mme Rothman m'a écouté avec un intérêt poli. Certains passages auraient pu lui inspirer un peu de compassion, mais non. Elle s'en fichait totalement.

— Une histoire intéressante, a-t-elle conclu. Et tu racontes très bien.

Elle a siroté son thé glacé. Son rouge à lèvres laissait des traces sur le bord du verre.

— Le plus étrange, c'est que le défunt M. Grant avait raison. Tu pourrais nous être très utile.

— Qui « nous » ? Scorpia ?

— Scorpia, oui. À la vérité, ce nom me laisse un peu perplexe. C'est une contraction de Sabotage, Corruption, Intelligence et Assassinats, mais ce ne sont que quelques-unes de nos spécialités. On aurait pu ajouter kidnapping, chantage, terrorisme, trafic de drogue et prostitution, mais ça n'aurait pas formé un mot. Bref, il faut bien avoir un nom, et Scorpia sonne assez bien.

» Je fais partie du conseil de direction, qui se compose de douze membres. Ne va pas croire que nous sommes des monstres. Nous ne sommes même pas des criminels. En fait, plusieurs d'entre nous travaillaient auparavant dans divers services d'espionnage. Anglais, français, israéliens, japonais, etc. Mais nous vivons dans un monde qui change vite, et nous avons pris conscience que ce serait beaucoup plus intéressant pour nous d'être à notre compte. Tu serais étonné de savoir combien de gouvernements ont besoin de sous-traiter le sale travail. Réfléchis. Pourquoi risqueraient-ils de perdre leurs propres agents en espionnant leurs ennemis, alors qu'ils peuvent nous payer pour le faire à leur place ? Pourquoi risquer de déclencher une guerre quand on peut décrocher son téléphone et envoyer un spécialiste assassiner le chef de l'État adverse ? Ça coûte moins cher et il y a moins de victimes. À sa façon, Scorpia a beaucoup œuvré pour la paix dans le monde. Nous continuons de collaborer avec presque tous les services de renseignement. Ça te donne une idée de notre importance. La plupart du temps, nous exécutons les mêmes missions qu'autrefois. Mais notre prix est plus élevé.

— Vous étiez une espionne ?

— Moi, non. Je suis née au pays de Galles. Tu vois où c'est ? Au Royaume-Uni. Crois-le ou non, j'ai été élevée dans une petite ville minière. Mes parents chantaient dans la chorale municipale. Aujourd'hui, ils sont en prison. On m'a mise dans un orphelinat lorsque j'avais six ans. Ma vie a été assez semblable à la tienne sous certains aspects. Mais, comme tu peux le constater, j'ai mieux réussi que toi.

Il faisait chaud dans la pièce. Le soleil entrait à flots par les fenêtres et m'éblouissait. J'attendais la suite.

— J'irai droit au but, Yassen. Tu as quelque chose de spécial, même si tu n'as probablement pas une bonne opinion de toi. Tu vois de quoi je parle ? Tu es un survivant, c'est entendu. Mais tu es beaucoup plus que ça. À ta manière, tu es unique !

» Chaque individu, en ce monde, est enregistré quelque part. Dès l'instant où tu nais, les données te concernant sont entrées dans un ordinateur. Or les ordinateurs prennent de plus en plus de pouvoir. Je pourrais décrocher mon téléphone et, en une demi-heure, obtenir tout et n'importe quoi au sujet de n'importe qui. Pas seulement son nom ou son adresse. Absolument tout. Par exemple, si tu t'introduis dans une maison et que tu laisses des empreintes ou une minuscule trace d'ADN, la police internationale te localisera n'importe où dans le monde. Un crime commis à Rio de Janeiro peut être résolu en une nuit par Scotland Yard. Et, crois-moi, avec le progrès technologique, les choses vont empirer.

» Mais toi, tu es différent. Les autorités russes t'ont rendu un service immense. Elles t'ont effacé. Le village où tu as grandi n'existe plus. Tu n'as plus de parents. Je jurerais que toutes les informations sur le garçon que tu étais à Estrov ont été détruites. Tu comprends ce que ça signifie ? Cela fait de toi une non-personne. Dorénavant, tu peux être totalement invisible. Aller n'importe où, faire ce que tu voudras, personne ne pourra te retrouver.

Mme Rothman a pris son verre et l'a fait lentement tourner entre le pouce et l'index. Elle avait des ongles longs et effilés.

— Nous recherchons des tueurs, Yassen. Des tueurs à gages, comme M. Grant. Tu viens de le voir, le prix d'une faute dans notre organisation coûte très cher. Mais les récompenses sont aussi très élevées. C'est une vie passionnante. Tu voyages dans le monde entier. Tu descends dans les meilleurs hôtels, les meilleurs restaurants. Tu fais tes courses à Paris et à New York. Tu rencontres des gens intéressants... Et tu en tues certains.

J'ai sans doute pris un air affolé car elle a levé la main pour m'arrêter.

— Laisse-moi terminer. Tes parents étaient, je n'en doute pas, de bonnes personnes. Comme les miens ! Tu penses que tu ne pourrais jamais assassiner quelqu'un pour de l'argent. Que tu ne pourrais jamais ressembler à M. Grant. Tu as tort. Nous te formerons. Nous avons un centre pas très loin d'ici, sur une île. Malagosto. Et sur cette île il y a une école d'un genre très particulier. Si tu y vas, tu travailleras plus dur que tu n'as jamais travaillé de ta vie. Plus dur qu'à la datcha où Sharkovsky te séquestrait.

» Tu apprendras le maniement des armes et les arts martiaux. Tu apprendras les techniques d'empoisonnement, le tir, l'utilisation des explosifs, le combat rapproché. On t'enseignera comment crocheter une serrure, te déguiser, te sortir de toutes les situations. On t'apprendra non seulement à agir en tueur mais aussi à penser comme un tueur. Chaque semaine, tu subiras une évaluation psychologique et physique. Tu recevras aussi un enseignement traditionnel. Mathématiques, sciences. Ton anglais est excellent mais tu le parles avec l'accent russe. Il te faudra le perdre. Tu apprendras l'arabe, car nous menons de nombreuses opérations au Moyen-Orient.

» Je peux te promettre que tu seras épuisé à un point que tu n'imagines même pas. Mais si tu tiens jusqu'au bout, tu seras parfait. Le tueur idéal. Et tu travailleras pour nous.

» L'alternative ? Tu peux partir maintenant. Crois-le ou non, je parle sérieusement. Je ne te retiendrai pas. Je te donnerai même de l'argent pour un billet de train. Tu n'as rien. Aucun endroit où aller. Si tu parles de moi à la police, personne ne te croira. Je parie que tu finiras par retourner en Russie. Sharkovsky te traquera. Sans notre aide, tu seras vite repéré.

» Voilà, Yassen. Tu as toutes les clés en main.

Elle a souri et vidé son verre de thé avant d'ajouter :

— Alors, que décides-tu ?

OCTPOB

L'île

Ils m'ont appris à tuer.

En réalité, ils m'ont appris beaucoup plus que ça. Il n'existait aucune école au monde comparable au centre de formation et d'évaluation créé par Scorpia sur l'île de Malagosto. Je ne sais par où commencer pour décrire tout ce qui la distinguait des autres. D'abord, bien sûr, le lieu était éminemment secret. Personne ne choisissait d'aller là-bas, ce sont eux qui choisissaient les élèves. C'était aussi la seule école qui comptait plus d'enscignants que d'étudiants. Il n'y avait pas de vacances, pas de réunions sportives, pas d'uniformes, pas de punitions, pas de visiteurs, pas de récompenses ni d'examens. Pourtant c'était bien une école. L'école des assassins.

Bizarrement, Malagosto se trouvait très près de Venise. D'un côté, il y avait cette cité bondée de touristes allant de bars en restaurants, regorgeant d'hôtels cinq étoiles et de somptueux *palazzi*, et, de l'autre, à moins de huit cents mètres, au-delà d'un chenal d'eau sombre, des activités qui auraient fait dresser leurs cheveux sur la tête auxdits touristes. L'île avait jadis accueilli un établissement pour pestiférés. Un vieux dicton vénitien disait : « On éternue à Venise, on se mouche le nez à Malagosto. » Dans une ville médiévale surpeuplée, avec ses foules suantes et ses canaux puants, la dernière chose que l'on peut se permettre c'est une épidémie de peste. Les riches marchands avaient fait construire sur l'île un monastère, un hôpital, des logements et un cimetière. On y hébergeait les malades, on les soignait, on priait pour eux, et on les enterrait. Mais jamais on ne les laissait en revenir.

L'île était petite. J'en faisais le tour au pas de course en quarante minutes. Même en été, le sable était d'un jaune sale, couvert de cailloux, et l'eau d'une teinte grisâtre peu engageante. Les arbres de la partie boisée étaient emmêlés comme s'ils avaient été frappés par une violente tempête. Au milieu du bois, il y avait une clairière avec quelques pierres tombales aux noms effacés par le temps, inclinées les unes vers les autres comme pour se chuchoter les secrets du passé. Le clocher du monastère en briques rouge sombre penchait sérieusement et semblait prêt à tomber d'un instant à l'autre. Les bâtiments avaient tous un aspect délabré, la moitié des fenêtres étaient cassées, les cours crevassées et envahies d'herbes folles.

Mais, derrière l'apparence, la réalité était très surprenante. Scorpia n'avait pas seulement regardé les lieux se dégrader, elle les y avait aidés. Tout ce qui était attrayant avait été enlevé : fontaines, statues, fresques, vitraux, portes sculptées. On avait même été jusqu'à insérer un bras hydraulique à l'intérieur du clocher pour accentuer son inclinaison. Le but était d'enlaidir Malagosto. C'était une propriété privée, hors du circuit des transports publics, mais Scorpia ne voulait pas qu'un seul touriste, ou un archéologue, éprouve le désir de louer un bateau pour s'en approcher. La dernière fois que quelqu'un s'y était risqué, six ans plus tôt, c'était un groupe de nonnes désireux de suivre les traces d'on ne sait quel saint mineur. Elles chantaient un cantique lorsque leur bateau avait explosé pour une raison inexplicable. Et toujours inexpliquée.

L'intérieur des installations était beaucoup plus moderne et confortable qu'on n'aurait pu s'en douter. Il y avait deux salles de classe, chauffées, insonorisées, dotées d'un mobilier flambant neuf et d'un matériel audiovisuel qui aurait fait pâlir d'envie mes vieux professeurs de Rosna, qui ne disposaient que d'un tableau noir et d'une craie blanche. Un stand de tir couvert et un champ de tir extérieur, un gymnase équipé de tous les appareils imaginables, avec un espace exclusivement dédié aux sports de combat : judo, karaté, kick-boxing, ninjutsu, et aussi une piscine – même si on nageait surtout en mer ; si la température était proche de zéro, l'entraînement n'en était que plus efficace. Mes appartements, au deuxième étage du bâtiment d'hébergement, étaient très confortables. Une chambre, un salon, une salle de bains avec une immense baignoire en marbre qui se remplissait en quelques secondes grâce à un énorme robinet de cuivre en forme de tête de lion. J'avais un bureau, une télévision, un réfrigérateur toujours garni d'eau minérale et de jus de fruits. Tout ceci avait un prix. Une fois ma formation terminée, je serais engagé par un contrat de cinq ans avec Scorpia, et le coût de mon entraînement serait prélevé sur mon salaire.

Les conditions m'ont été clairement exposées dès le début.

Sitôt après avoir rencontré Mme Rothman, et accepté son offre, un bateau-ambulance m'a conduit sur l'île. Cela peut paraître curieux comme moyen de transport, mais il avait l'avantage de passer inaperçu au milieu du trafic habituel de la lagune. Et puis je n'y étais pas seul. M. Grant m'accompagnait, couché sur un brancard. Je dois admettre que j'étais désolé pour lui. À sa manière, il avait été gentil avec moi. Le brancard m'a fait penser à Vladimir Sharkovsky, sur un lit d'hôpital, à Moscou, entouré de nouveaux gardes du corps qui le surveillaient comme des machines devaient surveiller son rythme cardiaque, sa tension et tous ses signes vitaux. Qui goûtait la nourriture pour lui à présent ?

Il était midi quand je suis arrivé.

Le bateau-ambulance a accosté à une jetée moins déglinguée qu'il n'y paraissait, où m'attendait une jeune femme. En fait, de loin, je l'avais prise pour un homme. Ses cheveux noirs étaient coupés court et elle portait une ample chemise blanche, un petit gilet sans manches et un jean. Mais en approchant, j'ai découvert qu'elle était jolie. Âgée de deux ou trois ans de plus que moi, elle avait un air grave et ne portait pas de maquillage. Elle m'a tendu la main pour m'aider à descendre du bateau et, un court instant, nous sommes restés face à face, tout près l'un de l'autre.

— Je m'appelle Colette.

— Moi, Yassen.

— Bienvenue à Malagosto. Tu as des bagages ?

J'ai secoué la tête. Je n'avais rien apporté. Hormis les vêtements que j'avais sur le dos, je ne possédais rien.

— On m'a demandé de te faire visiter. M. Nye te verra plus tard.

— M. Nye ?

— Le principal, en quelque sorte. C'est lui qui dirige le centre.

— Et toi, qui es-tu ?

Elle a souri.

— Une élève. Comme toi. Viens, je vais commencer par te montrer où tu loges.

J'ai passé les deux premières heures sur l'île avec Colette. Le centre comptait alors trois élèves. Avec moi, ça ferait quatre. Les autres étaient à Venise, pour un exercice. Tandis que nous marchions sur la plage, Colette m'a un peu parlé d'eux.

— Marat vient de Pologne. Et Sam, qui est arrivé il y a quelques semaines, vient d'Israël. Ni l'un ni l'autre n'est très bavard. Sam a quitté l'armée. Il devait rejoindre les rangs du Mossad, les services secrets israéliens, mais Scorpia lui a fait une meilleure offre.

— Et toi ? D'où viens-tu ?

— Je suis française.

Nous parlions anglais, cependant j'avais remarqué qu'elle avait un léger accent. J'attendais qu'elle m'en apprenne davantage mais elle gardait le silence.

— C'est tout ?

— Quoi d'autre ? Toi, moi... Nous sommes là. C'est tout ce qui compte.

— Comment as-tu été choisie ?

— Je n'ai pas été choisie. Je me suis portée volontaire.

Elle a réfléchi un instant avant d'ajouter :

— À ta place, je ne poserais pas de questions personnelles. Les gens sont un peu chatouilleux, par ici.

— Je trouvais seulement ça un peu étrange... Une femme qui veut apprendre à tuer...

Elle a haussé un sourcil.

— Tu es plutôt vieux jeu, Yassen ! J'ai un autre conseil à te donner. Garde tes opinions pour toi.

Elle a regardé sa montre, puis elle a sorti un mince livre de sa poche de jean.

— Je vais te laisser. Je dois terminer de lire ça.

J'ai jeté un coup d'œil à la couverture du livre : *Techniques modernes d'interrogatoire,* par le Dr Three.

— Tu as des chances de le rencontrer un jour, a dit Colette. Ce jour-là, surveille tes paroles. Tu n'aimerais sûrement pas finir comme un chapitre de son livre.

J'ai passé le reste de la journée seul dans ma chambre, allongé sur le lit, assailli par toutes sortes de pensées. Vers huit heures du soir, j'ai enfin fait la connaissance de l'homme responsable de l'entraînement à Malagosto.

Il s'appelait Nelson Nye. Ma première réaction a été de penser qu'il avait la peau la plus noire que j'aie jamais vue. Son crâne chauve et luisant faisait ressortir ses yeux, extraordinairement grands et animés. Il avait des dents étincelantes, que dévoilait souvent un sourire surprenant. Il était vêtu avec soin, d'un blazer bien coupé et visiblement de grande marque, et ses chaussures étaient immaculées. M. Nye était originaire de Somalie, fils d'une famille de pirates modernes qui prenaient en otage des yachts de luxe, des navires de croisière et même, une fois, un pétrolier qui naviguait trop près des côtes. Des gens impitoyables. Dans son bureau, il y avait des articles de journaux encadrés relatant leurs exploits. M. Nye avait une voix très sonore. Tout en lui était excessif.

— Yassen Gregorovitch ! s'est-il exclamé en désignant du doigt un siège.

La pièce était presque circulaire, avec un lustre en fer forgé au centre. Une partie des murs était tapissée d'étagères surchargées de livres du sol au plafond. Deux fenêtres donnaient sur les bois. Six pendules indiquaient des heures différentes. Deux classeurs en métal étaient adossés contre un mur. M. Nye portait autour du cou la clé qui les ouvrait.

— Bienvenue à Malagosto, a-t-il poursuivi. C'est toujours un immense plaisir d'accueillir les nouvelles recrues. Car, vois-tu, lorsque tu partiras d'ici, tu ne seras plus le même. Nous allons faire de toi quelqu'un de très spécial et, quand je te rencontrerai plus tard, j'aurai sûrement moins envie de te fréquenter. Tu seras un homme dangereux. J'aurai peur de toi. Toutes les personnes qui te croiseront, même sans savoir pourquoi, auront peur de toi. J'espère que cette perspective ne te déprime pas, Yassen, sinon il vaudrait mieux pour toi ne pas être ici. Tu vas devenir un tueur à gages. Tu seras riche, tu mèneras une vie confortable, mais, je te préviens, ta vie sera solitaire.

On a frappé à la porte et un deuxième homme est entré. Il mesurait la moitié de la taille du directeur, il avait un visage rond, une petite barbe, et il portait un costume de lin et des chaussures marron. Visiblement, M. Nye le rendait nerveux. Ses yeux clignaient derrière ses lunettes à monture d'écaille de tortue.

— Vous vouliez me voir, monsieur le directeur ?

Il parlait avec un accent français beaucoup plus marqué que celui de Colette.

— Oui, Olivier ! Je vous présente notre nouvelle recrue. Yassen Gregorovitch. Mme Rothman nous l'envoie tout droit du Palais de la Veuve.

— Ravi, a dit le petit homme avec un hochement de tête dans ma direction.

— Olivier d'Arc sera ton tuteur personnel et il prendra en charge plusieurs de tes cours, Yassen. Si tu as un problème, c'est à lui que tu t'adresseras.

— Merci, ai-je répondu.

Mais j'avais déjà décidé, en cas de problème, de n'en parler à personne. Malagosto était le genre d'endroit où la moindre faiblesse pouvait être utilisée contre vous.

— Je serai là chaque fois que tu auras besoin de moi, m'a assuré Olivier d'Arc.

J'ai passé beaucoup de temps avec le Français à Malagosto, mais je ne me suis jamais fié totalement à lui. Au fond, je ne l'ai jamais vraiment connu. Chez lui, tout était factice, une mise en scène au profit des élèves. Son apparence, sa façon de parler, et probablement son nom. Bien plus tard, c'est lui qui a remplacé M. Nye – tué par un de ses propres élèves –, et il s'est révélé très brillant au poste de directeur.

— As-tu des questions, Yassen ? m'a demandé M. Nye.

— Non, monsieur.

— C'est parfait. Avant d'aller te coucher, j'aimerais que tu fasses une chose pour moi. J'espère que ça ne te dérange pas. Ça ne devrait pas te prendre plus d'une heure ou deux.

C'est à ce moment seulement que j'ai remarqué la pelle dans la main d'Olivier d'Arc.

Ma première tâche à Malagosto a été d'enterrer Grant dans le petit cimetière au milieu du bois. Il allait partager cette dernière demeure avec les victimes de la peste, mortes quatre cents ans plus tôt, et probablement avec d'autres défunts plus récents, des hommes et des femmes ayant failli comme lui à leur engagement vis-à-vis de Scorpia. C'était une corvée déplaisante et macabre de creuser une fosse en pleine nuit, seul. Sharkovsky lui-même ne m'avait rien demandé d'aussi sinistre. J'y ai vu une sorte d'avertissement. Mme Rothman m'avait laissé la vie sauve, elle m'avait même recruté, mais voilà ce qui m'attendait si je la décevais.

En tirant Grant du brancard pour le faire basculer dans le trou que j'avais creusé, je n'ai pas pu m'empêcher de me demander si quelqu'un ferait un jour la même chose pour moi. C'est la seule fois où j'ai eu ce genre de pensée. Quand la mort est votre métier, la seule à laquelle vous ne devez jamais songer c'est la vôtre. Il avait commencé à pleuvoir, un mince crachin qui rendait ma tâche encore plus pénible. J'ai comblé la fosse, aplati la terre avec le dos de la pelle, puis j'ai rapporté le brancard. Olivier d'Arc m'attendait avec du cognac et un chocolat chaud. Il m'a escorté jusqu'à mes appartements et a même insisté pour me faire couler un bain, en y ajoutant une bonne dose d'huile de bain « Floris of London ». J'ai été soulagé de le voir enfin partir. Je craignais qu'il ne propose de me frotter le dos.

Cinq mois.

Aucun jour ne ressemblait exactement à un autre, pourtant nous étions toujours réveillés à cinq heures et demie du matin pour un jogging d'une heure autour de l'île, suivi de quarante minutes de natation dans la lagune. Petit déjeuner à sept heures et demie, servi dans une splendide salle à manger, ornée au sol d'une mosaïque du XVIe siècle, avec des angelots en bois sculpté autour des fenêtres et une scène du paradis peinte sur le dôme du plafond. La nourriture était toujours succulente. Nous quatre, les élèves, mangions ensemble et je me trouvais souvent assis à côté de Colette. Marat et Sam n'étaient pas inamicaux mais ils m'adressaient à peine la parole. Sam était sombre et concentré. Marat paraissait plus détendu ; il s'asseyait en cours les jambes croisées, les mains derrière le dos. À l'issue de leur formation, ils ont décidé de travailler en équipe et ont très bien réussi, mais je ne les ai jamais revus.

Les cours du matin avaient lieu en classe. On apprenait tout sur les armes à feu et les couteaux, et à fabriquer un engin explosif avec différents ingrédients disponibles dans les supermarchés. Un des professeurs – un rouquin efflanqué, tatoué sur tout le haut du corps – nous présentait chaque jour une arme différente. Pas seulement des revolvers, mais aussi des poignards, des épées, des piques à lancer et des éventails de combat ninjas, et même une arbalète médiévale avec laquelle il avait voulu tirer sur une pomme posée sur la tête de Marat. Il s'appelait Gordon Ross et venait de Glasgow, en Écosse. Il avait été brièvement l'adjoint de l'armurier en chef du MI6, jusqu'à ce que Scorpia le débauche en lui offrant cinq fois son salaire.

Lors de notre première rencontre, je l'ai impressionné en démontant un fusil-mitrailleur AK-47 en dix-huit secondes. Mon ami Léo aurait été beaucoup plus rapide. Ross était un adepte des armes blanches. Ses deux héros s'appelaient William Fairbairn et Eric Sykes, inventeurs du dernier couteau de combat des commandos britanniques pendant la Seconde Guerre mondiale. Ross était un expert du lancer de couteaux, et il en possédait toute une panoplie spécialement conçus pour sa main. À vingt mètres d'une cible, aucun élève de Malagosto ne pouvait le battre en vitesse et en précision, même avec une arme à feu.

Ross avait également une fascination pour les gadgets. Il ne les fabriquait pas lui-même mais il avait étudié les armes secrètes fournies par tous les services d'espionnage, et il s'était arrangé pour voler certains modèles, qu'il nous apportait pour les examiner. Il y avait notamment une carte de crédit imaginée par la

CIA, dont un bord était coupant comme un rasoir. Les Français avaient inventé un chapelet d'oignons… dont quelques-uns étaient des grenades. Quant à l'ancien employeur de Ross, le MI6 britannique, il avait mis au point une crème antiseptique qui rongeait le métal, un stylo à encre qui tirait une pointe empoisonnée, et une pile qui dissimulait un émetteur radio (il suffisait de la faire tourner d'un demi-tour pour déclencher une alerte de détresse). Tous ces gadgets l'amusaient énormément mais, en fin de compte, ce n'était pour lui que des jouets. Ross préférait les couteaux.

Cependant, les armes et l'autodéfense n'étaient qu'une partie de l'entraînement. Il y avait aussi un enseignement traditionnel. J'apprenais les maths, l'anglais, l'arabe, les sciences, et même la musique classique, l'art et la gastronomie. Olivier d'Arc se chargeait personnellement de certains cours. Je n'oublierai jamais le jour où l'on nous a présenté l'Italienne revêche qui ne disait jamais son nom et se faisait appeler Comtesse. C'était peut-être une véritable aristocrate. En tout cas, elle se comportait comme telle, insistant pour qu'on se lève quand elle entrait dans une pièce et qu'on l'appelle madame. Âgée d'une cinquantaine d'années, elle était toujours vêtue avec raffinement, arborant des bijoux superbes et des manières distinguées. Lorsqu'elle se levait, il fallait se lever aussi. La Comtesse nous emmenait dans les magasins et les galeries d'art de Venise. Elle nous faisait lire les journaux et les magazines de célébrités, et nous parlait des personnalités photographiées. Au début, je n'ai pas compris ce qu'elle faisait sur l'île.

J'ai compris plus tard. Un tueur n'est pas seulement quelqu'un qui se met à plat ventre sur un toit avec un fusil de précision, guettant sa proie à la sortie d'un restaurant. Parfois il est nécessaire d'être à l'intérieur de ce restaurant. Pour cerner la cible, il faut l'approcher. Porter les vêtements adéquats, marcher avec élégance, demander une bonne table, savoir commander les plats et le vin. Comment un garçon élevé dans un pauvre village du fin fond de la Russie aurait-il pu savoir tout cela sans qu'on le lui apprenne ? J'ai assisté à des ventes aux enchères, des opéras, des défilés de mode, des courses de chevaux. J'ai siroté du champagne en compagnie de banquiers, de professeurs, de designers et de milliardaires. Je me suis toujours senti à l'aise et personne n'a jamais pensé que je n'étais pas à ma place. Et ça, je le dois à la Comtesse.

Le plus difficile commençait après le déjeuner. Les après-midi étaient consacrés au combat rapproché. Le cours durait trois heures. Il était dirigé par M. Nye, ou par un instructeur japonais, Hatsumi Saburo, surnommé HS. C'était un homme extraordinaire. Malgré ses soixante-dix ans, il se déplaçait plus vite qu'un jeune homme, en tout cas plus vite que moi. Si l'un de nous n'était pas assez concentré, il le plaquait au sol si rapidement et si brutalement qu'on ne comprenait ce qui nous arrivait qu'une fois à terre. HS prenait alors un air détaché, comme s'il n'avait rien à y voir. Sefton Nye nous enseignait le judo et le karaté, mais c'est Hatsumi Saburo qui m'a fait découvrir un troisième art martial, le ninjutsu, que j'ai continué de pratiquer.

Le ninjutsu est la technique de combat inventée par les ninjas, ces espions guerriers qui parcouraient le Japon au XVe siècle. Ils l'apprenaient auprès des prêtres et des combattants qui se cachaient dans les montagnes. Pendant mes cinq mois sur l'île, Hatsumi Saburo m'a enseigné ce que je décrirais comme un système de combat total, qui englobait toutes les parties du corps, y compris les pieds, les genoux, les coudes, les poings, la tête, et même les dents. Mais le ninjutsu est bien plus que cela. HS parlait de *nagare*, la roulade coulée. Car il faut savoir à quel moment passer d'une forme d'attaque à la suivante. Finalement, tout revient à une attitude mentale. « Tu ne peux pas gagner si tu ne crois pas que tu vas gagner », disait-il. Il parlait avec un fort accent japonais et aboyait comme un chien. « Tu dois contrôler tes émotions. Contrôler tes sentiments. S'il y a en toi une pointe de peur ou d'insécurité, tu dois la détruire avant qu'elle ne te détruise. Ce n'est pas la taille ni la force de ton adversaire qui compte. Car c'est mesurable. Ce qui compte, c'est ce qui ne se mesure pas. Le courage, la détermination. »

J'avais une immense admiration pour Hatsumi Saburo, mais je ne l'aimais pas. Parfois, nous combattions avec des épées en bois appelées *bokken*. Il ne retenait jamais ses coups. Quand j'allais me coucher, j'avais le corps couvert de bleus.

« Tu as trop d'émotions, Yassen ! croassait-il en se penchant au-dessus de moi. Toute cette tristesse, toute cette colère. Ça fait de la fumée devant tes yeux. Si tu ne chasses pas cette fumée, comment espères-tu voir quelque chose ? »

Étais-je triste ? En colère ? Scorpia le savait mieux que moi, je suppose. En effet, comme me l'avait dit Mme Rothman, j'étais soumis à des examens psychologiques réguliers, effectués par un spécialiste. Le Dr Steiner venait d'Afrique du Sud. Il m'a déplu tout de suite, par sa façon de m'observer, ses yeux soupçonneux qui sondaient les miens. Je ne crois pas l'avoir entendu prononcer une phrase qui n'était pas une question. Toujours tiré à quatre épingles, il portait un œillet rouge à la boutonnière, s'asseyait en croisant une jambe sur l'autre d'un mouvement gracieux, et regardait de temps à autre une montre de gousset en or. Son bureau était nu. Un simple espace blanc avec deux fauteuils. La fenêtre donnait sur le champ de tir et j'entendais parfois des détonations en même temps que le Dr Steiner me mitraillait de questions.

Je regrettais de m'être trop confié à Mme Rothman. Elle lui avait tout répété et il voulait que je lui parle de mes parents, de ma grand-mère, de mon enfance à Estrov. Plus il me questionnait, moins je voulais en dire. Je me sentais vide, comme si la vie que je décrivais ne m'appartenait plus. Le plus étrange c'est que c'était exactement ce qu'il désirait. À sa façon, il était un peu comme Hatsumi Saburo. Mon ancienne vie était de la fumée. Il fallait la chasser.

On nous accordait deux heures de repos avant le dîner, mais nous étions censés utiliser ces deux heures de manière productive. Mon tuteur, Olivier d'Arc, insistait pour que je lise des livres. En anglais, pas en russe. Certains soirs, nous avions des discussions politiques. J'en ai plus appris sur mon pays natal là-bas que lorsque j'y vivais.

Nous avions aussi des professeurs invités. On les amenait à Malagosto les yeux bandés. Un certain nombre d'entre eux avaient passé du temps en prison, et chacun était expert dans son domaine. L'un était pickpocket. Il nous serrait la main en arrivant, puis débutait son cours en nous rendant nos montres. Un autre nous montrait comment crocheter les serrures. Nous avons aussi eu droit à un cours extraordinaire, donné par un Hongrois âgé dont un côté du visage portait d'horribles cicatrices. Il avait perdu la vue dans un accident de voiture. Pendant deux heures, il nous a parlé de déguisements, de fausses identités et, à la fin, il s'est révélé une jeune femme belge de trente-deux ans, pas plus aveugle que nous.

On ne savait jamais ce qui nous attendait. L'école adorait nous surprendre. Parfois, au milieu de la nuit, un coup de sifflet crevait le silence et on nous appelait pour un parcours du combattant : il fallait ramper dans la boue, escalader des filets, se balancer sur des cordes, tandis que M. Ross tirait autour de nos pieds à balles réelles. Un jour, on nous a ordonné de nager jusqu'au continent, de voler des vêtements et de l'argent, et de revenir.

Scorpia ne voulait pas nous couper du monde réel. Outre les sorties avec la Comtesse, on nous accordait souvent une demi-journée de congé à Venise. Marat et Sam partaient ensemble, je restais avec Colette. Nous allions au marché, ou bien nous promener dans les rues. Colette s'arrêtait toujours pour prendre des photos. Elle adorait les détails : une poignée de porte en fer forgé, une gargouille, un chat endormi sur un rebord de fenêtre. Je n'étais jamais sorti avec une fille – je n'en avais pas eu l'occasion –, et Colette m'attirait d'une façon que j'avais du mal à comprendre. On n'arrêtait pas de me répéter que je devais cacher mes sentiments. Or, quand j'étais avec elle, j'avais envie de faire l'inverse.

Colette ne se confiait pas davantage qu'à notre première rencontre, et j'avais assez de bon sens pour ne pas la presser de questions. Un jour, elle a simplement laissé échapper qu'elle avait vécu à Paris, que son père était proche du gouvernement français et qu'elle ne lui avait pas parlé depuis des années. Elle avait quitté sa famille très jeune et vécu par ses propres moyens. Elle n'expliquait pas comment elle avait découvert Scorpia, mais j'ai compris que sa formation allait bientôt s'achever. Comme toutes les recrues, elle serait envoyée pour sa première mission en solo. Un vrai contrat, avec une vraie cible.

— Tu y penses souvent, Colette ?

Nous étions à une terrasse de café sur la Riva degli Schiavoni, où déambulaient des centaines de touristes, devant une large étendue de lagune. La foule nous isolait.

— À quoi ?

— À tuer, ai-je dit en baissant la voix. À prendre la vie de quelqu'un.

Elle m'a regardé par-dessus le bord de sa tasse de café. Malgré ses lunettes de soleil qui masquaient ses yeux, je la devinais agacée.

— Tu devrais poser cette question au Dr Steiner.

— C'est à toi que je la pose.

— Pourquoi veux-tu le savoir ? a-t-elle répliqué sèchement. C'est un boulot. Il y a toutes sortes de gens qui ne méritent pas de vivre. Des gens riches. Des gens puissants. En éliminant l'un d'eux, tu rends service au monde.

— Et s'ils sont mariés ?

— On s'en moque.

— Et s'ils ont des enfants ?

— Si tu rumines ce genre de pensées, ta place n'est pas ici. Ce ne sont pas des choses à dire. Si tu parles comme ça devant Marat ou Sam, ils iront tout droit te dénoncer à M. Nye.

— Je ne parle pas avec eux. Ce ne sont pas mes amis.

— Et moi, tu crois que je suis ton amie ?

Je me souviens nettement de cet instant. Colette était penchée vers moi. Elle portait une veste sur un maillot ajusté. Elle a ôté ses lunettes de soleil et, dans ses yeux bruns, j'ai vu plus de chaleur qu'elle ne voulait sans doute y mettre. À cette minute, j'ai souhaité ressembler à tous les gens qui déambulaient autour de nous. Un jeune Russe et une jeune Française qui se rencontrent dans l'une des villes les plus romantiques du monde. Mais, bien sûr, ce n'était pas possible. Ça ne le serait jamais.

—Je ne suis pas ton amie. Nous n'aurons jamais d'amis, Yassen. Aucun de nous.

Elle a terminé son café et elle s'est levée pour partir.

Colette a quitté l'île quelques semaines plus tard. Après son départ, nous n'étions plus que trois à suivre l'entraînement.

Aucun des instructeurs ne le disait, mais je savais que je me débrouillais bien. J'étais le plus rapide au parcours du combattant. Au tir, mes cibles me revenaient toujours avec les balles regroupées en pleine tête. Je maîtrisais les seize armes secrètes du corps fondamentales au ninjutsu, et lors d'un combat d'entraînement j'avais même réussi à toucher HS. Il avait l'air content... même s'il m'a mis à terre une seconde plus tard. Après des heures passées au gymnase, j'étais au mieux de ma condition physique. Je pouvais faire six fois le tour de l'île au pas de course sans être essoufflé.

Pourtant, je n'arrivais pas à oublier ce que j'avais dit à Colette. Quand je visais une cible, je voyais un être humain et non pas la silhouette en carton découpé au visage grimaçant. Et au lieu du claquement sec, du petit trou bien rond qui apparaissait dans le carton perforé par la balle, j'imaginais le fracas des os éclatés, le sang qui giclait. Le regard de la cible de carton ne me voyait pas, ne ressentait rien. Mais à quoi pensait un homme au moment de mourir ? Il ne reverrait plus sa famille. Il ne sentirait plus la chaleur du soleil. Tout ce qu'il était et tout ce qu'il aimait, je le lui volerais. Étais-je réellement capable d'infliger ça à un être humain sans me haïr jusqu'à la fin de mes jours ?

Je n'avais pas choisi d'être là. À une époque, je pensais que j'irais travailler à l'usine de pesticides. Que je continuerais de vivre dans un village dont personne n'avait jamais entendu parler, en rêvant de devenir pilote d'hélicoptère devant des photos épinglées sur un mur. Avec le recul, j'avais l'impression qu'une puissance maléfique m'avait manipulé pour me conduire à Malagosto. Dès l'instant où mes parents avaient été tués, j'avais perdu tout contrôle sur ma vie. Pourtant il n'était pas trop tard. Scorpia m'avait appris à me battre, à changer d'identité, à me cacher et à survivre. Une fois loin de l'île, je pourrais voler de l'argent et aller n'importe où, changer de nom, démarrer une nouvelle vie. Allongé sur mon lit, le soir, je me laissais porter par mes rêves, tout en sachant, avec un profond sentiment de désespoir, que je me berçais d'illusions. Scorpia était une organisation bien trop puissante. Aussi loin que j'aille, ils finiraient par me retrouver et je n'échapperais pas aux conséquences de mon acte. Je mourrais jeune. Mais cela ne valait-il pas mieux que de devenir ce à quoi ils me préparaient ? Au moins, je resterais fidèle à moi-même.

J'étais terrifié à l'idée de trahir mes désirs secrets face au Dr Steiner. Je réfléchissais toujours avant de répondre à ses questions, je m'efforçais de lui dire ce qu'il espérait entendre et non ce que je pensais réellement. J'avais peur, s'il devinait ma faiblesse, que mon entraînement ne soit suspendu et qu'une nouvelle recrue ne vienne m'enterrer dans les bois. La technique consistait à demeurer parfaitement impassible. Parfois, il me montrait des images horribles : des scènes de guerre et de violence. J'essayais de ne pas regarder les corps mutilés et les cadavres, mais ensuite il me posait des questions et je devais tout lui décrire par le détail, en m'efforçant de masquer le tremblement de ma voix.

Je m'en sortais assez bien, je crois. À la fin de chaque séance d'évaluation, il prenait ma main entre les siennes et ronronnait : « C'est bien, Yassen. C'était très bien. » Autant que je pouvais en juger, il ne savait pas ce qui se passait réellement dans ma tête.

Enfin, un beau jour, Olivier d'Arc m'a convoqué dans son bureau. Quand je suis entré, il jouait du violoncelle. Cela lui arrivait parfois. La pièce était en désordre, submergée de livres et de papiers qui débordaient des tiroirs. Ça sentait le tabac, pourtant on ne le voyait jamais fumer.

— Ah ! Yassen ! s'est-il exclamé. Je crains que tu ne manques l'entraînement de ce soir. Mme Rothman est de retour à Venise. Tu vas dîner avec elle. Habille-toi correctement. Un bateau viendra te chercher à dix-neuf heures.

À mes débuts sur l'île, j'aurais demandé pourquoi Mme Rothman désirait me voir. À présent, je savais qu'on me fournirait toutes les informations néces-saires en temps voulu, et que poser des questions super-flues révélerait simplement mon manque de maîtrise.

— Il semble que tu sois sur le point de nous quitter, a poursuivi Olivier d'Arc.

— Ma formation est terminée ?

— Oui.

Il a pincé une corde du violoncelle.

— Tu as fait d'immenses progrès, mon cher garçon. Et je dois admettre que j'ai pris un grand plaisir à être ton tuteur. Le grand moment est arrivé pour toi. Bonne chance !

L'heure de l'examen final avait donc sonné. Le meurtre en solo. Mon entraînement touchait à sa fin. Ma vie de tueur allait bientôt commencer.

Pour mon deuxième entretien avec elle Mme Rothman m'avait envoyé son bateau personnel, un superbe hors-bord en teck et chrome, doté d'un scorpion d'argent en tête de proue. Pour aller au Palais de la Veuve, nous sommes passés sous le pont des Soupirs, et j'ai espéré que ce n'était pas un mauvais présage. Mme Rothman était encore vêtue de noir, mais cette fois d'une robe très décolletée avec une fermeture Éclair sur un côté, que j'ai reconnue aussitôt (grâce aux leçons de la Comtesse) comme un modèle de Gianni Versace. Nous avons dîné dans sa salle à manger privée, sur une longue table éclairée de chandelles, au milieu de tableaux de Picasso, de Cézanne et de Van Gogh qui valaient des fortunes. Le repas se composait d'un potage, suivi de homard et d'un dessert crémeux à base de jaune d'œuf, de sucre et de vin que les Italiens appellent *zabaglione*. La nourriture était délicieuse mais, tout en mangeant, j'avais conscience que Mme Rothman m'observait et me soumettait à un autre genre d'examen.

— Je suis très satisfaite de toi, Yassen, a-t-elle conclu au moment du café.

Tout le repas nous avait été servi par deux domestiques en veste blanche et pantalon noir.

— Est-ce que tu te sens prêt ?

— Oui, Mme Rothman.

— Dorénavant, tu peux cesser de m'appeler ainsi.

Elle souriait et sa beauté d'actrice de cinéma m'a saisi une nouvelle fois.

— Je préfère Julia.

Un dossier était posé sur la table à côté d'elle. Il n'y était pas au début. L'un des serveurs l'avait apporté avec le café. Elle a ouvert le dossier et en a sorti un rapport imprimé.

— Tu as des dons naturels, Yassen, et tu es un excellent tireur. Hatsumi Saburo parle en termes élogieux de tes capacités. Je vois aussi que tu as retenu les leçons de la Comtesse. Tes manières sont parfaites. Il y a six mois, tu n'aurais pas été capable de t'asseoir à cette table sans trahir ta condition. Aujourd'hui, on ne voit plus rien de l'orphelin mal dégrossi que tu étais.

J'ai hoché la tête sans rien dire. Une autre leçon : ne jamais montrer sa gratitude à moins d'espérer en tirer profit.

— Mais le moment est venu de juger si tu peux mettre en pratique ce que tu as appris.

Elle a sorti un passeport du dossier et l'a fait glisser sur la table.

— C'est pour toi. Nous avons conservé ton nom de famille. Il n'y avait aucune raison de ne pas le faire, d'autant que ton prénom n'est plus le même. Yassen Gregorovitch. C'est ton identité et tu la garderas toujours. À moins qu'on ne juge nécessaire de t'utiliser sous un faux nom.

Elle a ensuite poussé une enveloppe vers moi.

— Tu trouveras ici les informations concernant ton compte en banque. Tu es désormais un client de l'European Finance Group. Une banque privée qui a son siège à Genève. Il y a cinquante mille dollars américains, cinquante mille euros, et cinquante mille livres sterling. Quoi que tu dépenses, les montants ne changeront pas. Mais, bien entendu, nous surveillerons tes dépenses.

Visiblement, elle se réjouissait de m'envoyer sur le terrain pour la première fois, me défiant presque de montrer ma réticence ou un signe de peur. Ensuite elle a sorti une seconde enveloppe, plus épaisse que la première, scellée par une bande noire adhésive. Au milieu, il y avait un symbole de scorpion marqué au tampon.

— Cette enveloppe contient un ticket d'avion aller-retour pour New York. C'est là qu'aura lieu ton premier contrat. Tu trouveras aussi mille dollars en espèces pour tes frais courants. Tu voyageras en classe économique.

Cela ne me surprenait pas. J'étais jeune et j'entrais aux États-Unis par mes propres moyens. Voyager en classe affaires ou en première aurait trop attiré l'attention sur moi.

— Quelqu'un ira te chercher à l'aéroport pour te conduire à ton hôtel. Tu viendras me faire ton rapport ici, à Venise, dans une semaine. Veux-tu savoir qui est ta cible ?

— Je suis certain que vous me le direz le moment venu.

— C'est exact, a souri Mme Rothman. Tu recevras les renseignements utiles à ton arrivée là-bas. On te remettra également une arme. Est-ce que tu as tout compris ?

— Oui.

Bien entendu, j'avais une foule de questions. Surtout, je voulais avoir un nom et un visage. Quelque part, à l'autre bout du monde, un homme vaquait à ses occupations sans savoir que j'étais en route. Qu'avait-il fait pour provoquer la colère de Scorpia ? Pourquoi devait-il perdre la vie ? Mais je suis resté muet. Je m'appliquais à ne montrer aucun signe de faiblesse.

— Eh bien je pense que notre soirée s'achève, a repris Mme Rothman.

Elle a allongé le bras et, un bref instant, ses doigts effilés ont effleuré le dos de ma main.

— Tu sais, Yassen, tu es un très beau jeune homme. C'était déjà le cas quand je t'ai vu la première fois, et ces cinq mois à Malagosto t'ont encore amélioré.

Elle a poussé un soupir et retiré sa main.

— Les jeunes Russes ne sont pas vraiment mon genre. Sinon, qui sait où ça nous aurait menés ? En tout cas, ton physique t'aidera certainement dans ton travail. La mort devrait toujours venir sous des traits séduisants.

Elle s'est levée, comme pour donner le signal de la séparation, puis elle s'est ravisée et tournée vers moi.

— Tu aimais bien cette fille, Colette, n'est-ce pas ?

— On a passé quelques moments ensemble. Nous sommes venus à Venise une ou deux fois.

Julia Rothman le savait probablement.

— Oui, a-t-elle murmuré d'un air songeur. Je me doutais que ça collerait bien entre vous.

Elle me lançait la perche. Je l'ai saisie.

— Comment va Colette ?

— Elle est morte.

Mme Rothman a épousseté un grain de poussière imaginaire sur la manche de sa robe noire.

— Sa première mission s'est très mal passée. Ce n'était pas entièrement sa faute. Elle a éliminé la cible, mais elle s'est fait tuer par la police argentine.

À cet instant, j'ai compris ce que Julia Rothman m'avait fait. J'ai compris à quel point Scorpia m'avait transformé.

Je n'ai pas réagi. Je n'ai rien dit. Si j'étais triste, je ne l'ai pas montré. Impassible, j'ai simplement regardé Mme Rothman quitter la pièce.

Нью-Йорк

New York

Jamais je n'avais effectué un aussi long trajet en avion.

Neuf heures dans les airs ! Une expérience fascinante. La taille de l'avion, le nombre de passagers entassés, la mauvaise nourriture servie sur des plateaux en plastique, le jour et la nuit qui refusaient de se comporter comme d'habitude derrière les petits hublots ronds. Je découvrais le décalage horaire. Une sensation curieuse, mais contre laquelle je n'avais aucun mal à lutter. J'étais dans une forme physique éclatante, et dopé par ma mission.

J'entrais aux États-Unis sous mon propre nom, avec une petite histoire concoctée par Scorpia : étudiant, je bénéficiais d'une bourse de l'université de Moscou pour étudier la littérature américaine. Je venais assister à une série de conférences sur les grands écrivains américains à la bibliothèque de New York. Ce cycle de conférences avait vraiment lieu. J'avais avec moi une lettre d'introduction de mon professeur, une copie de ma thèse, et un programme de la bibliothèque. J'étais censé résider chez mon oncle et ma tante, M. et Mme Kirov, qui habitaient à Brooklyn. J'avais également une lettre signée d'eux.

Dans la longue file du hall d'immigration, j'observais les hommes et les femmes en uniforme dans leurs guérites de verre qui tamponnaient les passeports des voyageurs. Quand mon tour est arrivé, j'étais un peu agacé de sentir mon cœur tambouriner face à l'employé noir à l'air revêche qui semblait me suspecter avant même que j'aie ouvert la bouche.

— Motif de votre visite aux États-Unis ?

— Je suis étudiant en littérature américaine. Je viens assister à des conférences.

— Combien de temps restez-vous ?

Il scrutait mon passeport.

— Une semaine.

Je croyais en avoir fini. J'attendais qu'il appose son tampon. Au lieu de ça, il m'a demandé :

— Vous aimez Francis Scott Fitzgerald ?

Je connaissais le nom de cet auteur. C'était l'un des écrivains américains majeurs du début du XXᵉ siècle.

— J'aime beaucoup *Gatsby le Magnifique*. C'est son meilleur roman à mon avis. Mais le suivant, *Tendre est la nuit*, est fantastique aussi.

L'employé a hoché la tête.

— OK, amusez-vous bien.

Il a tamponné mon passeport. Je pouvais entrer.

J'avais une valise. La valise elle-même et les vêtements qu'elle contenait avaient été achetés à Moscou. Bien entendu, je ne transportais pas d'arme. Il aurait peut-être été possible d'en dissimuler une dans mes bagages, mais c'était un risque inutile. Grâce aux absurdes lois américaines, il était beaucoup plus facile de s'en procurer une sur place. J'ai attendu devant le carrousel des bagages, et constaté au premier coup d'œil que personne n'avait fouillé ma valise, ni à l'aéroport de Rome, ni ici. Si la police ou la douane avait tenté de forcer un des cadenas, le circuit électrique dissimulé dans la poignée aurait été rompu, modifiant ainsi la couleur de l'étiquette bleue et signalant une intrusion. Or l'étiquette était toujours bleue. J'ai pris ma valise et je suis parti.

Mon contact m'attendait dans le hall des arrivées. Il brandissait une pancarte blanche avec mon nom. Il ressemblait à tous les autres chauffeurs de limousine : las et blasé, vêtu d'un costume et d'une chemise blanche, les yeux cachés derrière des lunettes noires malgré l'heure tardive. Il avait mal orthographié mon nom. La pancarte indiquait : Yassen Gregorivich. Ce n'était pas une erreur, mais un signal convenu. Cela signifiait qu'il était bien qui il était, et que la voie était libre.

Il ne m'a pas dit son nom. Je ne le lui ai pas demandé. Il y avait peu de chances qu'on se rencontre à nouveau. Nous avons marché jusqu'au parking sans un mot. Il avait garé sa voiture, une Daimler noire, près de la sortie, et il m'a tenu la portière ouverte pendant que je prenais place à l'arrière. Une fois assis au volant, il s'est retourné pour me tendre une enveloppe. Celle-ci aussi était marquée d'un scorpion.

— Vous trouverez vos instructions à l'intérieur, m'a dit le chauffeur. Vous pouvez les lire dans la voiture. Le trajet dure environ quarante minutes. Je vous conduis au SoHo Plaza Hotel, où une chambre a été réservée à votre nom. Vous y resterez ce soir. Quelqu'un vous rendra visite à dix heures précises.

Il frappera trois coups à votre porte et se présentera sous le nom de Marcus. Vous avez compris ?

— Oui.

— Bien. Il y a une bouteille d'eau dans la portière, si vous avez soif...

Il a démarré. Un instant plus tard, nous sommes sortis à l'air libre.

Rien ne prépare le visiteur à la vue sur New York quand il franchit le pont de Brooklyn. Les lumières qui scintillent derrière des milliers et des milliers de fenêtres, les gratte-ciel qui s'offrent au regard comme des jouets dans une vitrine de Noël, tant de vie concentrée en si peu d'espace. L'Empire State Building, le Chrysler Building, le Rockefeller Center, le Beekman, le Waldorf-Astoria, les yeux sautent de l'un à l'autre et bientôt on est submergé. On ne peut plus les distinguer. Ils se mêlent et se fondent pour devenir une île, une ville. À chaque voyage à New York, on est ébahi. Mais la première fois, on ne l'oublie jamais.

Je n'ai rien vu. Oh, bien sûr, j'ai ouvert grands les yeux en traversant l'East River, mais je n'arrivais pas à croire que j'étais vraiment là. Tout se passait comme si j'étais assis dans une sorte de prison ; les vitres teintées de la limousine étaient un écran de télévision que je regardais du coin de l'œil. Si on m'avait dit, un an plus tôt, que j'arriverais un jour à New York dans une limousine conduite par un chauffeur, j'aurais éclaté de rire. Mais le panorama ne signifiait rien. J'avais ouvert l'enveloppe, et sorti quelques feuillets et deux photos. J'examinais le visage de la personne que j'étais venu tuer. Je m'étais trompé. Ma cible n'était pas un homme.

Elle s'appelait Kathryn Davis et était avocate associée dans le cabinet Clarke Davenport, situé sur la Cinquième Avenue. Probablement un quartier huppé.

La première photo, en noir et blanc, la montrait sur un trottoir à un feu rouge. Kathryn Davis avait un visage carré, sérieux, des cheveux châtain clair avec une frange. Je lui donnais dans les trente-cinq ans. Elle portait des lunettes qui accentuaient son air sévère. Il y avait quelque chose de brutal en elle. Je l'imaginais aisément en train de mettre en pièces un adversaire au tribunal. Sur la deuxième photo, en couleurs, elle souriait et paraissait plus détendue. Elle faisait signe à quelqu'un qui se trouvait hors du cadre. Laquelle des deux Kathryn Davis allais-je rencontrer ? Laquelle serait la plus facile à tuer ?

Une coupure de journal était jointe aux photos :

UNE AVOCATE DE NEW YORK MENACÉE

À Red Knot Valley, Nevada, Kathryn Davis est une héroïne, mais à Manhattan, où elle vit et travaille, elle affirme avoir reçu des menaces de mort.

Kathryn Davis représente deux cent vingt résidents de la communauté de Red Knot, lesquels se sont groupés pour porter plainte contre l'entreprise multinationale Pacific Ridge Mining Company. Selon eux, des millions de tonnes de déchets miniers ont été répandus dans leur écosystème, tuant leurs poissons, empoisonnant leurs cultures et causant des inondations. Pacific Ridge, qui nie ces accusations, possède plusieurs mines d'or à ciel ouvert dans la région, et lorsque des traces d'arsenic ont été découvertes dans la chaîne alimentaire, les habitants ont été prompts à crier au scandale. Il a fallu deux ans à l'avocate Kathryn Davis pour réunir les preuves, mais elle pense que ses clients toucheront des dommages et intérêts de plus d'un milliard de dollars lorsque l'affaire sera jugée, le mois prochain.

« Cela n'a pas été de tout repos, explique Kathryn Davis, trente-sept ans, mère de deux enfants. Mon télé-

phone a été mis sur écoute. On m'a suivie dans la rue. J'ai reçu deux courriels de menaces, que j'ai communiqués à la police. Mais je ne me laisserai pas intimider. Ce qui s'est produit à Red Knot est un scandale national et je suis bien décidée à dévoiler la vérité. »

L'enveloppe contenait également l'adresse personnelle de Kathryn Davis (85e Rue Ouest), et une photo de sa maison : une ravissante bâtisse dans une rue bordée d'arbres. Selon la notice biographique, elle était mariée à un médecin, mère de deux enfants, et elle avait un chien. Elle était membre de plusieurs clubs et fréquentait une salle de sport. Au fond de l'enveloppe, un bristol blanc contenait juste ces mots : CRIME CRAPULEUX. AVANT LE WEEK-END.

C'est un souvenir un peu embarrassant pour moi, mais à l'époque je ne savais pas ce que signifiait exactement « crime crapuleux ». Je n'avais jamais entendu cette expression et je craignais que le chauffeur ou Marcus se moque de mon ignorance. Dès le lendemain matin, je suis allé dans une librairie consulter un dictionnaire, et j'ai compris que Scorpia voulait que l'assassinat apparaisse comme une agression sur la voie publique. En plus de la tuer, je devais aussi lui voler son argent. Ainsi, personne n'établirait un lien avec Scorpia ni avec la Pacific Ridge.

Le chauffeur ne m'a quasiment plus adressé la parole. Il s'est garé devant un hôtel à la façade démodée, où des porteurs attendaient de sortir ma valise pour la porter à la réception. Là, j'ai montré mon passeport et donné ma carte de crédit.

— Vous avez une chambre pour quatre nuits, M. Gregorovitch, m'a confirmé le réceptionniste.

Cela me mènerait jusqu'au samedi, jour où je reprendrais l'avion à l'aéroport J. F. Kennedy pour l'Italie, à onze heures du matin.

— Merci.

— Vous avez la chambre 605. Sixième étage. Bon séjour, monsieur.

Pendant l'entraînement à Malagosto, Olivier d'Arc m'avait raconté l'histoire d'un agent israélien qui travaillait sous une fausse identité à Dubaï. Il était entré dans une cabine d'ascenseur avec sept autres personnes. L'une d'elles avait été son meilleur ami. Les autres étaient une vieille dame française qui séjournait à l'hôtel, un aveugle, un jeune couple en voyage de noces, une femme en burqa et une femme de chambre. La porte de l'ascenseur s'était refermée et l'agent israélien avait soudain découvert que tous, y compris son ancien ami, travaillaient pour Al-Qaïda. Quand la porte s'est rouverte, il était mort. J'ai pris l'escalier et fait monter ma valise.

La chambre était petite, propre, fonctionnelle. Je me suis assis sur le lit en attendant ma valise, j'ai donné un pourboire au porteur, puis j'ai défait mes affaires. Avant de quitter Malagosto, Gordon Ross m'avait remis deux des gadgets dont il nous avait fait la démonstration et qui, espérait-il, me seraient utiles. Le premier était une pendulette de voyage. Je l'ai sortie et j'ai pressé un bouton sur la face arrière. La pendulette a scanné la chambre à la recherche de signaux électromagnétiques. Autrement dit de micros cachés. Il n'y en avait pas un seul. La chambre était clean. Ensuite, j'ai pris un magnétocassette miniature aimanté et je l'ai collé contre le réfrigérateur. Pendant mon absence, l'appareil enregistrerait les intrus éventuels.

À dix heures précises, le soir, on a frappé trois coups à ma porte. Je suis allé ouvrir et me suis trouvé face à un homme aux cheveux gris, élégamment vêtu d'un costume et d'un manteau ouvert. Il avait une barbe, grise comme ses cheveux. On l'aurait facilement pris pour un professeur ou un attaché d'ambassade.

— M. Gregorovitch ?

C'était bizarre. Il fallait que je m'habitue à m'entendre appeler monsieur.

— Oui. Vous êtes Marcus ?

Il a ignoré ma question et m'a tendu un paquet enveloppé de papier brun en disant :

— C'est pour vous. Je reviendrai demain soir à la même heure. D'ici là, j'espère, vous aurez tout planifié. D'accord ?

— D'accord.

— Ravi de vous connaître.

Et il est parti. J'ai emporté le paquet sur le lit pour l'ouvrir. D'après la taille et le poids, je savais déjà ce que j'allais trouver. C'était un Smith & Wesson 4546, un pistolet semi-automatique vilain mais efficace, d'aspect usagé. Le numéro de série avait été limé pour le rendre intraçable. Le chargeur contenait six balles. Cette fois, ça y était. J'avais la cible, j'avais l'arme, et quatre jours pour exécuter le contrat.

Le lendemain matin, je me suis posté dans la rue devant les bureaux du cabinet Clarke Davenport, situé au dix-neuvième étage d'un gratte-ciel de Midtown Manhattan, tout près de l'immense édifice en marbre blanc de la cathédrale Saint-Patrick. L'église m'était très utile. C'est l'un des rares endroits dans une ville où il est possible de s'attarder sans avoir l'air suspect. Du haut des marches, je pouvais à loisir examiner l'immeuble d'en face, surveiller les gens qui franchissaient les portes à tambour. Je me demandais si je pourrais repérer Kathryn Davis parmi eux. Elle ne s'est pas montrée et j'en ai été soulagé. Je n'étais pas encore tout à fait prêt pour ça. Et une partie de moi craignait de ne l'être jamais.

Le secret d'un assassinat réussi est de bien connaître sa cible. C'est ce qu'on m'avait enseigné. Il faut se familiariser avec ses déplacements, ses habitudes, son emploi du temps quotidien, les restaurants qu'elle fréquente, les amis qu'elle rencontre, ses goûts, ses faiblesses, ses secrets. Plus on en connaît, plus il est facile de choisir l'occasion et le bon moment, et moins on court le risque de commettre une erreur. On pourrait penser que j'avais peu de chances d'apprendre quoi que ce soit en observant un immeuble pendant cinq heures d'affilée, pourtant, au bout de ces cinq heures, je me sentais parfaitement en phase avec ce qu'il me restait à faire. J'avais repéré les caméras de surveillance. J'avais compté le nombre de policiers en patrouille. J'avais vu des techniciens de maintenance entrer, et noté le nom des compagnies pour lesquelles ils travaillaient.

À cinq heures et demie cet après-midi-là, juste au moment où commence le rush des sorties de bureaux, quand tout le monde est fatigué et énervé, je me suis présenté au guichet de réception, revêtu de la combinaison d'un ingénieur de Bedford Electricity. J'avais rendu une petite visite à cette entreprise un peu plus tôt – le siège était à Brooklyn – sous le prétexte de chercher un emploi, et je n'avais eu aucun mal à dérober un uniforme et une liasse de papiers à en-tête. De retour à mon hôtel, j'avais fabriqué un badge en utilisant le logo de la compagnie et une photo de moi, prise dans un Photomaton, le tout sous une pochette plastique, que j'avais délibérément rayée et salie pour la rendre moins lisible. Jouer un rôle est une question de mental. Il suffit de croire que l'on est celui ou celle qu'on est censé être. On peut montrer une carte de voyage à quelqu'un qui la prendra pour une carte de police si on le fait avec une autorité suffisante. Encore une leçon apprise à Malagosto.

La réceptionniste était une femme grassouillette, qui ne quittait pas de l'œil l'énorme pendule accrochée au mur en face d'elle. Un vigile en uniforme se tenait à proximité.

— BLI Electrics, ai-je annoncé à l'employée. (Je parlais avec un accent newyorkais que j'avais mis des heures à peaufiner.) Il y a un radiateur en panne chez...

J'ai fait semblant de consulter ma fiche.

— Clarke Davenport.

— Je ne me souviens pas de vous avoir déjà vu.

— Exact, m'dame.

Je lui ai montré mon passe tout en la fixant droit dans les yeux pour qu'elle ne le regarde pas de trop près.

— C'est ma première semaine dans ce boulot. Et c'est mon premier boulot, ai-je ajouté fièrement. J'ai eu mon diplôme cet été.

Elle m'a souri. J'ai supposé qu'elle avait des enfants.

— Dix-neuvième étage.

Le vigile a même appelé l'ascenseur pour moi.

Je l'ai pris jusqu'au dix-huitième étage, puis je suis allé dans la cage d'escalier. Il était encore trop tôt et je me disais que les avocats n'ont pas des horaires normaux. J'ai attendu une heure, à l'affût des bruits de l'immeuble : les gens qui se disaient au revoir, les carillons des cabines d'ascenseur à la fermeture et à l'ouverture des portes. Le soir était maintenant tombé. Avec un peu de chance, les bureaux seraient déserts, à l'exception du personnel d'entretien. Je suis monté au dix-neuvième étage par l'escalier et j'ai débouché dans le hall de Clarke Davenport, orné de deux grosses lettres argentées au mur : CD. Il n'y avait personne. L'éclairage était tamisé. Une double porte en verre givré ouvrait sur un long couloir tapissé d'une épaisse moquette bleue, qui conduisait à des salles de réunion meublées de fauteuils en cuir et de tables lustrées comme des miroirs. J'ai traversé sans bruit un large espace de travail équipé de bureaux, d'ordinateurs et de photocopieuses, mais, en arrivant au fond, j'ai capté un mouvement du coin de l'œil.

— Vous cherchez quelque chose ? m'a lancé une voix.

Je n'avais pas remarqué la jeune femme à l'air fatigué accroupie devant un classeur. Vêtue d'un manteau et d'une écharpe, elle était sur le point de partir. Je l'avais laissée me voir. Une négligence qu'aurait violemment condamnée Sefton Nye. J'imaginais sa réaction.

— La fontaine à eau, ai-je marmonné.

— Oh, oui, bien sûr.

Elle avait trouvé le dossier qu'elle cherchait et s'est redressée.

J'ai continué mon chemin. Avec un peu de chance, elle ne se souviendrait pas de moi.

Chaque bureau portait le nom de son occupant sur une petite plaque imprimée à côté de la porte. C'était très utile. Celui de Kathryn Davis se trouvait tout au bout. Elle devait occuper un poste important au sein du cabinet car elle bénéficiait d'une pièce d'angle, avec vue sur la Cinquième Avenue et la cathédrale Saint-Patrick. La porte était fermée à clé mais ça ne me posait aucun problème. À l'aide d'une pique et d'une clé de tension, je l'ai ouverte en cinq secondes et je suis entré dans un bureau d'avocat typique, avec une table ancienne, deux chaises placées en face, une étagère remplie de livres, un sofa en cuir, une table basse, et des photos de montagne aux murs. J'ai allumé la lampe de bureau. Une lampe torche aurait été plus prudente, mais je ne comptais pas rester longtemps et un bon éclairage me faciliterait la tâche.

Sur le bureau, à côté d'un agenda, il y avait la photo encadrée de deux enfants, un garçon et une fille d'environ douze et quatorze ans, en tenue de randonnée. L'agenda indiquait des rendez-vous professionnels toute la semaine, un déjeuner le lendemain et, le vendredi, une soirée. La note disait :

MET 19 h

D maison

J'ai rapidement exploré le reste de la pièce. Tous les livres étaient des ouvrages juridiques, à l'exception de deux livres d'art posés sur la table basse, contenant des reproductions de tableaux célèbres. Il y avait également un catalogue d'une vente publique d'art moderne. J'ai caressé du bout des doigts le sofa de cuir, cherchant à percevoir quelque chose de la femme qui s'y asseyait. Mais cette pièce ne révélait presque rien de la personnalité de Kathryn Davis. Le décor avait été conçu pour donner une image sérieuse, professionnelle aux clients, rien de plus.

Pourtant, j'avais trouvé ce que j'étais venu chercher. Je savais où et quand aurait lieu l'assassinat.

À vingt-deux heures précises, l'homme qui se faisait appeler Marcus a de nouveau frappé à la porte de ma chambre. Cette fois, il est entré.

— Alors ? a-t-il simplement demandé.

— Vendredi soir. Central Park.

Je n'avais pas mis longtemps à déchiffrer la note dans l'agenda de l'avocate, malgré ma connaissance de la ville. Les livres d'art sur la table basse m'avaient aiguillé. MET signifiait clairement le célèbre Metropolitan Museum of Art de New York. J'avais déjà téléphoné au musée et appris qu'une soirée privée y était organisée ce vendredi pour l'American Bar Association, dont Kathryn Davis était très certainement membre. Le D dans l'agenda était son mari, David. Il resterait à la maison, sans doute pour garder les enfants. Elle irait donc seule à la réception.

Quand j'ai eu fini d'expliquer tout ça à Marcus, il n'a pas réagi mais a semblé approuver l'idée.

— Vous allez l'abattre dans le parc ? Comment savez-vous qu'elle ne rentrera pas en taxi ?

— Elle aime marcher.

Les photos de montagne et les tenues de randonnée révélaient son goût pour la marche.

— Et puis, regardez le plan. Elle habite dans la 85e Rue Ouest. C'est à dix minutes à pied par le parc.

— Et s'il pleut ?

— Alors je devrai intervenir quand elle sortira. Mais j'ai vérifié la météo. Il devrait faire doux et sec.

— Vous avez de la chance. L'année dernière à cette même époque il neigeait. Très bien. Apparemment tout est au point. Si tout se passe selon le plan, vous ne me reverrez plus. Jetez l'arme dans le fleuve. Et ne ratez pas votre avion samedi. Bonne chance.

Il ne faut jamais compter sur la chance. Neuf fois sur dix, elle est votre ennemie. Et si vous en avez besoin, c'est que vous avez mal préparé votre affaire.

Le lendemain, je suis retourné devant la cathédrale Saint-Patrick. Cette fois, j'ai aperçu Kathryn Davis au moment où elle descendait d'un taxi et entrait dans l'immeuble. Elle était plus petite que je ne l'avais imaginé d'après les photos. Elle portait un élégant manteau de couleur beige et un cartable en cuir tellement chargé de dossiers qu'elle n'arrivait pas à le fermer. La voir m'a procuré une étrange sensation. Je n'avais pas peur. Il me semblait que Scorpia avait délibérément choisi une cible facile pour ma première mission. Mais, d'une certaine façon, l'enjeu avait monté d'un cran. Je commençais à réfléchir à mon acte, à l'idée de tuer une personne que je ne connaissais pas et qui ne signifiait rien pour moi. On était mercredi. À la fin de la semaine, ma vie aurait changé et rien ne serait plus comme avant. Je serais devenu un tueur. Il n'y aurait plus de retour en arrière possible.

Les deux jours suivants ont passé comme dans un brouillard. New York était une ville fascinante, avec son architecture impressionnante, le bruit, la circulation, les vitrines de magasins remplies de trésors, la vapeur qui s'élevait de la chaussée. J'aimerais pouvoir dire que j'ai adoré ce temps passé là-bas, mais en réalité je ne pensais qu'au travail à exécuter, à l'instant de vérité qui approchait. Je me suis attelé aux derniers préparatifs. J'ai étudié la maison de la 85ᵉ Rue Ouest. J'ai vu l'école des enfants Davis. Je suis allé au musée, j'ai repéré la salle où se déroulerait la soirée privée, vérifié toutes les entrées et sorties. J'ai acheté un tissu en silicone et un produit dégraissant, et j'ai démonté le pistolet pour m'assurer qu'il était en parfait état de marche. J'ai médité, en utilisant les méthodes apprises à Malagosto, pour résorber mon stress.

Le vendredi soir, il faisait doux et sec, comme l'avait prédit la météo. Je me trouvais devant l'immeuble de Clarke Davenport lorsque Kathryn Davis en est sortie et a hélé un taxi. Ça ne m'a pas étonné. Il était dix-huit heures quarante-cinq et elle se rendait à trente rues de là. J'ai hélé un taxi à mon tour et je l'ai suivie. Il nous a fallu vingt minutes pour nous frayer un chemin au milieu du trafic. À notre arrivée, une foule de gens élégamment vêtus se pressait déjà à l'entrée du MET. Mon taxi avait par hasard doublé celui de Kathryn Davis et j'ai passé quelques minutes d'angoisse avant de la repérer. Elle venait de rejoindre une autre femme. Elles se sont embrassées comme deux relations d'affaires plutôt que comme deux amies proches, sans vraiment se toucher.

Elles sont entrées ensemble dans le musée. J'espérais qu'elles ne partiraient pas aussi ensemble. J'avais parié sur le fait que Kathryn Davis rentrerait seule chez elle. Que se passerait-il si l'autre femme l'accompagnait ? Ou s'il y avait tout un groupe ? J'avais commis une erreur en planifiant le meurtre pour mon dernier soir à New York. Mon avion décollait à onze heures le lendemain matin. Si quelque chose clochait, il n'y aurait pas de rattrapage. Pas de seconde chance.

Mais il était trop tard pour m'en inquiéter. Devant le musée, il y avait une longue esplanade, avec un bassin et trois volées de marches menant à l'entrée principale. J'ai trouvé une place dans un coin sombre pour attendre, tandis que d'autres taxis et limousines arrivaient pour déposer les invités. On entendait jouer du piano à l'intérieur du bâtiment.

Personne ne me voyait. Je portais un manteau sombre, que j'avais acheté dans une friperie et qui était au moins une taille trop grand pour moi. Je l'avais choisi pour ses poches, assez profondes pour dissimuler et l'arme et ma main. Le pistolet serait facile à extraire. J'avais vérifié. Je me sentais très calme. Je savais exactement comment procéder. J'avais rejoué plusieurs fois la scène dans ma tête.

À vingt et une heures trente, les invités ont commencé à partir. Kathryn Davis était parmi les premiers. Elle bavardait avec la femme rencontrée à l'entrée. Apparemment, elles allaient s'éloigner ensemble. Finalement, était-ce si important, deux morts plutôt qu'une ? J'allais entamer une existence où des dizaines, peut-être des centaines d'hommes et de femmes mourraient à cause de moi. Il y aurait forcément des barmen innocents, des policiers qui tenteraient de m'arrêter. Je pouvais presque entendre Olivier d'Arc me sermonner.

Dès l'instant où tu commences à te préoccuper d'eux, où tu t'interroges sur ce que tu fais, adieu, Yassen ! Tu es mort !

J'ai glissé ma main dans ma poche pour sentir le pistolet. Une femme. Deux femmes. Ça ne faisait aucune différence.

En fait, Kathryn Davis s'est éloignée seule. Après quelques mots, elles se sont quittées et elle est partie de son côté. Comme je l'avais prédit, elle a tourné l'angle du MET et s'est engagée dans Central Park. Je l'ai suivie.

Presque tout de suite, nous nous sommes trouvés seuls, à l'écart du brouhaha de la Cinquième Avenue, où les autres invités cherchaient leurs voitures ou des taxis. Le chemin était éclairé. La lumière provenait d'une immense serre, à l'arrière du musée, qui jetait des ombres vert sombre entre les buissons et les arbres. Nous avons traversé une route plus petite, fermée à la circulation, qui traversait le parc. Sur la gauche, un obélisque égyptien en pierre, surnommé l'Aiguille de Cléopâtre, s'élevait au milieu d'une clairière. J'étais venu à cet endroit dans l'après-midi. Deux joggers sont passés, de jeunes hommes en survêtement, leurs semelles de caoutchouc martelant le sol à l'unisson. Je me suis détourné pour leur masquer mon visage. La Lune était apparue, pâle et indolente. Elle ajoutait plus de clarté à la scène. Elle était une sorte de témoin éloigné.

Kathryn Davis avait emprunté un des chemins qui contournaient les terrains de football, longeant un vaste étang sur sa gauche. Elle savait où elle allait, sans doute parce qu'elle avait souvent fait ce trajet. Je marchais à une dizaine de pas derrière elle, en me rapprochant peu à peu, feignant de ne pas m'intéresser à elle. Nous étions déjà à mi-parcours. Les bruits de la circulation commençaient à nous parvenir de l'autre côté du parc. C'est alors que, tout à coup, Kathryn Davis s'est retournée pour me faire face. Je ne dirais pas qu'elle avait peur, elle était plutôt agressive. Elle utilisait son langage corporel pour s'affirmer, pour me dire qu'elle ne me craignait pas. La lumière d'un réverbère se reflétait dans ses lunettes.

— Excusez-moi… Est-ce que par hasard vous me suivez ?

Il n'y avait qu'elle et moi. Les joggers avaient disparu. Aucun promeneur dans les alentours. Sa réaction était stupide. Puisqu'elle s'était aperçue de ma présence, elle aurait mieux fait de presser l'allure et de rejoindre au plus vite la sécurité des rues animées. Au lieu de ça, elle avait signé son arrêt de mort. Je pouvais l'abattre ici, tout de suite. Nous étions à moins de dix mètres l'un de l'autre.

— Que voulez-vous ? a insisté Kathryn Davis.

J'essayais de sortir mon arme, mais j'en étais incapable. C'était comme pour la roulette russe avec Vladimir Sharkovsky. Ma main ne m'obéissait pas. J'avais la nausée. Pourtant j'avais tout planifié avec soin jusqu'au moindre détail. Depuis quatre jours, je ne faisais rien d'autre. Mais, pendant tout ce temps, j'avais ignoré mes sentiments profonds, et c'est seulement à cet instant que la vérité surgissait. En fin de compte, je n'étais pas un tueur. Cette femme avait à peu près le même âge que ma mère. Elle avait deux enfants. Si je la tuais, juste pour de l'argent, quelle sorte de monstre allais-je devenir ?

Si tu ne la tues pas, Scorpia te tuera, me murmurait une petite voix à l'oreille.

Qu'ils me tuent. Mieux vaut être mort que ce qu'ils veulent faire de moi.

— Qui êtes-vous ? a demandé Kathryn Davis.

— Personne.

J'ai sorti les mains de mes poches pour montrer qu'elles étaient vides.

— Je marche, c'est tout.

Elle s'est un peu détendue.

— Dans ce cas, gardez vos distances.

— Oui, bien sûr. Désolé. Je ne voulais pas vous effrayer.

— D'accord. Ça va.

Elle ne bougeait pas. Elle me regardait, attendant que je m'en aille. Je suis passé rapidement devant elle, puis j'ai bifurqué dans une autre allée.

Je n'ai pas regardé en arrière. Au fond de moi, j'étais heureux. C'est la vérité. J'étais heureux qu'elle soit en vie. J'éprouvais un immense soulagement, comme si j'avais remporté une bataille contre moi-même. Il était clair pour moi, désormais, que dès l'instant où j'avais grimpé dans l'hélicoptère avec Rykov, alias Grant, je m'étais enfoncé dans une sorte de sables mouvants mentaux. Mme Rothman à Venise. Sefton Nye, Hatsumi Saburo et Olivier d'Arc à Malagosto. Tous m'y avaient attiré. Ils étaient comme une maladie. Et j'avais été tout près de me laisser contaminer. J'avais failli tuer quelqu'un ! Si Kathryn Davis ne s'était pas retournée pour m'interpeller, j'aurais sans doute fait ce qu'on m'avait ordonné. J'aurais commis un meurtre.

La détonation n'était pas forte, mais si proche que j'ai cru être visé. Toutefois, en me jetant sur un genou et en sortant mon Smith & Wesson, j'ai compris que je n'étais pas dans l'axe, que la balle ne m'avait pas effleuré. Pendant un instant, je suis resté démuni. J'avais perdu mes repères, la conscience de moi-même – qui suis-je, où suis-je, qu'est-ce qui m'entoure –, tout ce dont Hatsumi Saburo m'avait rebattu les oreilles des centaines de fois. N'importe qui aurait pu m'abattre.

Kathryn Davis était morte. Je l'ai vu tout de suite. Elle avait reçu une balle dans la nuque et gisait dans un rond d'herbe sombre, les bras et les jambes écartés en forme d'étoile. Quelqu'un s'approchait d'elle. Un homme, en manteau et gants noirs, une arme à la main. J'ai reconnu la barbe bien taillée, le regard calme de Marcus, l'homme qui était venu à mon hôtel.

Il a palpé le corps et hoché la tête. Puis il m'a vu. Il était armé. Moi aussi. Mais il n'était pas question une seconde de nous entretuer. Il m'a jeté un regard un peu attristé.

— Arrangez-vous pour prendre votre avion demain.

Je voulais lui parler. Je voulais lui expliquer ce qui s'était passé, ce que j'avais ressenti, mais il avait déjà tourné les talons et s'enfonçait dans l'obscurité. Au loin, j'ai entendu une sirène de police. C'était évidemment sans rapport avec ce qui venait de se produire. Même si quelqu'un avait entendu le coup de feu, il n'aurait pas pu localiser l'endroit. Mais la sirène m'a rappelé qu'il était temps de filer.

J'ai quitté le parc et j'ai marché jusqu'à l'Hudson. Devant moi se profilait la masse sombre du New Jersey. J'ai sorti le Smith & Wesson de ma poche, je l'ai soupesé. Je ne ressentais rien d'autre que de la haine, pour cette arme et pour moi. Et, en même temps, je percevais les premiers frémissements de la peur. J'allais payer pour ça.

J'ai jeté l'automatique dans le fleuve. Ensuite j'ai regagné mon hôtel.

Le lendemain, je partais pour Venise.

Второй шанс

Seconde chance

— Tu nous as énormément déçus, Yassen.

Sefton Nye était assis derrière sa table de travail, dans la pénombre de son bureau, les mains jointes en pyramide devant son visage comme s'il priait. Une lumière unique brillait au-dessus de sa tête, reflétée par les boutons de cuivre poli des manches de son blazer. Ses yeux lourds et blancs étaient rivés sur moi. Les pirates ricanants capturés sur les unes des journaux l'entouraient. Sa famille. Il était aussi impitoyable qu'eux et je m'étonnais d'être encore en vie. Dans la Forêt d'argent, un tueur envoyé par Scorpia avait commis une erreur en vidant son chargeur sur Vladimir Sharkovsky sans l'achever, et sa faute lui avait valu d'être exécuté sous mes yeux. Moi, j'étais toujours là. Olivier d'Arc assistait à l'entrevue. Il avait choisi une chaise près de la porte, comme s'il cherchait à se tenir aussi loin de moi que possible.

— Qu'as-tu à dire ? a poursuivi Sefton Nye.

Dans l'avion pour Rome, dans le train pour Venise, et enfin dans le bateau qui traversait la lagune, je m'étais préparé à cette scène. Mais à présent j'avais un mal fou à formuler les arguments que j'avais répétés.

— Vous saviez que je n'étais pas prêt.

Je prenais soin de parler d'une voix neutre. Je ne voulais surtout pas leur laisser penser que je les accusais. L'essentiel était de me défendre sans en avoir l'air. C'était mon plan. Si j'essayais de m'excuser, Marat, ou Sam, passerait sa soirée à m'enterrer au milieu du bois. Il y avait une raison à ma présence dans ce bureau. Je devais encore faire mes preuves.

— Votre agent m'a suivi. C'est pour ça qu'il se trouvait dans Central Park. Vous n'aviez pas besoin de moi. Il aurait fait le travail. Et c'est ce qui s'est passé. Vous saviez que j'allais flancher.

D'Arc a légèrement tressailli. Nye n'a pas réagi. Ses yeux continuaient de me sonder.

— Il est exact que le Dr Steiner n'était pas entièrement satisfait de tes progrès, a-t-il enfin daigné admettre. Il nous avait avertis qu'il y avait soixante-dix pour cent de chances seulement que tu remplisses ta mission.

Je n'aurais pas dû être étonné. Le Dr Steiner avait été recruté parce qu'il connaissait son métier, et malgré mes tentatives pour le tromper, il avait lu en moi comme dans un livre ouvert.

— Si je n'étais pas prêt, pourquoi m'avez-vous laissé partir ?

Nye a hoché très lentement la tête.

— C'est juste, Yassen. Si nous t'avons envoyé à New York, c'est en partie pour te mettre à l'épreuve. Nous voulions voir comment tu opérerais sous la pression et, par certains côtés, tu t'es bien comporté. Tu as réussi à t'introduire dans les locaux de Clarke Davenport, même s'il aurait été plus sage de modifier ton apparence. La couleur de tes cheveux, par exemple. Et puis une secrétaire t'a vu. Tu aurais dû l'éviter. Mais nous fermerons les yeux sur ces détails. Tu as bien analysé les déplacements de ta cible, et le choix de Central Park était judicieux.

— Mais tu ne l'as pas tuée, a marmonné Olivier d'Arc.

Il avait l'air en colère, comme une vieille dame qui a attendu trop longtemps son thé.

— Pourquoi as-tu reculé, Yassen ? a repris Nye.

J'ai réfléchi un instant avant de répondre.

— Je pense que c'est parce qu'elle a parlé. J'avais vu sa photo. Je l'avais suivie à la sortie de son bureau. Mais quand elle m'a adressé la parole… soudain tout a changé.

— Crois-tu être un jour capable d'effectuer ce travail ?

— Bien sûr. La prochaine fois, ce sera différent.

— Pourquoi est-ce que ce sera différent ?

Nouveau silence. Les deux hommes me faisaient transpirer, mais je ne pensais pas qu'ils allaient me tuer. Je commençais à comprendre comment Scorpia opérait. S'ils avaient jugé que je ne leur étais d'aucune utilité, ils n'auraient pas pris la peine de me ramener sur l'île. Marcus m'aurait exécuté avec la même arme qu'il avait utilisée pour Kathryn Davis. Ou bien j'aurais été poignardé, ou étranglé sur le bateau et jeté par-dessus bord. Ces gens-là ne perdaient pas leur temps.

Nye voyait que j'avais compris.

— D'accord, Yassen. Tirons un trait sur ce regrettable incident. Tu as beaucoup de chance que Mme Rothman t'ait pris en amitié. Et les excellents rapports de tes instructeurs plaident aussi en ta faveur. Le Dr Steiner lui-même estime que tu as des qualités remarquables. Nous pensons qu'un jour tu pourrais devenir le meilleur dans ton métier. De plus, malgré la réputation de notre organisation qu'il nous faut défendre, nous avons tenu compte de ton jeune âge. Chacun mérite une seconde chance. Mais n'oublie pas qu'il n'y en aura pas une troisième.

Je ne l'ai pas remercié. Ça l'aurait agacé. Il a poursuivi :

— Nous avons décidé de hausser d'un cran le niveau de ton entraînement. Nous sommes conscients que tu as besoin d'une adaptation psychologique, et nous souhaitons te renvoyer sur le terrain le plus tôt possible. Mais, cette fois, en compagnie d'un autre agent. Un nouveau venu. C'est un homme qui a déjà travaillé pour nous à deux occasions. En restant à ses côtés, tu apprendras les techniques de survie. Mais, avant tout, nous espérons qu'il t'apportera le tranchant dont tu sembles manquer.

— C'est un homme remarquable, a ajouté d'Arc. Un soldat britannique qui a combattu en Irlande et en Afrique. Je suis sûr que vous allez bien vous entendre.

— Tu dîneras avec lui ce soir à Venise, a repris Nye. Et tu t'entraîneras quelques semaines avec lui ici, sur l'île. Dès qu'il te jugera prêt, vous partirez ensemble. D'abord en Amérique du Sud, au Pérou. Il y a là-bas une cible à abattre, et nous fignolons les préparatifs. Si tout se passe bien, vous reviendrez ensuite en Europe pour une deuxième mission. À Paris. Plus vous passerez de temps ensemble, mieux ce sera. Il y a des limites à la théorie. Une expérience sur le terrain avec lui sera d'une valeur inestimable, tu t'en rendras compte.

— Quel est son nom ?

— Pendant votre voyage, vous utiliserez uniquement vos noms de code. Nous t'en avons choisi un. Cossack. À une époque, les Cosaques étaient de fameux guerriers. Ils étaient russes, comme toi, et très redoutés. J'espère que ça t'inspirera.

J'ai hoché la tête et demandé :

— Et le sien ?

Un homme s'est avancé. Il s'était tenu dans l'ombre du bureau pour m'observer, invisible, pendant toute la conversation. Je n'avais pas perçu sa présence, et ça m'a d'abord paru incroyable, puis j'ai deviné qu'il devait être un maître de la technique ninja, capable de se cacher à découvert. Il avait dans les trente ans et un physique de soldat, par son maintien et la coupe de ses cheveux bruns. Ses yeux étaient bruns, eux aussi, vigilants et sérieux, avec pourtant une lueur d'humour. Il était en jean et sweat-shirt. Il a fait deux pas vers moi, et j'ai senti qu'il était la personne la plus détendue que j'avais rencontrée sur l'île. Sefton Nye et Olivier d'Arc paraissaient nerveux en face de lui. Il dominait.

Il m'a tendu la main. Je l'ai serrée. Il avait une poigne solide.

— Salut, Yassen. Je m'appelle John Rider. Mon nom de code est Hunter.

Охотник

Hunter

Et Alex Rider dans tout ça ?

Nos chemins se sont croisés pour la première fois lors de l'opération Stormbreaker, mais il me semble que nos vies étaient comme deux miroirs placés l'un en face de l'autre, reflétant des possibilités infinies. Bizarrement, quand j'ai rencontré John, son père, Alex n'était pas encore né. Il ne verrait le jour que quelques mois plus tard. Mais ces mois-là, et le temps passé avec John Rider, m'ont marqué à jamais. John avait à peine dix ans de plus moi. Pourtant, dès le début, j'ai compris qu'il venait d'un monde totalement différent du mien et que nous ne serions jamais égaux. Il me dominerait toujours.

Ce soir-là, nous avons dîné dans un restaurant qu'il connaissait dans le quartier de l'Arsenal, à Venise. Un endroit sombre, tranquille, tenu par une femme grincheuse toute vêtue de noir et qui ne parlait pas un mot d'anglais. La cuisine était excellente. Hunter avait choisi une table dans un angle, derrière un pilier, où personne ne pouvait nous entendre. Je l'appelle Hunter parce que c'est le nom qu'il m'avait ordonné d'utiliser. Il avait de bonnes raisons de taire son identité – les journaux anglais avaient parlé de lui –, et j'avais moins de risques de laisser échapper son véritable nom si jamais il franchissait mes lèvres.

Il a commandé à boire, pas de vin mais de la grenadine – un sirop que je n'avais jamais goûté. Il parlait un bon italien, avec un léger accent. Comme je l'avais remarqué à sa première apparition dans le bureau de Sefton Nye, il avait une aisance extraordinaire, une assurance tranquille. C'était le genre d'homme qu'on ne peut s'empêcher d'aimer. Même la patronne revêche du restaurant s'est un peu adoucie en prenant la commande.

— Je veux que tu me parles de toi, a dit Hunter, sitôt le premier plat servi (jambon de Parme et melon glacé). J'ai lu ton dossier. Je sais ce qui t'est arrivé. Mais toi, je ne te connais pas.

— Je ne sais pas par où commencer.

— Quel est le plus beau cadeau qu'on t'ait fait ?

La question m'a pris de court. À Malagosto, c'est la dernière chose que quelqu'un m'aurait demandée ou voulu savoir. J'ai pris le temps de réfléchir.

— Je ne sais pas. Peut-être la bicyclette qu'on m'a offerte quand j'avais onze ans. C'était important pour moi parce que tout le monde au village en avait une. Et puis ça me donnait la liberté.

J'ai réfléchi encore.

— En fait, non. Mon plus beau cadeau, c'est cette montre.

J'ai relevé ma manche sur mon poignet. Je portais toujours ma Pobeda. Depuis la perte des bijoux de ma mère, c'était le seul objet de mon ancienne vie qui me restait. C'était même extraordinaire de l'avoir encore, de ne pas avoir été obligé de la mettre en gage chez l'usurier de Moscou, ou de me l'être fait voler à la datcha. Après toutes les épreuves que j'avais traversées, elle fonctionnait encore, sans une minute de retard.

— Elle appartenait à mon grand-père, ai-je expliqué. Il l'avait donnée à mon père, qui me l'a donnée à son tour après la mort de son père. J'avais neuf ans. J'étais très fier qu'il me croie prêt à la porter. Et aujourd'hui, quand je la regarde, elle me fait penser à lui.

— Parle-moi de ton grand-père.

— Je ne me souviens pas bien de lui. Je l'ai seulement connu quand nous vivions à Moscou, et nous en sommes partis quand j'avais deux ans. Il n'est venu à Estrov que quelques fois, et j'étais jeune quand il est mort.

J'ai pensé à la veuve qu'il avait laissée, ma grand-mère. La dernière fois que je l'avais vue, elle épluchait des pommes de terre devant l'évier. Elle devait certainement s'y trouver encore lorsque les flammes ont dévoré la maison.

— Mon père disait que c'était un grand homme. Il s'est battu à Stalingrad en 1943. Contre les nazis.

— Et tu l'admires pour ça ?

— Évidemment.

— Quel est ton plat préféré ?

Je me demandais s'il parlait sérieusement. Ou s'il s'amusait à de petits jeux psychologiques comme le Dr Steiner.

— Le caviar.

J'en avais goûté lors des dîners à la datcha. Vladimir Sharkovsky en mangeait des montagnes, qu'il accompagnait de vodka glacée.

— Quelle chaussure laces-tu en premier ?

— Pourquoi ces questions ? ai-je demandé sèchement.

— Ça te met en colère ?

— Qu'est-ce que ça peut vous faire quelle chaussure je lace en premier ? (J'ai baissé rapidement les yeux sur mes tennis.) La droite. Ça vous va ? Je suis droitier. Maintenant expliquez-moi en quoi ça vous éclaire sur ma personnalité ?

— Relax, Cossack.

Il souriait et, malgré ma perplexité, il m'était difficile de rester longtemps en colère contre lui. Il jouait peut-être avec moi, mais sans malveillance. J'attendais la prochaine question. De nouveau, il m'a surpris.

— Pourquoi, à ton avis, as-tu été incapable de tuer cette femme, à New York ?

— Vous le savez déjà. Vous étiez dans le bureau de Sefton Nye quand je me suis expliqué.

— Tu as dit que c'est parce que la femme t'avait adressé la parole. Mais j'ai du mal à te croire. Du moins pas entièrement. D'après ce que je sais, tu as eu plusieurs occasions de l'abattre. Quand elle a tourné l'angle du musée. Ou bien près de l'Aiguille de Cléopâtre.

— Non, je ne pouvais pas. Il y avait deux joggers qui passaient…

— Je sais. J'étais l'un des deux.

— Quoi ?

— Ne t'énerve pas, Cossack. On m'avait demandé de te surveiller, donc j'étais là. J'ai voyagé dans le même avion que toi.

Il a levé son verre comme s'il portait un toast à ma santé et il a bu.

— Tu as eu des tas d'opportunités, et tu le sais. Tu as attendu jusqu'à ce que la femme se retourne et t'interpelle. Je pense que tu voulais qu'elle s'adresse à toi parce que ça te donnait une excuse. Je pense que tu avais déjà pris ta décision.

Il ne m'accusait pas vraiment. Rien, sur son visage, ne suggérait qu'il faisait autre chose que d'établir les faits. Mais je me suis senti rougir. Je ne l'aurais jamais admis devant Sefton Nye ni Olivier d'Arc, mais il n'avait pas tort.

— Je ne flancherai plus, Hunter.

— Je sais. D'ailleurs, le sujet est clos. Je ne suis pas là pour te punir mais pour essayer de t'aider. Parle-moi de Venise. Je n'ai pas encore eu le temps de l'explorer. Et ça m'intéresserait aussi d'entendre ce que tu penses de Julia Rothman. Une sacrée femme, tu ne trouves pas ?

Le deuxième plat est arrivé : des spaghetti maison avec des sardines fraîches. Pendant mon séjour à Malagosto, j'avais appris à aimer la cuisine italienne, et j'en ai fait la remarque. Hunter a souri, mais j'ai eu l'étrange impression, une fois encore, que je n'avais pas dit ce qu'il fallait.

Nous avons bavardé pendant une heure en évitant les sujets concernant Malagosto, l'entraînement, Scorpia et tout ce qui s'en approchait. Hunter se livrait peu. Il a juste mentionné qu'il vivait à Londres, et je l'ai interrogé sur cette ville, où j'espérais aller un jour. La seule information personnelle qu'il ait laissé filtrer c'est qu'il était marié. Cependant il n'a pas dit un mot sur sa femme, au point que je me suis demandé s'ils n'étaient pas séparés.

La note est arrivée.

— Il est temps de rentrer, a déclaré Hunter en réglant en espèces. Mais avant, je dois te dire une chose, Cossack. Scorpia fonde de grands espoirs sur toi. Ils pensent que tu as l'étoffe d'un tueur de premier ordre. Je ne suis pas d'accord. Je dirais que tu as un long chemin à faire avant d'être prêt. Et il est possible que tu ne le sois jamais.

— Comment pouvez-vous dire ça ?

J'étais abasourdi. J'avais bien aimé cette soirée avec lui et il m'avait semblé que nous nous comprenions. J'ai soudain eu l'impression qu'il faisait volte-face et me giflait en plein visage.

— Vous me connaissez à peine.

— Tu m'en as dit suffisamment.

Il s'est penché vers moi et est devenu soudain terriblement sérieux. À ce moment, j'ai compris que cet homme était dangereux, que jamais je ne pourrais me détendre totalement en sa compagnie.

— Tu veux devenir un tueur à gages ? Toutes tes réponses à mes questions étaient mauvaises. Tu laces tes chaussures en commençant par la droite. Tu es droitier. Un bon tueur doit pouvoir tirer aussi bien avec la main droite qu'avec la gauche. Il doit être invisible. Il n'a pas d'habitudes. Tout ce qu'il fait dans sa vie, jusqu'au détail le plus infime, il le fait différemment à chaque fois. Dès l'instant où ses ennemis apprennent quelque chose sur lui, il leur devient beaucoup plus facile de le trouver, de dresser son portrait, de le piéger.

» Ça signifie que tu ne dois pas avoir de préférences, Cossack. Ni la cuisine française, ni la cuisine italienne. Si tu as un plat favori, une boisson favorite, n'importe quoi de favori, tu donnes des munitions à l'adversaire. Cossack aime le caviar. Sais-tu combien de boutiques à Londres vendent du caviar ?

Combien de restaurants en servent ? Pas beaucoup. Les services de renseignements ne connaîtront peut-être pas ton nom. Ils ne sauront pas à quoi tu ressembles. Mais s'ils découvrent tes goûts, ils seront en alerte et tu leur faciliteras la tâche.

» Tu m'as parlé de ton grand-père. Oublie-le. Il est mort et tu n'as plus rien à faire avec lui. S'il compte à tes yeux, il devient ton ennemi parce que si les services d'espionnage peuvent trouver sa tombe, ils le sortiront pour prélever son ADN, qui les conduira à toi. Pourquoi es-tu si fier qu'il ait combattu les nazis ? Parce que les nazis sont les méchants ? Oublie ça ! À présent, c'est toi le méchant. Autant qu'eux. En fait, tu es même pire parce que tu n'as pas d'idéal. Tu tues seulement pour de l'argent. Et, tant que tu y es, cesse de parler des nazis, des communistes, des fascistes, du Ku Klux Klan, etc. Tu n'as pas d'opinions politiques et, pour toi, tous les partis se ressemblent. Tu ne crois plus en rien, Cossack. Même pas en Dieu. C'est le choix que tu as fait.

Il s'est tu un instant avant de reprendre :

Pourquoi as-tu rougi quand j'ai parlé de New York ?

— Parce que vous aviez raison.

Que pouvais-je dire d'autre ?

— Tu m'as dévoilé tes émotions, ici, à cette table. Tu t'es mis en colère quand je t'ai demandé quelle chaussure tu laces en premier. Vas-tu pleurer quand tu rencontreras ta prochaine cible ? Si tu n'apprends pas à cacher tes sentiments, tu ferais mieux d'abandonner maintenant. Et puis il y a ta montre...

Je savais qu'il finirait par en arriver là. Je regrettais d'en avoir parlé.

— Imagine. Tu es Cossack, le tueur invisible. Tu as réussi des contrats à New York, à Paris, au Pérou. Mais quand la police examine les bandes vidéo des caméras de surveillance, que découvre-t-elle ? Quelqu'un était présent sur les trois scènes de crime et, devine quoi, cet individu portait une montre russe, une Pobeda. Autant leur laisser une carte de visite.

Il a secoué la tête.

— Si tu veux faire ce métier, tu ne peux pas te permettre d'être sentimental. Crois-moi, ça te sera fatal.

— Je comprends.

— Tant mieux. Le dîner t'a plu ?

J'allais répondre, mais je me suis ravisé.

— Mieux vaut que je me taise.

Hunter a acquiescé et il s'est levé.

— Inutile. Tu as mangé comme un ogre. Retournons sur l'île. Demain, je veux voir comment tu te bats.

Hunter m'a fait combattre comme jamais personne avant lui.

À neuf heures, le lendemain matin, je l'ai retrouvé au gymnase. C'était une salle étroite et longue, avec des murs incurvés vers le haut et des fenêtres trop hautes pour voir à l'extérieur. À l'époque où des moines vivaient sur l'île, c'était le réfectoire où ils prenaient leurs repas, dans le silence et la méditation. Depuis, on y avait installé des lampes à arc, des gradins, et un espace de lutte de quatorze mètres carrés recouvert d'un tatami qui amortissait mal les chutes. Nous avions tous les deux revêtu un *karaté-gi*, la tenue composée d'une tunique et d'un pantalon amples utilisée au karaté. Hatsumi Saburo nous observait depuis les gradins. Il était de mauvaise humeur et ça se voyait. Assis les jambes écartées, les mains sur les genoux, dans une attitude presque de défi à l'égard du nouveau venu. Marat et Sam étaient également présents, avec un tout nouvel élève, un jeune Chinois qui ne m'a jamais adressé la parole et dont je n'ai jamais su le nom.

Nous nous sommes placés sur le tapis face à face. Hunter avait près de dix centimètres de plus que moi, et il était plus lourd, plus musclé. Je savais qu'il aurait un net avantage, par sa puissance et son expérience. Il a commencé par me saluer avec le traditionnel *rei* – c'est la première chose qu'on apprend dans les écoles de karaté. J'ai répondu à son salut. Première erreur. Je n'ai pas vu son geste. Quelque chose m'a percuté le côté du visage et je me suis retrouvé sur le dos, le goût du sang dans la bouche. Je m'étais mordu la langue.

Hunter s'est penché au-dessus de moi.

— Où te crois-tu ? Tu penses que nous sommes là pour nous amuser ? Pour être polis ? C'est ta première erreur, Cossack. Tu ne dois pas me faire confiance. Ne te fie à personne.

Il a tendu la main pour m'aider à me relever. Je l'ai saisie, mais au lieu de me redresser, j'ai changé ma prise à la dernière seconde pour l'attirer vers moi et bloquer son poignet. J'avais adapté un mouvement de ninjutsu appelé *ura gyaku*, la torsion intérieure, qui aurait normalement dû le faire tomber au sol en tournant. J'ai cru entendre un grognement de satisfaction du côté de Hatsumi Saburo, mais ça pouvait être aussi de la dérision parce que Hunter avait anticipé ma réaction et plaqué son genou sur mon avant-bras. Si je n'avais pas lâché, il me l'aurait cassé. Aussitôt, j'ai roulé sur le côté, évitant de justesse une frappe de pied qui m'a frôlé la tête. Une seconde plus tard, j'étais debout. Nous avons repris la position numéro un : bras levés et corps de profil pour offrir la plus petite cible possible.

Au cours des vingt minutes suivantes, j'ai appris davantage que pendant tout mon séjour à Malagosto. Non. Ce n'est pas tout à fait exact. Hatsumi Saburo et M. Nye m'avaient enseigné de sérieuses bases de judo, de karaté et de ninjutsu. En un temps incroyablement court, ils m'avaient hissé du rang de novice au troisième ou quatrième *kyu*, et j'allais consacrer une grande partie de ma vie à développer leur enseignement. Tous deux surpassaient nettement Hunter dans les techniques de base des arts martiaux, mais il possédait ce qui leur manquait. Comme l'avait précisé Olivier d'Arc, Hunter avait combattu en Afrique et en Irlande. Et j'apprendrais par la suite qu'il avait servi dans le Régiment parachutiste, une force d'intervention rapide et l'une des compagnies les plus dures de l'armée britannique. Il utilisait des méthodes inhabituelles. Eux m'avaient enseigné les règles, lui les brisait. Au cours de notre premier combat, il a exécuté des assauts qui, normalement, n'auraient pas dû fonctionner mais qui se sont révélés d'une redoutable efficacité. Une ou deux fois, j'ai intercepté le regard incrédule de Hatsumi Saburo, abasourdi de voir son cher manuel d'entraînement déchiré en menus morceaux. Hunter m'a mis à terre un nombre incalculable de fois, et toujours par surprise. Contre lui, rien de ce que j'avais appris ne semblait agir.

Au bout de vingt minutes, il a reculé et signalé que le combat était terminé.

— Très bien, Cossack, ça suffira pour l'instant.

Il a souri et m'a tendu une main comme pour dire « sans rancune ». J'ai pris sa main mais, cette fois, j'étais préparé. Avant qu'il ne me jette au sol, ce qui était bien sûr son intention, j'ai pivoté et utilisé son propre poids contre lui. Hunter a disparu par-dessus mon épaule et s'est écrasé sur le tapis. Il s'est relevé d'un bond.

— Tu apprends vite, Cossack.

Il a esquissé un sourire approbateur et il s'est éloigné, en ramassant au passage une bouteille d'eau. Je l'ai suivi des yeux, content d'avoir réussi un assaut à la dernière minute du combat et d'être moins ridicule devant mes professeurs. Pourtant, l'idée m'a traversé l'esprit qu'il m'avait volontairement laissé l'envoyer au tapis afin de me permettre de sauver la face. La veille, pendant le dîner, Hunter avait gagné ma sympathie et mon admiration. À présent, je me sentais proche de lui. Et j'étais décidé à ne pas le décevoir.

Nous avons passé beaucoup de temps ensemble au cours des semaines suivantes. Course à pied, natation, parcours du combattant, combats à mains nues dans le gymnase. Hunter entraînait aussi les autres élèves et je savais qu'ils éprouvaient les mêmes sentiments que moi à son égard. Il avait un don pour enseigner. Que ce soit au tir ou à la plongée avec tuba, il savait tirer le meilleur de chacun. Julia Rothman comptait aussi parmi ses admirateurs. Quand elle est revenue à Venise, ils ont dîné plusieurs fois ensemble. Je n'étais jamais invité.

Je ne me sentais plus très à l'aise à Malagosto. C'était comme si, après avoir passé mes examens de fin d'études, j'étais obligé de revenir à l'école. Tout le monde connaissait mon échec de New York. Et les jours s'écoulaient. Mon dix-neuvième anniversaire était passé sans que personne ne le remarque, y compris moi. Il était temps d'avancer, de me remettre sur pied.

La convocation de Sefton Nye m'a donc fait un immense plaisir. Il voulait m'annoncer mon départ imminent.

— Nous sommes tous d'accord pour reconnaître que ton voyage à New York était prématuré, Yassen. Cette fois, tu voyageras avec John Rider. Il a une affaire à régler pour nous et tu le seconderas. Tu seras son assistant. Tu lui obéiras. C'est compris ?

— Oui, j'ai compris.

Sefton Nye avait sous les yeux le dernier rapport sur mes cinq dernières semaines. Il s'est levé pour le ranger dans le classeur contre le mur.

— Tu sais, c'est très rare pour un agent d'avoir une seconde chance dans notre organisation, a-t-il ajouté en se retournant d'un mouvement vif pour me lancer un regard provocateur de ses grands yeux blancs. Oublions New York. John Rider est très élogieux à ton égard et c'est tout ce qui compte. On apprend toujours de ses erreurs, mais je vais te donner un bon conseil, Yassen. N'en commets plus.

Cette nuit-là, impossible de fermer l'œil. Un orage grondait au-dessus de Venise. Un orage sec, sans pluie, avec de gigantesques éclairs qui fendaient le ciel et transformaient les dômes et les tours de la ville en silhouettes de carton noir. L'hiver approchait. Allongé dans mon lit, je voyais les rideaux claquer et je sentais l'air vif pénétrer dans la chambre. J'étais excité par ma prochaine mission. Je m'apprêtais à aller au Pérou puis à Paris. Mais autre chose me tenait éveillé. John Rider ne m'avait pratiquement rien dit sur lui. J'étais censé le suivre au bout du monde, lui obéir sans poser de questions, et pourtant il restait pour moi un mystère total. Était-il un criminel ? Pourquoi avait-il quitté l'armée britannique ? Comment avait-il été recruté par Scorpia ?

J'avais une envie soudaine d'en connaître un peu plus sur John Rider. Mon ignorance me paraissait injuste. Après tout, il avait lu mon dossier. Il savait tout de moi. Comment faire équipe si nous n'étions pas à égalité ?

Je me suis glissé hors de mon lit et habillé rapidement. J'avais pris ma décision sans même y réfléchir. C'était stupide, probablement risqué, mais après tout ma nouvelle vie imposait de prendre des risques. Sefton Nye conservait tous les dossiers dans son bureau. Je l'avais vu y ranger le mien quelques heures plus tôt. Il devait aussi en avoir un sur John Rider. Le bureau du directeur se trouvait de l'autre côté de la cour carrée. M'introduire à l'intérieur ne présentait aucune difficulté. J'avais été bien entraîné.

Tout le monde dormait. Personne ne m'a vu quitter le bâtiment d'habitation et traverser le cloître de ce qui avait été jadis le monastère. La porte du bureau de Nye n'était pas fermée à clé. Certains, sur l'île, auraient jugé que c'était une infraction impardonnable aux règles de sécurité. J'étais moi-même assez étonné, mais je me disais que Sefton Nye se sentait parfaitement à l'abri. Atteindre Malagosto depuis le continent sans se faire repérer était impossible, et les personnes qui vivaient sur place n'avaient aucun secret pour lui. D'ailleurs, qui aurait eu l'idée de forcer sa porte ? Les éclairs zébraient le ciel et, un bref instant, j'ai entrevu le lustre, les livres, les différentes pendules, les visages de pirates, tous d'un blanc cru et glacé. C'était comme si l'orage m'avertissait, me pressait de m'éloigner tant que je le pouvais. Une bouffée d'air tiède m'enveloppait. C'était de la folie. Je n'aurais pas dû être ici.

Pourtant j'étais bien décidé à trouver ce que j'étais venu chercher. Le lendemain, je partais avec John Rider. Nous allions passer une semaine ensemble, peut-être plus, et je me sentirais plus à l'aise, moins désavantagé, si je connaissais un peu mieux son passé.

Ma curiosité n'était pas gratuite. On m'avait appris qu'il fallait découvrir un maximum de détails sur mes cibles. Pourquoi ne pas appliquer la même règle à un homme qui allait me conduire vers le danger et dont ma vie dépendrait ?

Je me suis approché du classeur où j'avais vu Nye ranger mon dossier personnel. Je m'étais muni des instruments adéquats mais, en examinant la serrure, je me suis aperçu qu'elle était beaucoup plus sophistiquée que toutes celles sur lesquelles je m'étais exercé. Un autre éclair a illuminé la pièce. Mon ombre a semblé bondir par-dessus mon épaule. Je me suis concentré sur la serrure et j'ai testé la première pointe.

Soudain, une clé de tête d'une violence inouïe m'a immobilisé. Deux avant-bras me bloquaient le cou. J'ai levé les mains pour riposter, mais il était trop tard et je savais qu'une simple torsion suffirait à me briser la nuque. La mort instantanée. Comment était-ce possible ? J'étais certain que personne ne m'avait suivi.

Pendant peut-être trois secondes, je suis resté immobile, agenouillé, prisonnier de la prise mortelle, guettant le craquement sinistre de mes vertèbres. Il n'y a pas eu de craquement. Les mains sur mon cou ont relâché leur étau. Je me suis retourné. Hunter était debout au-dessus de moi.

— Cossack !

— Hunter...

— Qu'est-ce que tu fais ici ?

Un nouvel éclair a déchiré le ciel, mais le plus gros de l'orage était passé.

— Sortons. Mieux vaut qu'on ne te trouve pas ici.

Dehors, nous sommes allés au pied du campanile. Il flottait encore dans l'air ce curieux mélange de tiède et de froid. Les murs du monastère nous protégeaient. Nous étions seuls mais nous parlions à voix basse.

— Explique-moi ce que tu faisais dans ce bureau, Cossack.

Le visage de Hunter était dans l'ombre mais je sentais ses yeux qui me scrutaient. J'avais déjà prévu ma réponse. Je ne pouvais pas lui avouer la vérité.

— Je voulais lire mon dossier.

— Pourquoi ?

— Pour savoir si je suis prêt. Après ce qui s'est passé à New York, je ne voulais pas vous décevoir.

— Et tu penses vraiment que ton dossier répondrait à ta question ?

— Oui.

— Tu es un idiot, Cossack.

Il n'y avait aucune colère dans sa voix. Plutôt de l'amusement.

— Je t'ai vu et je t'ai suivi. Je ne savais pas que c'était toi. J'aurais pu te tuer.

— Je ne vous ai pas entendu.

Il a ignoré ma remarque.

— Si je ne te croyais pas prêt, je ne t'emmènerais pas.

Il a réfléchi un instant avant d'ajouter :

— Il vaudrait mieux ne rien dire à personne de ce petit incident. Si Sefton Nye apprend que tu t'es introduit dans son bureau, il pourrait en tirer de mauvaises conclusions. Retourne te coucher. Nous partons de bonne heure. Le bateau vient nous chercher à sept heures demain.

— Merci, Hunter.

— Ne me remercie pas. Mais évite ce genre de farce. Et... essaie de dormir !

J'étais réveillé avant le lever du soleil. Mes affaires étaient prêtes. J'avais mon passeport, mes cartes de crédit et les dollars qui me restaient de New York. Tous mes visas avaient été mis à jour.

J'étais seul et je marchais sur le bord de la lagune. Mes semelles crissaient sur les graviers. Pendant un long moment, je suis resté là, à observer le soleil se lever au-dessus de Venise, les teintes de rose, d'orange puis de bleu s'emparer du ciel. Je savais que mon entraînement était terminé et que je ne reviendrais plus à Malagosto, du moins en tant qu'élève.

Je pensais à Hunter, à ses leçons. Il allait bientôt me rejoindre et nous partirions tous les deux. Il me donnerait la dernière chose que j'avais été incapable d'acquérir pendant mon séjour sur l'île. On appelle ça l'instinct du tueur, je suppose. C'était tout ce qui me manquait.

J'avais une confiance absolue en lui. Il me restait un dernier geste à accomplir.

J'ai retiré ma vieille montre Pobeda de mon poignet. En la soupesant au creux de ma main, j'ai revu mon père me la donner. J'ai entendu sa voix. J'avais neuf ans alors. J'étais si jeune, encore en culottes courtes, et j'habitais notre maison à Estrov.

La montre de mon grand-père.

Je l'ai serrée une dernière fois entre mes doigts, puis j'ai pris mon élan et je l'ai lancée dans la lagune.

Командующий

Le Commandant

Il s'appelait Gabriel Sweetman et c'était un baron de la drogue. On le connaissait sous le nom de Sugar Man, mais plus souvent sous celui de Commandant.

Il était né dans les bas-fonds de Mexico. On ne sait rien de ses parents mais il s'était fait remarquer par la police dès l'âge de huit ans en vendant des pièces de voitures manquantes à des garagistes. Si les pièces détachées étaient manquantes c'est parce qu'il les avait volées avec l'aide de sa grande sœur Maria, âgée de douze ans. Quand lui-même eut douze ans, il vendit sa sœur. On disait aussi que c'est à cet âge qu'il avait commis son premier meurtre. À treize ans, il se lança dans le trafic de drogue. Il commença par dealer dans la rue, puis il gravit tous les échelons jusqu'à devenir le lieutenant de « Sunny » Gomez, l'un des plus gros trafiquants du Mexique. À cette époque, on estimait que Gomez faisait entrer trois millions de dollars d'héroïne et de cocaïne aux États-Unis chaque jour.

Sweetman assassina Gomez et mit la main sur ses affaires. Il épousa également la femme de Gomez, une ancienne Miss Acapulco prénommée Tracy. Trente ans plus tard, la rumeur courait que Sweetman valait vingt-cinq milliards de dollars. Il exportait de la cocaïne dans le monde entier, en utilisant une flotte de Boeing 727 dont il était propriétaire. Il avait tué plus de deux mille personnes, dont quinze juges et deux cents policiers. Sweetman éliminait quiconque se trouvait sur son chemin, et il aimait le faire lentement. Il enterrait vivants certains de ses ennemis. On le savait fou, mais seul son médecin de famille avait eu le courage de le dire. Sweetman avait tué le médecin de famille.

Je ne sais pas comment ni pourquoi Scorpia avait décidé de monter une opération contre lui. Peut-être un autre baron de la drogue avait-il payé l'organisation pour le mettre hors circuit. À moins que ce ne soit le gouvernement mexicain. Ou américain. En tout cas, ce n'était pas pour le punir de ses mauvaises actions, car Scorpia ne dédaignait pas de tirer des profits de la drogue quand l'occasion se présentait. Les gens capables de dépenser des sommes colossales pour se faire du mal à eux-mêmes et à leurs clients ne sont généralement pas des gens recommandables. Sweetman devait mourir parce que quelqu'un avait payé pour l'éliminer. Point.

Or l'opération devait coûter cher car ce n'était pas un contrat facile. Sweetman était un homme prudent. En comparaison, Vladimir Sharkovsky paraissait insouciant.

Le Mexicain s'entourait d'une escorte vingt-quatre heures sur vingt-quatre. Pas seulement six gardes du corps mais une section entière. C'est la raison pour laquelle on l'avait surnommé le Commandant. Il possédait des résidences à Los Angeles, Miami et Mexico, chacune aussi fortifiée qu'un poste de commandement militaire, et toujours prête à l'accueillir. Il ne prévenait jamais personne de ses départs ni de ses arrivées, et lorsqu'il voyageait c'était soit dans son jet privé, soit dans une limousine blindée, escortée de deux motards sur les côtés et, devant et derrière, de véhicules transportant plusieurs gardes du corps. Quatre goûteurs de nourriture travaillaient pour lui, un dans chaque maison.

Celle où il passait la plus grande partie de son temps était située au milieu de la forêt amazonienne, à environ cent cinquante kilomètres au sud d'Iquitos. Une des rares villes au monde inaccessible par la route. Aucune piste non plus ne desservait la maison elle-même. Tenter de s'en approcher à pied, c'était s'exposer à des attaques de jaguars, de vipères, d'anacondas, de caïmans noirs, de piranhas, de tarentules ou de l'une des cinquante autres créatures mortelles qui vivent dans la forêt tropicale. En supposant qu'on ne se fasse pas d'abord piquer à mort par les moustiques. Sweetman ne s'y déplaçait qu'en hélicoptère. Il avait une confiance absolue dans son pilote, et cela surtout parce qu'il hébergeait les vieux parents du pilote et avait donné l'ordre à ses gardes du corps de leur faire subir d'atroces tortures s'il lui arrivait quelque chose.

Après une étude approfondie, Scorpia avait décidé que l'endroit où Sweetman était le plus vulnérable, c'était la jungle. Son équipe de conseillers permanents, composée de stratèges et de spécialistes, avait planché sur la question. La maison de Los Angeles était trop proche de ses voisins, celle de Miami trop bien protégée, et, à Mexico, Sweetman avait trop d'amis.

Il faut savoir que cet homme était un champion de la corruption : il dépensait dix millions de dollars par an en pots-de-vin. Il avait des amis dans la police, dans l'armée, au gouvernement, et si quelqu'un posait des questions sur lui ou essayait de l'approcher, on l'en informait aussitôt.

Dans la jungle amazonienne, Sweetman était seul. Et, comme la plupart des hommes puissants, il avait une faiblesse. Sa ponctualité. Il prenait son petit déjeuner à sept heures quinze précises. Il faisait de la gymnastique avec son entraîneur personnel de huit heures à neuf heures. Le soir, il se couchait à onze heures. S'il prévoyait de partir à midi, c'était à midi pile. C'est précisément ce que Hunter avait essayé de m'expliquer lors de notre premier dîner à Venise. Sweetman nous avait livré quelque chose sur lui-même. Il avait une habitude, et nous pouvions l'utiliser contre lui.

Hunter et moi avions pris un avion de Rome à Lima et, de là, un avion plus petit jusqu'à Iquitos, une ville extraordinaire située sur la rive sud de l'Amazone, avec des églises espagnoles, des villas françaises, des marchés colorés, des huttes de paille perchées sur pilotis, tout cela entremêlé dans d'étroites ruelles. La cité entière semblait vivre et respirer pour le fleuve. Il faisait chaud et humide. L'odeur de l'eau boueuse imprégnait l'air.

Nous sommes restés deux jours dans un hôtel minable du centre-ville, fréquenté par les routards, harcelés par les cafards et les moustiques. La plupart des touristes étant britanniques et américains, nous ne communiquions qu'en français. À l'époque, je parlais assez mal cette langue, et la pratiquer me faisait du bien. Hunter passait beaucoup de temps à acheter du matériel et des provisions. Il a réservé deux places sur un cargo qui descendait le fleuve, en nous faisant passer pour des ornithologues venus observer des oiseaux. Nous étions censés camper en bordure de la jungle pendant deux semaines, avant de revenir à Iquitos. C'était notre couverture. Pendant le voyage depuis l'Italie, j'avais appris les noms de deux cents espèces d'oiseaux différentes, depuis le perroquet amazone à front blanc jusqu'à l'ara rouge. Je crois que je pourrais encore les identifier aujourd'hui. Mais personne ne nous a posé de questions. Le capitaine du bateau nous aurait déposés n'importe où, à condition d'être payé.

Nous n'avons pas campé. Sitôt débarqués sur une petite plage, avec quelques maisons d'Indiens dispersées alentour et des enfants qui jouaient sur le sable, on s'est enfoncés dans le sous-bois. Chacun de nous était équipé des cinq articles de base qui, dans la forêt tropicale, vous préservent d'une mort certaine : une machette, une boussole, des moustiquaires, des tablettes pour purifier l'eau et des chaussures imperméables. Ces dernières pourraient sembler superflues, mais les fortes pluies et le taux d'humidité record font pourrir les chairs en un rien de temps. Hunter avait estimé à six jours le trajet jusqu'à la propriété de Sweetman. Nous en avons mis cinq.

Comment décrire notre expédition à travers cette nature gigantesque et suffocante. Je ne sais même pas s'il faut parler d'enfer ou de paradis. Notre planète ne peut pas vivre sans ce poumon vert, pourtant l'environnement y est aussi hostile qu'on l'imagine, avec ses milliers de dangers invisibles qui vous guettent à chaque pas. Je n'arrivais pas à mesurer notre progression. Nous étions deux points minuscules dans un territoire vaste de millions d'hectares, où il fallait se frayer un chemin à coups de machette dans une végétation dense et luxuriante, au milieu de toutes les formes de vie possibles et d'un bruit incessant : le chant des oiseaux, le coassement des grenouilles, le murmure de la rivière, les craquements soudains de branches sous le poids d'un prédateur. La chance était avec nous. On a aperçu un serpent corail de couleur jaune, plus mortel que son cousin rouge et noir. Une nuit, un jaguar s'est approché et j'ai entendu son grognement rauque et terrible. Mais toutes les créatures qui auraient pu nous tuer nous ont épargnés, et aucun de nous n'a été malade. D'ailleurs, c'est une de mes caractéristiques. Je ne suis jamais malade. Je me demande parfois si ce n'est pas un effet secondaire de l'antidote que m'avait injecté ma mère. Le contrepoison m'a protégé de l'anthrax, et peut-être de tout le reste.

Nous marchions en silence. Parler était une perte d'énergie. Toute notre attention était concentrée sur les obstacles du chemin. Mais ça ne m'empêchait pas de me sentir très proche de Hunter. Ma vie dépendait de lui. Il donnait l'impression de trouver la route d'instinct. J'admirais sa condition physique et sa vigueur autant que sa connaissance des techniques de survie. Il savait exactement quelles racines et quelles baies étaient comestibles, comment suivre les oiseaux et les insectes pour trouver les trous d'eau, comment boire la sève des plantes grimpantes. Jamais il ne perdait son calme. La jungle joue avec les nerfs. Elle est chaude et oppressante. Elle dresse sans cesse des embûches. Les insectes attaquent sans se soucier de toutes les crèmes protectrices dont on s'enduit. On est sale, fatigué. Mais Hunter restait toujours de bonne humeur. Je devinais qu'il était satisfait de notre progression, et de ma capacité à suivre son rythme.

Nous ne dormions que cinq heures par nuit. La lune nous guidait après le coucher de soleil. Nous couchions dans des hamacs. C'était plus sûr de rester en hauteur. Une fois terminées nos rations – ce que nous avions apporté ou glané en chemin –, nous grimpions dans les hamacs et j'attendais avec impatience la brève conversation, le moment de camaraderie que nous partagions avant de nous endormir.

La quatrième nuit, nous avons campé dans une clairière circulaire en travers de laquelle était tombé un arbre mort. En voulant m'asseoir sur le tronc, j'ai failli passer au travers. Le bois était complètement pourri et rongé par les termites.

— Jusqu'ici, ç'a été assez facile, a remarqué Hunter. Ça le sera peut-être moins au retour.

— Pourquoi ?

— On risque d'être poursuivis et il faudra aller plus vite.

— D'où les aiguilles rouges.

— Exact.

À chaque endroit particulier, quand s'offraient plusieurs directions possibles, Hunter enfonçait une aiguille rouge à la base d'un tronc d'arbre. Il en avait piqué plus d'une centaine. Personne ne pouvait les voir, mais elles nous fourniraient des repères si nous devions revenir rapidement.

— Et s'il n'est pas là ? me suis-je inquiété. Sweetman est peut-être parti ailleurs.

— Selon nos renseignements, il devrait rester jusqu'à la fin de la semaine. Et je te rappelle, Cossack, qu'il ne faut jamais l'appeler par son nom. Ça le personnalise. Tu dois penser à lui comme à un objet. Aussi mort qu'un morceau de viande. C'est ce qu'il est pour nous.

Sa voix flottait dans l'obscurité. Au-dessus de nos têtes, un perroquet s'est manifesté.

— Appelle-le le Commandant. C'est ainsi qu'il se voit.

— On arrivera quand sur place ?

— Demain après-midi. Je veux y être avant le coucher du soleil pour avoir le temps de reconnaître les lieux. Il faut trouver un bon angle de tir.

— Je pourrai tirer, si vous voulez.

— Non, Cossack. Mais merci tout de même. Tu es là uniquement pour la balade.

De nouveau, lever à l'aube. Le ciel était argenté, les arbres et le sous-bois obscurs. On a bu de l'eau et croqué des tablettes énergétiques. Puis on a roulé les hamacs, refait les sacs à dos, et on est partis.

Comme prévu, on a atteint le domaine de Sweetman en fin d'après-midi. En rabattant des branches, on a soudain aperçu le soleil se refléter sur une clôture métallique. Aussitôt on s'est accroupis de crainte de se faire repérer. Des gardes risquaient de patrouiller le long de l'enceinte. Pourtant, après une demi-heure d'observation, on s'est rendu compte que le Commandant avait négligé cette précaution élémentaire. Il se sentait sans doute suffisamment en sécurité à l'intérieur.

En manœuvrant avec prudence, et en restant toujours à couvert dans la jungle et à bonne distance de la clôture, on a fait le tour de la propriété. Hunter craignait qu'il y ait des radars, des fils-pièges, toutes sortes de dispositifs d'alarme capables de s'activer si nous approchions trop près. À travers les branchages, on voyait que la clôture était électrifiée et protégeait plusieurs constructions de style colonial similaires à celles d'Iquitos, éparpillées sur une vaste pelouse vert pâle. De nombreux gardes en uniforme vert avec fusil d'assaut patrouillaient de long en large, ou surveillaient le périmètre à la jumelle du haut de miradors rouillés. Leur long isolement ne leur avait pas été profitable. Ils étaient dépenaillés, apathiques.

Hunter et moi portions des tenues et du maquillage de camouflage, mais même si nous avions été en rouge ils ne nous auraient pas remarqués tant ils semblaient amorphes.

Les bâtiments, qui avaient vu le jour vingt ans plus tôt, étaient censés abriter un centre de recherche expérimentale sur les dégâts causés à la forêt tropicale. Or, tous les ingénieurs avaient succombé à une mystérieuse maladie et, une semaine plus tard, le Commandant s'y était établi. Depuis, il avait réaménagé les lieux selon ses besoins, en ajoutant des huttes pour ses soldats et gardes du corps, une aire d'hélicoptère, un cinéma privé, et tous les équipements nécessaires à sa sécurité. Par certains aspects, ça me rappelait la datcha dans la Forêt d'argent, malgré les différences évidentes du décor. Le principe était le même.

Le Commandant vivait dans la plus grande habitation, laquelle était surélevée, dotée d'une véranda et de ventilateurs électriques. Un générateur était probablement caché quelque part. Nous observions les lieux à la jumelle depuis plus d'une heure quand, subitement, notre homme est apparu, vêtu d'un peignoir de soie et d'un pyjama. C'était le début de la soirée. Il s'est approché d'un autre homme en combinaison bleu délavé. Son pilote, probablement. L'hélicoptère était parqué à proximité. C'était un Robinson R44 à quatre places. Ils ont échangé quelques mots, puis le Commandant est rentré dans la maison.

— Dommage qu'on ne puisse pas les entendre.

— Le Commandant part demain matin à huit heures, a répondu Hunter.

Je l'ai regardé avec des yeux ronds.

— Comment le savez-vous ?

— Je sais lire sur les lèvres, Cossack. C'est très utile parfois. Tu devrais apprendre, toi aussi.

Cette nuit-là, j'ai à peine fermé l'œil. On s'est enfoncés dans la forêt pour accrocher les hamacs, mais pas question d'allumer un feu ni de parler. On a englouti nos rations de survie froides et on s'est couchés. Je suis resté longtemps les yeux ouverts, assailli par une foule de pensées.

J'avais vraiment espéré que Hunter me laisserait tuer le Commandant. Mon ancien psy, le Dr Steiner, n'aurait pas apprécié mes raisons, mais je trouvais plus facile d'assassiner un baron de la drogue, c'est-à-dire un individu malfaisant, plutôt qu'une femme sans défense à New York. Ç'aurait été un bon test pour moi. Mon premier meurtre. Mais je comprenais le refus de Hunter. La position de l'hélicoptère tout près de l'habitation principale signifiait que nous aurions tout au plus dix secondes pour abattre la cible. Dix pas, et ensuite le Commandant serait à l'abri. Si j'hésitais ou, pire, si je ratais mon tir, il n'y aurait pas de seconde chance. Scorpia m'avait prévenu. J'étais là pour observer et seconder. Hunter était le chef.

Dès sept heures, bien plus tôt que nécessaire, nous étions en position. Hunter avait porté son arme depuis Iquitos. C'était un fusil de précision Winchester .88. Un excellent fusil, idéal pour le tir à longue portée, avec un faible recul. Hunter a chargé le magasin d'une seule balle et ajusté la lunette. Il avait l'air de ne faire qu'un avec le fusil. C'est une chose qui m'avait frappé à Malagosto. Quand Hunter tenait un fusil, celui-ci devenait partie intégrante de son corps.

Les minutes s'égrenaient. Je scrutais les abords de la maison en guettant l'apparition du Commandant. Les soldats étaient à leurs postes sur les miradors et autour des maisons, mais l'ambiance était paresseuse. Ils n'avaient pas l'air réveillés. À huit heures moins dix, le pilote est sorti de ses quartiers en bâillant et en s'étirant. Il a grimpé dans son hélicoptère, procédé aux vérifications d'usage et démarré les rotors. Très vite, les pales ont commencé à tourner. Tout autour, les oiseaux et les singes s'égaillaient, effrayés par le vacarme. À huit heures moins deux, le Commandant n'avait toujours pas paru et je me demandais s'il n'avait pas changé d'avis. Je lisais l'heure sur une montre bon marché que j'avais achetée à l'aéroport. Je transpirais. La nervosité, ou la chaleur moite et oppressante ?

Quelque chose m'a touché l'épaule.

J'ai d'abord cru à une feuille tombée d'un arbre, puis j'ai compris que c'était trop lourd pour une simple feuille. Et ça bougeait.

Ma main s'est crispée. C'est le seul mouvement que je pouvais me permettre. Pas question de me gratter ni d'essayer de chasser cette… chose. Je l'ai sentie qui se déplaçait de mon épaule sur ma nuque. C'était vivant. Ça remuait. La chose a atteint le col de ma veste et j'ai frissonné quand ses pattes ont délicatement effleuré ma peau. Je n'avais pas besoin de la voir pour deviner qu'il s'agissait d'une araignée. Une grosse araignée. Elle était descendue sur moi pendant que j'étais accroupi derrière Hunter.

J'avais la gorge sèche. Je sentais le sang palpiter dans ma veine jugulaire le long de mon cou, et je savais que l'araignée était attirée, fascinée par la chaleur et le battement de l'artère. Elle s'est posée là, accrochée comme une excroissance monstrueuse. Hunter n'avait rien remarqué. Il était totalement concentré sur la maison, l'œil vissé au viseur du fusil. Je n'osais pas l'appeler. Je devais réguler ma respiration, ne pas bouger la tête. J'ai tourné les yeux au plus loin que je pouvais et, à l'extrémité de mon champ de vision, j'ai aperçu l'araignée. Je l'ai identifiée aussitôt. Une veuve noire. L'une des espèces les plus venimeuses de l'Amazonie.

Elle refusait toujours de se déplacer. Pourquoi ne continuait-elle pas son chemin ? J'étais tendu, j'attendais qu'elle poursuive son voyage sur mon visage et dans mes cheveux, mais elle restait dans mon cou. Je ne savais pas si Hunter avait apporté un antivenin. De toute façon ça n'aurait servi à rien. Si l'araignée me piquait à cet endroit, je mourrais très vite. Peut-être s'apprêtait-elle à attaquer, savourant l'instant. Elle était énorme. Ma peau se rétractait, mon corps entier envoyait des signaux d'alarme à mon cerveau.

Je voulais prévenir Hunter, mais un seul mot aurait suffi à alarmer l'araignée. La rage me gagnait. Après l'échec de New York, je m'étais juré d'avoir une conduite irréprochable au Pérou et, jusqu'ici, tout s'était bien passé. Pourquoi est-ce que ça m'arrivait ? À moi ? Maintenant ? Je cherchais une parade mais je n'en voyais aucune. J'étais impuissant. Dans la propriété, c'était le calme plat. Tout le monde attendait la sortie du Commandant. Ce n'était plus qu'une question de secondes. Par une étrange ironie du sort, j'allais mourir en même temps que lui !

J'ai sifflé. Doucement. Le son était suffisamment étrange pour attirer l'attention de Hunter. Il s'est retourné et m'a vu, paralysé, livide. Puis il a vu l'araignée.

Au même instant, la porte de la maison s'est ouverte et le Commandant est apparu, vêtu d'une tunique vert olive, tenant à la main un attaché-case. Il était encadré de deux hommes et suivi d'un troisième. À cette seconde, j'ai compris que j'étais mort. Hunter ne pouvait rien pour moi. Il avait des ordres et, dans dix secondes, il allait les mettre à exécution. J'en avais presque oublié l'hélicoptère, mais à présent le ronronnement des rotors m'enveloppait. Le Commandant se dirigeait d'un pas alerte vers l'appareil.

Hunter a pris une décision réflexe. Il s'est levé d'un bond pour venir se placer derrière moi. Allait-il vraiment abandonner la mission afin de me sauver ? C'était le contrat ou moi. Tuer le Commandant ou me débarrasser de l'araignée. Il ne pouvait pas faire les deux et, après ce qu'il m'avait expliqué, son choix s'imposait.

J'ignorais ce qu'il faisait. Je ne pouvais pas le voir puisqu'il était juste derrière moi. Le Commandant avait presque atteint l'hélicoptère, sa main se tendait déjà vers la porte. C'est alors que Hunter a tiré. J'ai entendu la détonation et senti une douleur sur le côté de mon cou, comme si une épée chauffée sur la braise m'avait entaillé. Le Commandant a levé les mains vers son torse et il s'est écroulé. Du sang coulait entre ses doigts serrés. Une balle en plein cœur. Les trois hommes de son escorte se sont jetés à terre, craignant d'être les prochaines cibles. Moi aussi, je saignais. Le sang coulait le long de mon cou. Mais l'araignée avait disparu.

Alors j'ai compris. Hunter avait visé le Commandant à travers l'araignée. Il les avait tués tous les deux avec la même balle.

— Filons d'ici, a dit Hunter.

Nous n'avions pas le temps de discuter. Les gardes du corps cédaient à la panique, braillaient et pointaient le doigt dans notre direction. L'un d'eux a ouvert le feu, mitraillant les arbres alentour. Ceux des miradors cherchaient à nous localiser. D'autres surgissaient des huttes en courant.

Nous avons ramassé notre équipement et pris la fuite au pas de course. Aussitôt la jungle nous a avalés. Nous laissions derrière nous un baron de la drogue tué d'une balle, avec, dans le cœur, une centaine de fragments minuscules de veuve noire.

— Vous m'avez sauvé la vie, Hunter.

Il a souri.

— Prendre une vie. En sauver une. Tout ça avec une seule balle, ce n'est pas si mal.

On avait mis une vingtaine de kilomètres entre nous et le domaine du Commandant, en suivant les repères des aiguilles rouges, jusqu'à ce que la lumière du jour faiblisse et ne nous permette plus de distinguer le marquage. Hunter a décidé de faire halte dans la clairière de l'arbre mort, où nous avions dormi la nuit précédente. Cette fois, j'ai pris garde de ne pas m'asseoir sur le tronc creux. Hunter a passé dix minutes à tendre des fils-pièges autour de la clairière. Ils étaient presque invisibles, reliés à de petits boîtiers noirs qu'il vissait dans les arbres. Bien entendu, pas question d'allumer un feu. Nous avons suspendu nos hamacs et mangé nos rations froides. Ça m'amusait de voir Hunter ramasser les boîtes de conserve vides. Il venait de tuer un homme mais se refusait à polluer la forêt tropicale.

Aucun de nous n'avait vraiment envie de dormir. Nous étions assis en tailleur, guettant d'éventuels bruits de pas. La nuit était claire. La Lune brillait et tout luisait d'un étrange vert argenté. À ma surprise, Hunter a sorti un quart de whisky pur malt. C'était la dernière chose à laquelle je m'attendais de sa part.

— C'est une tradition chez moi, a-t-il dit après avoir bu une gorgée. Un bon whisky pur malt après un contrat. C'est un Glenmorangie de vingt-cinq ans d'âge. Plus vieux que toi ! Bois, Cossack. Tes nerfs en ont besoin après ce petit incident. L'araignée a vraiment choisi son moment.

— Je n'en reviens toujours pas de ce que vous avez fait.

Le bandage autour de mon cou était déjà imbibé de sueur et de sang. Ma blessure me brûlait et je savais que je garderais la cicatrice, mais j'en étais heureux. Je ne voulais pas oublier.

— Et maintenant ? ai-je demandé, la gorge embrasée par le whisky.

— On retourne à Iquitos. Ensuite, Paris. Au moins, là-bas, il fera plus frais. Et il n'y aura plus de moustiques ! a ajouté Hunter en assenant une claque sur sa nuque.

Nous étions détendus. Le Commandant était mort, tué dans des circonstances extraordinaires. Nous buvions du whisky. La Lune brillait. Et nous étions **seuls** dans la forêt tropicale. C'est la seule façon dont je peux expliquer la conversation qui a suivi. En tout cas, c'est ce qui m'a semblé à ce moment-là.

— Hunter, pourquoi travaillez-vous pour Scorpia ?

En temps normal, jamais je ne lui aurais posé la question. C'était une erreur. C'était insolent. Mais, cette nuit-là, ça m'était égal.

Je pensais que Hunter allait répliquer sèchement, mais au lieu de ça il s'est penché pour me tendre la bouteille et il a répondu d'une voix tranquille :

— À ton avis, pourquoi les gens travaillent-ils pour Scorpia ? Toi, Cossack, pourquoi travailles-tu pour eux ?

— Vous le savez. Je n'avais pas vraiment le choix.

— Chacun fait des choix, Cossack. Qui nous sommes, ce que nous sommes. Généreux ou égoïste. Heureux ou triste. Bon ou mauvais. Tout est une question de choix.

— Donc, c'est la vie que vous avez choisie.

— Je ne suis pas certain que c'était le bon choix, mais je suis le seul responsable. Je ne peux blâmer personne d'autre.

Il s'est tu, et il a levé la bouteille devant ses yeux.

— J'étais dans un pub de Soho, dans le centre de Londres. Avec deux amis. Nous buvions un verre tranquillement en bavardant. À côté de nous, il y avait un homme, un chauffeur de taxi comme on l'a appris ensuite. Un gros type avec une veste en peau de mouton. Il a écouté notre conversation et deviné que nous étions dans l'armée. Et il s'est mis à faire des réflexions ignobles. Stupides. J'aurais dû l'ignorer et m'en aller. C'est ce que mes amis voulaient faire.

» Mais j'avais un peu bu, moi aussi, et une dispute a éclaté. Je me suis conduit comme un imbécile. Avant même de réfléchir à ce que je faisais, je l'ai mis KO. Il y avait pourtant mille façons de le frapper. Mais j'ai laissé mes réflexes de soldat prendre le dessus. Le type ne s'est pas relevé et, tout à coup, la police a débarqué. J'ai compris alors ce que j'avais fait. Il était mort.

Hunter s'est tu. Autour de nous, les insectes continuaient leur bourdonnement incessant. Il n'y avait pas un souffle de vent.

— J'ai été révoqué de l'armée et envoyé en prison, a repris Hunter. Mais je ne suis pas resté enfermé très longtemps. Mes supérieurs ont tiré quelques ficelles et j'ai eu un bon avocat. Il a réussi à faire passer mon acte pour un réflexe d'autodéfense. J'ai été libéré en appel. Mais j'étais fini. Personne ne m'aurait employé. Et même si j'avais trouvé un emploi, tu crois que je voulais passer le reste de ma vie comme vigile, ou derrière un bureau ? Je ne savais pas quoi faire. C'est alors que Scorpia a pris contact avec moi. J'ai accepté.

— Et votre femme ?

Il a hoché la tête.

— On est mariés depuis trois ans. Elle attend un enfant. Au moins, j'aurai assez d'argent pour m'occuper de lui… si c'est un garçon. Ou d'elle. Tu comprends ce que je voulais dire, maintenant ? C'est mon choix.

La bouteille de whisky a circulé une dernière fois. Elle était presque vide.

— Mais pour toi, Cossack, il n'est pas trop tard pour changer d'avis.

J'étais saisi.

— Comment ça ?

— Je pense à New York. Je pense à ces dernières semaines. À aujourd'hui. Tu es un gentil garçon, Cossack. Très différent des recrues habituelles de Scorpia. Je me demande si tu possèdes vraiment en toi ce qu'il faut pour devenir comme moi. Marat et Sam n'ont aucun scrupule à tuer. Ils n'ont pas d'imagination. Mais toi…

— Si, je peux.

— Mais le *veux*-tu réellement ? Je ne cherche pas à te dissuader. Surtout pas. Je veux juste te faire prendre conscience que, une fois que tu auras commencé, tu ne pourras plus revenir en arrière. Après ton premier contrat, ce sera terminé.

Il a marqué une hésitation. Moi aussi. Je ne savais pas quoi répondre.

— Si je renonçais maintenant, Scorpia me liquiderait.

— J'en doute, a dit Hunter. Ça les ennuierait, bien sûr. Mais je crois que tu exagères ta propre importance. Ils oublieraient vite. De toute façon, tu en as appris suffisamment pour les tenir à distance. Tu pourrais changer d'identité, d'apparence, recommencer quelque part ailleurs une nouvelle vie. Le monde est vaste et il y a mille choses que tu pourrais faire.

— C'est ce que vous me conseillez ?

—Je ne te donne pas de conseil. Je te présente simplement les options possibles.

Je ne sais pas ce que j'aurais dit si la conversation s'était poursuivie, mais un bruit nous a brusquement interrompus. Le coassement d'une grenouille à l'orée de la clairière. Du moins c'est le son qu'aurait identifié un intrus approchant de notre campement. En réalité ce n'était pas une grenouille native de la forêt amazonienne. L'un des fils-pièges tendus par Hunter avait déclenché une alarme, et cette alarme se manifestait par ce coassement enregistré. Hunter s'est accroupi aussitôt et m'a fait un signe de la main. J'avais déjà sorti le pistolet qu'il m'avait remis à Iquitos, un Browning 9mm semi-automatique, très apprécié dans l'armée péruvienne et insolite par son chargeur de treize balles.

J'ai entendu un autre bruit. Un craquement de branche à une vingtaine de mètres. Le faisceau lumineux d'une torche puissante brillait par à-coups entre les arbres. Nous n'avions pas le temps de ramasser nos affaires et il ne servait à rien de se demander comment ils nous avaient pistés jusqu'ici. Nous avions déjà établi notre plan dans cette éventualité.

Il en arrivait de tous les côtés. Six hommes du Commandant avaient décidé de nous poursuivre dans la forêt tropicale. Pourquoi ? Leur employeur était mort et ils ne toucheraient aucune prime s'ils ramenaient ses assassins. Ils étaient peut-être sincèrement en colère. Après tout, nous les avions privés de leur source de revenus. Je les voyais distinctement. La Lune était si claire qu'ils n'avaient presque pas besoin de leurs torches. Ils étaient sales, hirsutes, et ils avaient l'air drogués. Ça se devinait à leur visage creusé, à leurs yeux écarquillés et brillants.

Ils étaient vêtus d'uniformes militaires dépareillés, et armés de fusils-mitrailleurs. L'un d'eux tenait un chien en laisse. Un pit-bull. C'était lui qui les avait guidés. Le chien s'est mis à tirer sur sa laisse en aboyant. Il savait que nous n'étions pas loin.

Mais les hommes, eux, ne voyaient rien. Seulement une clairière déserte, avec un arbre mort tombé en travers. Il n'y avait personne devant le tronc, personne derrière, et les termites grouillaient sur l'écorce. Ils voyaient seulement nos hamacs. Peut-être aussi la bouteille de whisky vide sur le sol.

— ¡ *Vamos* !

L'ordre a claqué, grave et guttural.

Les hommes ont ouvert le feu tous en même temps, mitraillant la clairière et la jungle environnante. Après le calme de la nuit, le bruit était assourdissant. Pendant au moins trente secondes, la clairière a été illuminée. Les feuillages et les branches étaient déchiquetés. Les soldats du Commandant tiraient à l'aveuglette. Sur tout et n'importe quoi.

On a attendu que leurs chargeurs soient vides avant de se redresser. Les miettes de bois mort cascadaient de nos épaules. On se trouvait juste à côté des soldats, allongés à plat ventre à l'intérieur de l'arbre mort, recouverts de termites qui nous rampaient sur le dos et s'insinuaient dans nos vêtements. Leur habitat avait été bouleversé et ils détalaient sur nous. Mais les termites ne piquent pas. Ne mordent pas.

On a ouvert le feu. Les soldats nous ont vus trop tard. Je ne suis pas certain de ce qui s'est passé ensuite, si j'en ai tué ou pas. La fusillade faisait un vacarme effroyable, je voyais les silhouettes soulevées de terre et projetées en arrière. L'un des soldats a quand même réussi à se servir de son arme mais ses balles se sont perdues dans le vide. Je tirais sans m'arrêter, comme un forcené, tandis que Hunter était précis, mécanique ; il choisissait ses cibles et pressait la détente. Encore et encore. Tout a été fini très vite. Les six hommes ne bougeaient plus.

J'ai épousseté mes épaules et mes cheveux pour en chasser les termites.

— Il y en a d'autres ?

— Je ne crois pas, a dit Hunter. En tout cas pour l'instant. On ferait mieux de filer.

Nous avons récupéré nos affaires et repris notre course à travers la jungle.

— J'ai tiré, Hunter. Vous aviez tort. J'étais avec vous. J'en ai tué quelques-uns.

Comment en être sûr ? Hunter avait très bien pu abattre les six hommes à lui tout seul. Mais ce n'était pas le moment de discuter.

— *Si* tu as tué, a répondu Hunter en soulignant bien le « si », tu l'as fait dans le noir. Par instinct de survie. Ça ne fait pas de toi un tueur.

— Pourquoi ?

Je ne comprenais pas. Où voulait-il en venir ?

Il s'est tourné vers moi et, soudain, j'ai vu de vraies ténèbres dans son regard.

— Tu veux connaître la différence, Yassen ?

Il prononçait mon prénom pour la première fois depuis le départ.

— Un autre travail nous attend à Paris. Sans aucun rapport avec celui-ci. Si tu veux vraiment savoir ce que c'est de tuer, tu vas bientôt le découvrir.

Париж

Paris

Notre cible à Paris était un dénommé Christophe Vosque, officier supérieur dans la Police nationale. Véreux et corrompu, il fermait les yeux sur certaines opérations de Scorpia en France et, en retour, il recevait de copieux bakchichs. Or, ces derniers temps, il était devenu très gourmand. Il exigeait des bonus exorbitants et, plus grave, il avait établi des contacts avec la DGSE, les services secrets français. Autrement dit il jouait double jeu. Scorpia avait donc décidé de faire un exemple en l'éliminant. Ce devait être une exécution publique, dont la presse ferait ses gros titres.

Pour une fois, Scorpia avait eu de mauvais renseignements. Après notre atterrissage à l'aéroport Charles-de-Gaulle, on nous a informés que Vosque n'était pas à Paris. Il participait à un séminaire de cinq jours en province. Cela signifiait que nous avions une semaine entière de liberté. Hunter n'en était pas fâché.

— Ça tombe bien, nous avons besoin de repos. Et comme c'est Scorpia qui paie, on va s'offrir un hôtel convenable. Je te ferai visiter Paris. Tu vas aimer, j'en suis sûr.

Il a réservé deux chambres dans le luxueux hôtel George V, à deux pas des Champs-Élysées. C'était plus que convenable. En réalité, je n'aurais jamais imaginé descendre dans un hôtel aussi luxueux. Rideaux de velours rouge, lustres, tapis épais, pianos discrets, somptueux bouquets de fleurs. Ma salle de bains était en marbre. La baignoire avait des robinets en or. Les clients du George V étaient des gens riches qui n'avaient pas peur de le montrer. Je me demandais si Hunter avait une idée en tête en m'amenant dans cet endroit. En temps normal, nous aurions dû loger dans un établissement plus modeste et discret. Je le soupçonnais de me mettre à l'épreuve, de me confronter à ce décor superbe et nouveau pour moi afin de tester ma réaction. Hunter parlait un excellent français, le mien était rudimentaire. Il avait seulement dix ans de plus que moi mais déjà beaucoup bourlingué. J'avais dix-neuf ans et je n'avais rien vu. Je pense que ça l'amusait d'observer mon comportement face aux réceptionnistes, aux directeurs, aux majordomes en col raide et cravate noire, de voir mes efforts pour les convaincre (et me convaincre moi-même) que j'avais autant que n'importe qui le droit de résider au George V.

Hunter avait raison. Nous avions tous les deux besoin de repos. L'expédition dans la forêt amazonienne, la mort du Commandant, la fusillade dans la clairière, l'attente à Iquitos, et enfin le long vol de retour en Europe nous avaient épuisés. Or il nous faudrait être au meilleur de notre forme pour affronter Vosque. Et si cela signifiait manger dans les bons restaurants et me réveiller dans un palace, je n'allais pas protester.

Nous avons passé les vingt-quatre premières heures à dormir. Nous occupions des chambres contiguës au troisième étage. À mon réveil, l'après-midi, j'ai englouti le plus énorme petit déjeuner que j'aie jamais mangé. Repu, j'ai pris un bain chaud et moussant, puis je me suis allongé sur le lit pour regarder la télévision. Il y avait des chaînes en russe et en anglais, mais je me suis forcé à écouter les émissions françaises pour former mon oreille à l'accent.

Le lendemain, Hunter m'a fait découvrir la ville. J'avais davantage voyagé au cours des dernières semaines que dans ma vie entière, mais j'ai adoré chaque minute de mon séjour à Paris. Bien sûr, il y avait les visites obligées : la tour Eiffel, Notre-Dame, le musée du Louvre. Ç'aurait pu être ennuyeux, car le tourisme ordinaire qui consiste à se planter devant des sites pour les prendre en photo simplement parce qu'ils sont là ne me passionnait pas, mais Hunter rendait tout distrayant. Il connaissait des histoires et des anecdotes qui donnaient vie à tout ce que je voyais. Devant la célèbre Joconde, il expliquait comment le tableau avait été volé en 1911, et comment lui-même s'y prendrait pour le dérober. Il décrivait comment on avait bâti Notre-Dame, huit cents ans plus tôt. Un chef-d'œuvre architectural. Il m'emmenait dans toutes sortes de lieux inattendus : les égouts de Paris, les marchés aux puces, le cimetière du Père-Lachaise, avec ses mausolées bizarres et ses résidents célèbres, le jardin orné des sculptures de Rodin.

Mais ce que je préférais c'était marcher dans les rues, le long de la Seine, dans le Quartier latin, le Marais. Il faisait frais, le printemps tardait à arriver, mais le soleil brillait et il y avait de l'effervescence dans l'air. On s'arrêtait dans les cafés, on chinait dans les magasins d'antiquités, on achetait des vêtements dans les boutiques chic de l'avenue Montaigne, on mangeait des glaces fantastiques chez Berthillon, dans l'île Saint-Louis. C'est là, à en croire Hunter, que les fondateurs de Scorpia s'étaient réunis pour la première fois. Mais il n'y avait pas de plaque pour commémorer l'événement !

Nous mangions formidablement bien dans des restaurants non touristiques. Hunter n'aimait pas dépenser des sommes folles en nourriture et ne commandait jamais de vin. Il préférait la grenadine, ce sirop qu'il m'avait fait découvrir à Venise, et que je bois encore aujourd'hui.

Nous ne parlions pas du travail qui nous avait amenés à Paris, mais nous nous y préparions tranquillement. À six heures chaque matin, un jogging de deux heures. Le circuit était spectaculaire : Champs-Élysées, jardin des Tuileries, rive gauche de la Seine. Ensuite, natation et musculation dans la piscine et la salle de sport de l'hôtel. Les gens devaient nous prendre pour des amis en vacances ou, vu notre différence d'âge, pour un frère aîné et son cadet. C'était d'ailleurs cette amitié fraternelle que je ressentais parfois entre nous. Hunter ne faisait jamais allusion à notre conversation dans la jungle, mais certaines de ses confidences restaient vives dans mon esprit.

Nous étions arrivés un lundi. Le jeudi, le concierge de l'hôtel a remis un message à Hunter au moment où nous sortions. Il l'a lu très vite sans me le montrer. À partir de cet instant, j'ai perçu un changement dans son humeur. Nous avons pris le métro jusqu'à Montmartre et parcouru les ruelles étroites de la Butte qui pullulent d'ateliers d'artistes. Ensuite nous avons bu un café à une terrasse. Il faisait assez doux pour rester dehors. Entre nous l'ambiance était très détendue, cependant je sentais Hunter un peu nerveux. En arrivant sur le parvis de l'imposante basilique blanche du Sacré-Cœur, d'où l'on domine tout Paris, il s'est tourné vers moi.

— J'ai quelque chose à faire seul, Cossack. Ça ne t'ennuie pas ?

— Bien sûr que non.

J'étais même étonné qu'il me pose la question.

— Je dois rencontrer quelqu'un.

Jamais je ne l'avais vu aussi mal à l'aise.

— J'enfreins les règles. Nous sommes tous les deux en mission. Tu comprends ce que je veux dire ? Si Julia Rothman le découvre, ça ne lui plaira pas.

— Je ne lui dirai rien. On se retrouve à l'hôtel plus tard.

Je me suis éloigné, mais la curiosité a été la plus forte. Plus j'en apprenais sur Hunter, plus j'avais l'impression qu'il me cachait des choses. Sitôt atteint le coin de la rue, je suis revenu sur mes pas. Je voulais savoir ce qu'il faisait.

C'est alors que je l'ai aperçue.

Elle se tenait devant l'entrée de la basilique. Des touristes déambulaient tout autour mais on la remarquait parce qu'elle était seule, immobile, et enceinte. Très jolie, assez petite, elle avait de longs cheveux blonds et le teint pâle. Elle tenait ses mains enfoncées dans les poches de sa veste évasée.

Hunter se dirigeait vers elle. Elle l'a vu et son visage s'est éclairé de joie. Elle a couru vers lui et s'est jetée dans ses bras. Deux amoureux sur les marches du Sacré-Cœur. Quoi de plus parisien ? J'ai tourné les talons et je suis parti.

Le lendemain, Vosque était de retour à Paris.

Il habitait dans le cinquième arrondissement une rue paisible à proximité du Panthéon – une église au décor classique qui abrite les tombes des illustres personnages de la France. Hunter avait reçu une enveloppe portant le sceau de Scorpia et contenant des instructions précises. J'ai supposé qu'elle lui avait été délivrée dans sa chambre par un homologue du Marcus de New York. Hunter m'a emmené dans un café des Champs-Élysées pour en discuter. Ça peut paraître étrange de parler de ce genre d'affaire en public, mais un endroit choisi au hasard est beaucoup plus sûr. Au moins, on est certain de ne pas être suivi ni entendu par des micros cachés.

Vosque présentait un défi très différent du Commandant. Le Français était plus facile à atteindre, mais il se savait menacé. Donc, il avait dû prendre ses précautions. Il était très certainement armé et il bénéficiait de la protection de la police française. Pour ses collègues, Vosque était un officier supérieur respecté. L'un des leurs. L'abattre dans la rue provoquerait un tollé général. Ports et aéroports seraient immédiatement fermés. Des poursuites internationales seraient lancées.

Il habitait seul. Scorpia nous avait fourni plusieurs photos de son immeuble. C'était un appartement en rez-de-chaussée, avec des portes vitrées et de hautes fenêtres donnant sur une cour intérieure partagée avec deux autres appartements. L'un d'eux était inoccupé, mais dans l'autre habitait une jeune artiste. Un témoin potentiel, donc. Une porte cochère ouvrait sur la rue. C'était l'unique accès, et un policier armé montait la garde dans ce qui avait autrefois été la loge du concierge. Pour atteindre Vosque, il fallait passer devant.

Dans toutes nos discussions, nous appelions Vosque « le Flic ». Une façon commode de le dépersonnaliser. Le samedi, nous l'avons observé quitter son appartement et aller à la supérette du quartier, à deux rues de là. C'était un homme courtaud, puissant, approchant la cinquantaine. En marchant, il balançait ses bras et on l'imaginait boxant l'importun qui lui aurait barré le chemin. Il était presque chauve, avec une moustache épaisse qui ne s'étirait pas tout à fait jusqu'aux commissures des lèvres. Il portait un costume démodé mais pas de cravate. Ses courses terminées, il s'est arrêté à une terrasse de café pour fumer un cigare et boire une bière pression. Personne ne l'escortait et il me semblait facile de le descendre, tout de suite, là où il était, sans se faire repérer.

Hunter n'était pas d'accord.

— Ce n'est pas ce que veut Scorpia. Il faut le tuer chez lui.

— Pourquoi ?

— Tu verras.

Sa réponse ne m'a pas plu, mais je savais qu'il ne fallait pas insister.

Nos vacances parisiennes étaient terminées. Même le temps avait changé. Le samedi matin, il pleuvait et la ville avait un air boudeur. L'eau formait des flaques sur la chaussée. Le dimanche était le jour où Vosque devait mourir. Logique, si nous voulions le trouver seul chez lui. Du lundi au vendredi, il allait à son bureau au ministère de l'Intérieur. Son dossier indiquait qu'il passait la plupart de ses soirées avec des amis dans des bars ou de petits restaurants du quartier Saint-Lazare. Le dimanche était pour lui un jour mort, dans tous les sens du terme.

Ce dimanche matin, Annabelle Finnan, la jeune artiste qui habitait l'appartement voisin, a reçu un coup de téléphone d'Orléans lui apprenant que sa vieille mère venait d'être renversée par un camion et avait peu de chances de survivre. C'était faux, mais Annabelle est partie immédiatement. Nous attendions dans la rue et l'avons vue héler un taxi.

Nous portions l'un et l'autre un costume bon marché, avec une chemise blanche, une cravate noire, et une bible à la main. Le déguisement était une idée de Hunter. Une idée brillante. Nous nous présentions comme des Témoins de Jéhovah. De vrais prédicateurs faisaient du porte-à-porte dans le quartier. Deux de plus n'attireraient pas l'attention. Le policier de faction dans la loge du concierge nous a vus et ignorés dans la même seconde. Il n'avait vraiment pas besoin de deux prêcheurs, ce dimanche matin pluvieux, pour lui annoncer la fin du monde.

— Pas ici ! a-t-il grommelé. Merci beaucoup, les amis. On n'est pas intéressés.

— Mais, monsieur, a marmonné Hunter.

— Allez voir ailleurs…

Hunter tenait sa bible dans un angle bizarre. J'ai vu sa paume presser le dos du livre. Il s'est produit un chuintement léger et le policier a fait un petit bond en arrière avant de s'écrouler. La bible était une invention de Gordon Ross, le spécialiste de Malagosto. Elle décochait une fléchette anesthésiante. On apercevait le petit empennage sur le cou du policier.

— Et le septième jour, il se reposa, murmura Hunter, citant un passage biblique du deuxième chapitre de la Genèse.

Nous sommes entrés dans la loge. Hunter avait apporté une cordelette et un rouleau adhésif.

— Attache-le. Nous serons partis avant qu'il se réveille, mais je préfère ne pas prendre de risques.

J'ai fait ce qu'il demandait. J'ai ligoté fermement les poignets et les chevilles du policier, et je l'ai bâillonné avec un mouchoir maintenu par du scotch. Après toutes les déclarations de Hunter, j'étais un peu étonné qu'il ne tue pas le policier. Ça semblait plus simple. Mais peut-être que, au bout du compte et en dépit de ses théories, il préférait ne pas ôter une vie quand ce n'était pas indispensable.

Une fois le policier caché dans un coin de la loge, nous avons traversé la cour, nos bibles à la main. Je pensais que nous irions directement à la porte de Vosque, mais Hunter s'est dirigé vers l'appartement de l'artiste, et il a donné un bref coup de sonnette. L'artiste n'était pas chez elle, évidemment, mais si par hasard Vosque regardait par la fenêtre, il verrait deux prédicateurs parfaitement inoffensifs. Nous avons patienté une ou deux minutes, indifférents au fin crachin qui tombait sur les pavés, puis Hunter a fait semblant de glisser une note dans la boîte à lettres. Après quoi il est allé sonner à la porte de Vosque.

Celui-ci avait dû nous voir arriver avec nos bibles et il n'avait aucun soupçon. Il était déjà de mauvaise humeur quand il a ouvert la porte, en pantalon et chemise, avec un peignoir d'intérieur rayé sur les épaules. Il n'était pas encore rasé.

— Fichez le camp d'ici. Je n'ai pas...

Sa phrase est restée en suspens. Hunter n'a pas utilisé de fléchette anesthésiante. Il l'a frappé, très fort, sous le menton. Ce n'était pas un coup mortel, mais ç'aurait pu l'être. Il a rattrapé le Flic au moment où celui-ci tombait et l'a traîné à l'intérieur de l'appartement. J'ai refermé la porte. Nous étions dans la place.

Le décor était très dénudé. Pas de moquette, pas de tableaux aux murs, mobilier minimal. Les voilages épais devant les fenêtres et la porte vitrée donnant sur le minuscule jardin arrière empêchait de voir à l'intérieur. La chambre se trouvait sur le côté. La cuisine ouvrait sur le séjour et, visiblement, Vosque y faisait rarement cuire autre chose qu'un œuf dur.

Hunter l'avait tiré sur le sol et hissé sur une chaise de bois.

— Trouve quelque chose pour l'attacher. Il doit y avoir des cravates dans sa chambre. Sinon, prends un drap du lit et déchire-le en bandes.

J'étais abasourdi. Nos ordres étaient précis : exécuter Vosque sans l'interroger ni le menacer. Pourquoi n'était-il pas déjà mort ? Mais, là encore, je n'ai pas discuté. Le Flic possédait une large collection de cravates dans son armoire. J'en ai pris quatre pour lui lier les poignets et les chevilles, et une cinquième pour lui faire un bâillon. Hunter me regardait sans rien dire. J'avais remarqué chez lui cette concentration intense quand nous étions dans la jungle, mais maintenant il y avait autre chose. Je sentais qu'il avait une idée en tête et, je ne sais pas pourquoi, ça m'effrayait.

Après s'être assuré que le Flic était solidement ligoté, il a rempli un verre d'eau à l'évier et le lui a jeté en pleine face. Vosque a cligné des yeux. J'ai vu son sursaut quand il a repris conscience, puis sa peur quand il a pris la mesure de sa situation. Il s'est mis à se débattre violemment, à se balancer d'avant en arrière, comme s'il avait une chance de se libérer. Hunter lui a fait signe de se calmer. Le Flic l'injuriait, criait, mais le bâillon étouffait ses paroles. Enfin il a cessé de gigoter, conscient que ça ne servait à rien.

Je n'osais pas dire un mot. Je ne savais même pas quelle langue j'étais supposé employer.

Hunter s'est tourné vers moi et m'a parlé en russe.

— Tu veux devenir un tueur à gages ? Tu affirmais avoir abattu quelques-uns de nos poursuivants, dans la jungle. J'en suis moins sûr que toi. Il faisait sombre et je crois que c'est moi qui les ai tous descendus. Mais peu importe. Tu disais être prêt à tuer. Je ne t'ai pas cru. Maintenant tu as l'occasion de le prouver. Tue Vosque.

Je l'ai regardé. Puis j'ai regardé le Flic. Je ne sais pas si le Français comprenait ce que nous disions. Il était silencieux et il fixait le mur en face de lui d'un air offusqué.

— Vous voulez vraiment que je le tue ? ai-je demandé en russe.

— Oui. Avec ça.

Hunter a sorti un couteau. Je n'en croyais pas mes yeux. Il était aiguisé comme un rasoir. Jamais je n'avais rien vu d'aussi terrifiant. Pourtant la lame était courte. À peine la taille d'un rasoir ancien. Cinq centimètres, et un manche en plastique.

— C'est absurde.

Je m'accrochais encore à l'espoir que c'était une plaisanterie macabre. Mais non. Hunter était terriblement sérieux.

— Donnez-moi un pistolet.

— Ce n'est pas ce que je te demande, Yassen. Ce meurtre est un châtiment. Je veux que tu utilises le couteau.

Il avait prononcé mon prénom devant la victime. Désormais, même s'il parlait en russe, on ne pouvait plus faire marche arrière.

— Pourquoi ?

— Pourquoi discutes-tu ? Tu sais comment on travaille. Obéis.

Il m'a mis le couteau dans la main. C'était incroyablement léger. J'ai compris alors où Hunter voulait en venir. Si je tuais Vosque avec cette arme, sa mort serait lente et douloureuse. Et, de mon côté, je ressentirais l'effet de chacun de mes coups. Car il en faudrait plusieurs. Pas question d'une seule entaille rapide en plein cœur. D'une manière ou d'une autre, le sang de ma victime giclerait sur mes mains.

Un châtiment. Pour lui comme pour moi.

Une chose profondément enfouie en moi a soudain fait surface. J'étais choqué, dégoûté par le comportement de Hunter. Nous venions de passer cinq jours formidables à Paris, qui avaient effacé tout ce qui m'était arrivé de mauvais jusque-là. Il était presque devenu un frère. En tout cas mon ami. Et voilà que, tout à coup, il se montrait d'une froideur extrême. Sa posture rigide, fermée, disait clairement que je ne signifiais rien pour lui. Et il exigeait de moi un acte abominable.

Une boucherie.

Pourtant Hunter avait raison. C'était un test indispensable si je voulais exercer ce métier. Les assassinats ne se commettent pas toujours de loin, du haut d'un immeuble ou de l'autre côté d'une clôture d'enceinte. Il faut se salir les mains.

J'ai examiné le Flic. Il recommençait à se débattre, secouait sa chaise de gauche à droite, gémissait. Son visage était devenu écarlate. Il avait vu le couteau dans ma main. Par où allais-je commencer ? Le seul moyen était de lui trancher la gorge. Gordon Ross nous avait fait une démonstration, à Malagosto, mais c'était sur un mannequin en plastique.

— Décide-toi, Yassen. Nous n'avons pas toute la journée.

— Je ne peux pas.

J'avais prononcé ces mots sans même m'en rendre compte. Ils m'avaient échappé.

— Pourquoi ?

— Parce que…

Je ne voulais pas répondre. Je ne pouvais pas expliquer. Vosque était peut-être un sale type, vénal et corrompu, mais c'était un homme. Pas une cible de carton. Il était là, devant moi, terrifié. Je voyais la sueur perler sur son front, je sentais son odeur. Et je n'avais pas en moi le cran de prendre sa vie. Encore moins avec cet horrible couteau.

— Tu en es certain ? a insisté Hunter.

J'ai acquiescé de la tête. Je n'étais pas sûr de pouvoir parler.

— Très bien. Dans ce cas, sors et attends-moi dehors.

J'ai obéi sans discuter. Si j'étais resté une minute de plus, j'aurais vomi. Au moment où j'ouvrais la porte, j'ai entendu le son étouffé d'une balle tirée avec un silencieux. Hunter n'avait pas hésité. Je tenais toujours le couteau. Je ne pouvais pas le laisser. Il était couvert de mes empreintes. Je l'ai glissé délicatement dans la poche de poitrine de ma veste, la lame en travers de mon cœur.

Hunter m'a rejoint presque aussitôt.

— Allons-y.

Il ne semblait pas en colère. Il ne manifestait aucune émotion.

Peu après, alors que nous traversions la ville, je lui ai annoncé ma décision.

— Je vais suivre vos conseils, Hunter. Je ne veux pas devenir un tueur. Je quitte Paris. Je ne retourne pas à Rome. Je vais disparaître dans la nature.

— Je ne t'ai donné aucun conseil. Mais je pense que c'est une bonne idée.

— Scorpia me retrouvera.

— Rentre en Russie, Yassen. C'est un pays immense. Le russe est ta langue maternelle et tu as des talents. Trouve un endroit où te cacher. Recommence à zéro.

J'étais triste, et j'avais besoin de le dire.

— Je vous ai déçu, Hunter.

— Mais non. Je suis content de ta décision. Dès la minute où je t'ai vu, j'ai pensé que tu n'étais pas fait pour ce métier, et je suis heureux que tu m'aies donné raison. Ne sois pas comme moi, Yassen. Profite de ta vie. Fonde une famille. Reste dans la lumière. Oublie ce qui s'est passé.

Nous étions arrivés à un pont. J'ai sorti le couteau de ma poche et je l'ai jeté dans la Seine. Ensuite nous avons regagné l'hôtel.

Мощность плюс

Power Plus

Un taxi nous a conduits à l'aéroport. Hunter s'envolait pour Rome, puis Venise, où il ferait son rapport à Julia Rothman. Moi, j'allais à Berlin. Prendre un avion pour Moscou ou une autre ville de Russie aurait été une folie. Autant fournir à Scorpia une flèche géante pointée dans mon dos. Berlin était au cœur de l'Europe et offrait de multiples possibilités. Je pouvais continuer vers l'ouest, aux Pays-Bas, ou bien à l'est, en Pologne. La République tchèque n'était qu'à quelques heures de route. Je pouvais voyager par train ou par bus. Je pouvais acheter une voiture. Je pouvais même me déplacer à pied. Il y avait des dizaines de points de passage pour franchir les frontières, où personne ne chercherait à contrôler l'identité d'un étudiant. C'était une suggestion de Hunter. Il n'existait pas de meilleur endroit que Berlin pour se volatiliser.

Des sentiments contrastés s'affrontaient en moi pendant le trajet en taxi à travers les banlieues maussades et déprimantes du nord de Paris. Hunter avait beau m'assurer le contraire, j'avais toujours l'impression de le laisser tomber. Pendant le petit déjeuner, il s'était montré amical mais affairé. Pressé de terminer ce qu'il avait à faire. Il m'appelait Yassen, comme si j'avais perdu mon nom de code, tandis que je continuais d'employer le sien. Il avait passé la matinée à vaquer à ses occupations ; j'étais resté seul. Je m'étais senti exclu. Notre jogging matinal dans la ville me manquait.

Je me demandais si tout ce luxe me manquerait aussi. Les hôtels cinq étoiles, les voyages dans le monde entier, les vêtements achetés dans les beaux magasins. Il y avait peu de chances que je revienne à Paris, et si ça se produisait, ce ne serait pas avec la même excitation ni le même plaisir que pendant cette dernière semaine. J'avais cru que je devenais quelqu'un, un être à part. Maintenant, tout était fini.

J'avais déjà commencé à envisager mon avenir et pris une décision. Je pourrais utiliser en partie ce que j'avais appris à Malagosto. Les langues étrangères, par exemple. Mon anglais était excellent. Et je savais, grâce à la Comtesse, comment me comporter avec les gens riches. Même Sharkovsky, à sa façon, m'avait été utile. Je savais repasser, cirer les chaussures, faire les lits. La réponse s'imposait : je pourrais trouver un emploi dans un hôtel tel que le George V. De nouveaux palaces se construisaient partout en Russie et j'étais certain de pouvoir être embauché dans l'un d'eux, d'abord comme portier ou plongeur aux cuisines, avant de gravir les échelons. Moscou était trop dangereux pour moi. Mieux valait Saint-Pétersbourg ou une ville plus éloignée. En tout cas, je saurais gagner ma vie. Je n'en doutais pas.

Je n'ai rien dit à Hunter. J'avais honte. D'ailleurs, nous avions décidé de ne pas discuter de mes projets. Il était préférable pour nous deux qu'il n'en sache rien.

Je n'avais aucun regret. J'étais soulagé.

Depuis l'instant où j'avais fait la connaissance de Julia Rothman à Venise, j'avais été aspiré dans un engrenage fatal. Et tout au fond de moi je craignais de ne pas y trouver ma place. Qu'auraient pensé de moi mes parents ? Bien sûr, eux-mêmes n'étaient pas blancs comme neige. Ils avaient travaillé dans une usine qui fabriquait des armes chimiques. Mais ils y avaient été contraints et, à leur manière, ils avaient tout fait pour m'éviter de suivre leurs traces. Ils avaient nourri le rêve de me voir entrer à l'université, devenir pilote d'hélicoptère. Tout plutôt que rester à Estrov. Et qu'aurait dit Léo, lui qui n'avait jamais fait le moindre mal à personne ? Il n'aurait pas reconnu l'homme que j'avais failli devenir.

Pour le pire ou pour le meilleur, j'en avais terminé avec tout ça. Je n'arrêtais pas de me le répéter. J'avais une jolie somme d'argent en poche. Le matin même, j'avais retiré cent cinquante mille euros de la banque – je savais que, sitôt ma fuite découverte, Scorpia gèlerait mes comptes. Et puis j'étais libre. À tous points de vue, ma situation était bien meilleure qu'elle ne l'était trois ans et demi plus tôt.

À l'aéroport, nous sommes allés ensemble aux guichets d'enregistrement. Le hasard voulait que mon vol décolle trente minutes après le sien, et nous avions un peu de temps à tuer. Après le contrôle des passeports, on s'est assis dans le hall des départs. Nous parlions peu. Hunter lisait un livre de poche. Je feuilletais un magazine.

— J'ai envie d'un café, a dit Hunter. Je t'en rapporte un ?

— Non, merci.

Il s'est levé.

— Ça risque d'être long. Je crois qu'il y a la queue. Tu surveilles mon sac ?

— Bien sûr.

Après avoir partagé tant de choses, nous commencions à devenir des étrangers. Des relations amicales, au mieux.

Hunter s'est dirigé vers la cafétéria. Il n'avait enregistré aucun bagage de soute. Il voyageait avec une mallette et une besace en toile, qu'il avait posées à ses pieds. Machinalement, j'ai ramassé la besace pour la mettre sur son siège vide, à côté de moi. Une des fermetures Éclair bâillait, à moitié fermée. J'ai rouvert mon magazine. Pour m'arrêter aussitôt. Quelque chose avait attiré mon regard. Quoi ?

En déplaçant la besace de toile, la pochette latérale s'était ouverte. À l'intérieur, il y avait un portefeuille, un téléphone mobile, la carte d'embarquement, une pile, des lunettes de soleil. C'était la pile qui avait capté mon attention. Une pile ronde de marque Power Plus. Où avais-je lu ce nom auparavant ? Et pourquoi signifiait-il quelque chose ? Soudain, la mémoire m'est revenue. Quelques mois plus tôt, à Malagosto, Gordon Ross nous avait montré plusieurs gadgets fournis par différents services d'espionnage. L'un d'eux était une pile Power Plus, qui dissimulait un émetteur radio servant à appeler des secours.

Or c'était un gadget britannique, fourni par les services secrets de Sa Majesté. Que faisait-il dans le sac de Hunter ?

J'ai jeté un regard circulaire. Aucun signe de Hunter. J'ai pris la pile rapidement pour l'examiner, espérant encore m'être trompé, et j'ai pressé le petit bouton doré du pôle positif sur le dessus. Comme je le soupçonnais, il y avait un ressort. Une pression sur le bouton activait un mécanisme intérieur qui permettait à la pile de se diviser en deux parties connectées. Si je faisais pivoter l'une des deux moitiés d'un demi-tour complet, je risquais de voir débarquer des agents de l'Intelligence Service dans le Terminal 2 de l'aéroport Charles-de-Gaulle.

L'Intelligence Service.

Des pensées terribles me traversaient déjà l'esprit. D'autant plus qu'un autre détail me faisait tiquer. Hunter m'avait dit qu'il allait chercher un café. Or il avait laissé son portefeuille. Comment allait-il payer ?

Je me suis levé pour faire quelques pas, laissant les bagages, indifférent aux rangées de passagers alignés. Je me sentais étourdi, déconnecté. J'avais l'impression d'avoir été arraché de mon propre corps. De l'angle du couloir, on apercevait la cafétéria. Il n'y avait pas la moindre file d'attente devant le comptoir, et Hunter n'y était pas. Il m'avait menti. Où était-il ? J'ai balayé la salle du regard et j'ai reconnu sa silhouette, plus loin. Il me tournait en partie le dos mais c'était bien lui. Il parlait au téléphone. Visiblement, c'était une conversation urgente, sérieuse. Je n'étais pas capable de lire sur ses lèvres mais, de toute évidence, il ne voulait pas être entendu.

Je suis retourné m'asseoir, craignant de laisser les bagages sans surveillance. Si on me les volait, comment pourrais-je me justifier ? Je tenais toujours la pile dans ma main. Je l'avais presque oubliée. J'ai décliqué le mécanisme, je l'ai remise à sa place, et j'ai reposé la besace par terre. Je n'ai pas fermé le zip. Hunter l'aurait remarqué. Mais j'ai repoussé la poche latérale du bout du pied pour qu'elle paraisse fermée. Ensuite, j'ai rouvert mon magazine.

Mais j'étais bien incapable de lire une ligne.

Je savais. Sans l'ombre d'un doute, John Rider, alias Hunter, était un agent double, un espion du MI6. Maintenant que j'y réfléchissais, c'était évident. J'aurais dû m'en douter depuis longtemps. La dernière nuit sur l'île, quand il m'avait surpris dans le bureau de Sefton Nye, j'aurais juré que personne ne m'avait suivi. Je ne me trompais pas. Hunter y était *avant* moi. Et sans doute depuis un moment. Nye n'avait pas laissé sa porte ouverte. C'était Hunter qui avait forcé la serrure. Il était là pour la même raison que moi : accéder aux dossiers de Nye. Mais lui recherchait des informations sur Scorpia afin de les transmettre à ses supérieurs. Rien d'étonnant à ce qu'il ait insisté pour me faire sortir très vite. Et s'il n'avait rien dit à Nye de ma présence dans le bureau, ce n'était pas pour me protéger, mais pour ne pas avoir à répondre à des questions embarrassantes sur ce que lui-même y faisait.

À présent, je comprenais pourquoi il avait épargné le jeune policier dans la loge de l'immeuble de Vosque. Un véritable tueur l'aurait abattu sans hésiter. Pas un agent secret britannique. Hunter avait tué le Commandant, c'est vrai. Mais celui-ci était un monstre, un trafiquant de drogue d'envergure, dont l'exécution ne pouvait que réjouir les gouvernements britannique et américain. Vosque, c'était une autre histoire. Bien que véreux et corrompu, il demeurait un officier supérieur de la police française. Et je n'avais que la parole de Hunter pour affirmer qu'il était mort. J'étais sorti quand il avait tiré sur le Flic. À cette heure, Vosque pouvait se trouver n'importe où. En prison, à l'étranger... mais vivant !

Je commençais à me rendre compte que John Rider n'avait pas seulement été envoyé pour espionner Scorpia, mais pour saboter l'organisation. Dès le début, il m'avait dupé. D'un côté, il me donnait des leçons, et je ne nie pas avoir beaucoup appris avec lui. De l'autre, il ne cessait de saper ma confiance. Dans la jungle, tout ce qu'il m'avait raconté sur lui était faux. Il n'avait pas tué un homme dans un pub. Il n'avait pas été en prison. Cette fable n'avait servi qu'à gagner ma sympathie. Ensuite il s'en était servi contre moi, en prétendant que je n'étais pas taillé pour devenir comme lui. C'est John Rider qui avait semé en moi l'idée que je devais fuir.

À Paris, il avait continué. Sa manière de s'adresser à moi dans l'appartement de Vosque, de me demander de faire ce qu'aucune personne saine d'esprit n'aurait fait, même pour de l'argent. Il m'avait donné cet horrible petit couteau. Il avait appelé Vosque par son nom. Pas « la victime », ni « le Flic ». Il voulait me faire réfléchir à mon acte dans le seul but de m'en empêcher. Résultat ? Toute la formation dispensée par Scorpia gâchée. Leur dernière recrue perdue à jamais.

Bien sûr que les agents de Scorpia me traqueraient. Bien sûr qu'ils m'élimineraient. John Rider avait tenté de me convaincre du contraire, mais il discutait probablement au téléphone avec eux en ce moment même pour les prévenir de ma défection. Pourquoi courrait-il le risque de me laisser vivre ? Scorpia enverrait un exécuteur m'attendre à Berlin. Après tout, Berlin était son idée. Un taxi viendrait se garer devant moi, je monterais dedans sans méfiance, et plus personne n'entendrait jamais parler de moi.

J'arrivais à peine à respirer. Mes mains serraient si fort le magazine que je commençais à le déchirer.

Ce qui me faisait le plus mal, qui me remplissait d'une haine noire, implacable, c'était de savoir que tout avait été une mascarade. Des mensonges. Après toutes les épreuves que j'avais subies, la perte de ceux que j'aimais, mes humiliations quotidiennes chez Vladimir Sharkovsky, la pauvreté, le désespoir, j'avais cru trouver un ami. J'avais donné ma confiance à John Rider, j'aurais été capable de tout pour lui. Mais, dans un sens, il était pire que les autres. Je ne comptais pas pour lui. Depuis le début, il se moquait de moi.

J'ai levé les yeux. Il revenait.

— Tout va bien, Yassen ?

— Oui. Vous avez eu votre café ?

— La queue était trop longue. Et puis on vient d'appeler les passagers de mon vol.

J'ai jeté un coup d'œil à l'écran du moniteur. Ça, au moins, c'était vrai. L'annonce de l'embarquement de Rome clignotait.

— Je crois que c'est l'heure des adieux, Yassen. Je te souhaite bonne chance… quoi que tu décides.

— Merci, Hunter. Je ne vous oublierai jamais.

On s'est serré la main. Je suis resté impassible.

Il a pris ses sacs et je l'ai regardé s'éloigner vers le guichet d'embarquement. Il ne s'est pas retourné. Dès qu'il a eu disparu, j'ai quitté l'aéroport. Je ne suis pas monté dans l'avion de Berlin. N'importe quel vol avec une liste nominative de passagers me semblait trop risqué. Je suis revenu à Paris en RER, et j'ai réservé une place dans un autocar qui conduisait un groupe d'étudiants et de jeunes routards à Hambourg. De là, j'ai pris un train pour Hanovre, avec une correspondance pour Moscou. Le trajet allait durer trente-six heures. Ça m'était égal. Je savais exactement ce que j'avais à faire.

Убийца

Le tueur

Il y avait bien longtemps que j'avais quitté la datcha de la Forêt d'argent. Et je croyais ne jamais y revenir.

En descendant du train à la gare Kazansky, à Moscou, j'ai éprouvé une impression bizarre. Je me souvenais du jour où j'y avais débarqué la première fois, dans mon uniforme de Jeune Pionnier. Ça me paraissait une éternité. Aucune trace de Dima, de Roman et de Gregory, ce qui était sans doute aussi bien. Qu'aurais-je pu leur dire si je les avais rencontrés ? Bien sûr, j'aurais été content qu'ils sachent que j'étais sain et sauf, mais mieux valait ne pas renouer les anciens liens. Mon univers était si éloigné du leur, désormais.

Apparemment, il y avait moins d'enfants vagabonds aux alentours de la gare. Le nouveau gouvernement avait peut-être fini par tenir ses promesses de s'occuper d'eux. On pouvait imaginer qu'ils étaient tous en prison. Les kiosques qui autrefois vendaient à manger avaient également disparu. J'avais encore en mémoire la glace à la framboise. Était-ce réellement moi, ce jour-là ? Ou bien un certain Yasha Gregorovitch, dont personne n'avait plus jamais entendu parler ?

J'ai pris le métro jusqu'à la station Shchukinskaya, puis un trolleybus jusqu'au parc, et j'ai continué à pied. Curieusement, je n'avais jamais vu la datcha de l'extérieur. J'y étais arrivé dans le coffre d'une voiture et j'en étais reparti en hélicoptère, à la tombée du soir. Cependant, je savais exactement où j'allais. Tous les documents et les plans concernant la construction de la maison de Sharkovsky, ainsi que les autorisations et permis nécessaires, étaient conservés, comme je l'avais supposé, au service d'urbanisme de la ville de Moscou. Je m'étais rendu dans ses bureaux, place Triumfalnaya – par hasard, tout près de la rue Tverskaya où habitait autrefois Dima –, le matin de très bonne heure. M'introduire dans le bâtiment ne m'avait posé aucun problème. Ce n'était pas un endroit qui avait à se protéger des voleurs.

Maintenant je comprenais pourquoi Sharkovsky avait choisi de vivre dans cette banlieue. Le paysage, plat et verdoyant, avec ses forêts de pins, ses lacs et ses plages, était magnifique. On apercevait quelques cavaliers à cheval. J'avais du mal à croire que j'avais vécu si près de la ville pendant mes trois années passées à la datcha. Le vacarme de la circulation était ici remplacé par le bruissement du vent et les chants d'oiseaux. Aucun immeuble ne masquait l'horizon.

Une route privée menait à la propriété. Je l'ai suivie pendant un moment, puis j'ai avancé en me dissimulant derrière les arbres qui la bordaient. Il y avait peu de risques que Sharkovsky ait installé des capteurs sous la chaussée de ciment et je n'apercevais aucune caméra de surveillance, mais il y avait toujours un doute. Enfin, j'ai vu se profiler le mur d'enceinte. Même de l'extérieur, j'ai reconnu les briques et les barbelés hérissés au sommet.

J'étais certain de m'introduire sans peine dans la propriété. Sharkovsky était fier de son système de sécurité, mais j'avais été entraîné par des experts. Les gardes de la datcha observaient les mêmes procédures, de jour comme de nuit. Ils agissaient mécaniquement, sans réfléchir. Et, comme on me l'avait martelé un nombre incalculable de fois à Malagosto, l'habitude est une faiblesse. C'est l'habitude qui vous tue. Certaines voitures et camions de livraison se présentaient à heure fixe. Je me souvenais d'avoir tout noté sur un carnet, dans ma vie d'avant. Quelle folie, cette routine ! Un cadeau à l'ennemi.

La camionnette de la teinturerie arrivait peu après cinq heures, l'après-midi, quand il faisait déjà sombre. Je savais qu'elle viendrait. J'avais perdu le compte des fois où je l'avais chargée et déchargée, apportant les draps sales pour en rapporter les propres. À l'approche du portail, le conducteur a aperçu une branche tombée d'un arbre en travers de la route. Il a arrêté son véhicule et en est descendu pour dégager le passage. Quand il a redémarré, il n'a pas remarqué qu'il avait un passager clandestin. Il ne fermait jamais à clé la porte du hayon arrière. Pourquoi l'aurait-il fermée ? Il ne transportait que des draps et des serviettes.

La camionnette a fait halte devant la barrière. Là encore, je connaissais exactement la procédure. Je l'avais observée si souvent qu'elle était encore gravée dans ma mémoire. Trois hommes occupaient le poste de garde. L'un d'eux contrôlait les écrans des caméras de surveillance, mais il était vieux et paresseux, et plus enclin à plonger le nez dans son journal. Le deuxième se plaçait du côté gauche du véhicule pour vérifier les papiers du conducteur, tandis que le troisième inspectait le dessous du véhicule à l'aide d'un miroir plat sur roulettes. J'ai calculé le minutage avec précision, et je me suis faufilé sans bruit dehors pour me cacher dans l'ombre de la cabane, avant que le troisième garde vienne ouvrir le hayon arrière. Je l'ai entendu fouiller rapidement dans le linge, ensuite il est revenu vers l'avant et a lancé au conducteur :

— C'est bon ! Vous pouvez y aller !

C'était très aimable à lui de m'indiquer le moment où je pouvais me mettre moi aussi en mouvement. Toujours masqué par la camionnette, j'ai regagné ma cachette au milieu du linge. Et le conducteur a démarré en direction de la maison.

Il me suffisait maintenant de sauter à l'instant où il s'arrêterait. Je savais à quel endroit : juste à côté de la porte de service empruntée par les livreurs et les domestiques. Je savais aussi où les capteurs étaient installés, ainsi que les caméras de surveillance. Par contre, j'ai été surpris de découvrir que la porte n'était pas fermée à clé. Sharkovsky était un imbécile. Après l'irruption d'un tueur à gages dans sa maison, je lui aurais vivement conseillé de repenser tous ses dispositifs de sécurité. Surtout après l'évasion de son assassin en hélicoptère, avec Arkady Zelin et moi ! Trois personnes au courant de son point faible. Son long séjour à l'hôpital avait probablement amoindri ses capacités de raisonnement.

J'ai laissé le teinturier et la gouvernante prendre un peu d'avance et disparaître dans la lingerie, et je me suis aventuré à l'intérieur de la maison, dans ces couloirs si familiers. Arrivé à hauteur de la cuisine, j'ai vu que Pavel travaillait toujours là. Le chef était penché au-dessus de ses fourneaux, occupé à apporter la dernière touche à la tourte qu'il avait préparée pour le repas du soir. Je n'avais pas à m'inquiéter de lui. Il était dur d'oreille et absorbé par son travail. Mais j'avais besoin de quelque chose. J'ai tendu la main pour prendre la clé de la Lexus accrochée sur le tableau à l'entrée de la cuisine. Si j'avais été responsable de la sécurité, j'aurais suggéré d'enfermer toutes les clés dans un lieu plus sûr. Je trouvais juste que la voiture qui m'avait conduit à la datcha me procure également le moyen d'en partir. La Lexus était blindée. Je pourrais forcer la barrière du portail sans qu'on puisse m'arrêter.

J'ai poursuivi mon chemin dans le couloir, mais je savais que, à partir de maintenant, je devrais faire très attention. Certaines choses avaient dû changer dans la maison. Tout d'abord, Karl et Josef avaient été remplacés. L'un parce qu'il était mort et enterré, l'autre renvoyé. Sharkovsky avait probablement engagé des gardes du corps plus efficaces. Le hall était silencieux. Tout était exactement comme dans mon souvenir, jusqu'à l'énorme bouquet de fleurs sur la table centrale. J'ai traversé le hall sur la pointe des pieds et me suis faufilé par la porte conduisant au sous-sol. C'est là, dans cette pièce où l'on m'avait montré le cadavre du goûteur de nourriture, que j'ai attendu. Longtemps.

Je ne suis pas remonté du sous-sol avant onze heures du soir, heure à laquelle j'imaginais que tout le monde était allé se coucher. Les bruits m'avaient clairement indiqué qu'il n'y avait pas d'invités. À présent, les lumières étaient éteintes. Personne en vue. Je suis allé tout droit dans le bureau de Sharkovsky. Je craignais d'y trouver le dalmatien, mais je me rassurais en me disant que le chien se souviendrait de moi et n'aboierait pas. En fait, il n'était pas là. Son maître s'en était peut-être débarrassé. Quelques bûches finissaient de brûler dans la cheminée et leur lueur me guidait. Je me suis approché du bureau. J'ai tâtonné, bricolé, et trouvé ce que je cherchais dans le tiroir du bas. Maintenant, il ne me restait qu'à monter l'escalier jusqu'à la chambre à coucher de Sharkovsky, au bout du couloir.

Cela n'a pas été nécessaire. À ma surprise, la porte du bureau s'est ouverte et la lumière s'est allumée. C'était Sharkovsky. Seul. Il ne m'a pas vu. J'étais caché derrière le bureau mais je l'ai observé fermer la porte puis se déplacer dans la pièce avec difficulté.

Sharkovsky ne marchait plus. Il était dans un fauteuil roulant, en pyjama et peignoir de soie. Soit il dormait au rez-de-chaussée, soit il avait fait installer un ascenseur. Il était décharné. Il avait toujours le crâne rasé, le regard noir et féroce, mais il y avait dans ses yeux le souvenir de la douleur. Sa bouche s'était crispée dans une grimace amère et permanente, sa peau était grise, tirée sur les os. Même les couleurs de son tatouage paraissaient estompées. J'apercevais juste les ailes de l'aigle dans l'encolure de son pyjama. Chaque mouvement lui était pénible. Il avait vraiment dû se briser le cou en tombant. Si les balles du tueur ne l'avaient pas tué, elles avaient provoqué des dommages irréparables. Sharkovsky était une épave.

La porte était fermée. Nous étions seuls. Je me suis redressé. Je tenais un revolver, le même revolver que Sharkovsky m'avait remis, la première fois, dans son bureau. Dans l'autre main, j'avais une boîte de balles.

— Yassen Gregorovitch ! s'est exclamé Sharkovsky d'une voix faible, comme si quelque chose dans sa gorge avait été détérioré.

Il avait l'air abasourdi, mais pas inquiet. Malgré mon arme, il ne se sentait pas en danger.

— Je ne pensais pas te revoir un jour, a-t-il ajouté avec un sourire narquois. Tu es venu reprendre ton ancien emploi ?

— Non, ce n'est pas ce qui m'amène.

Il a manœuvré son fauteuil pour rejoindre sa place habituelle derrière son bureau. Je me suis écarté. Je trouvais juste que tout soit ainsi, comme autrefois.

— Qu'est devenu Arkady Zelin ?

— Je ne sais pas.

— Ils étaient complices, n'est-ce pas ? Lui et le mécanicien.

Comme je ne disais rien, il a continué.

— Je finirai par les retrouver. J'ai des hommes qui les recherchent partout dans le monde. Ils t'ont recherché, toi aussi.

Sa voix grinçait, chargée de haine. Il n'avait pas besoin de préciser le sort que m'auraient réservé ses hommes s'ils m'avaient retrouvé.

— Tu les as aidés, Zelin et le mécanicien ? Tu faisais partie du complot ?

— Non.

— Mais tu as fui avec eux.

— Je les ai persuadés de m'emmener.

— Alors pourquoi es-tu revenu ?

— Nous avons une affaire à régler. Nous devons parler d'Estrov.

— Estrov ? a-t-il sursauté, étonné d'entendre ce nom.

— J'ai vécu là-bas.

— Mais tu disais… Tu disais que tu venais de Kirsk.

— Mes parents et tous mes amis sont morts à Estrov. C'est vous le responsable.

Sharkovsky a souri. Un sourire atroce, un sourire de tête de mort, un sourire cruel.

— Eh bien ça alors ! J'avoue que je suis étonné. Et tu es revenu te venger ? Ce n'est pas très poli de ta part, Yassen. J'ai veillé sur toi. Je t'ai accueilli sous mon toit. Je t'ai nourri, donné un travail. Où est ta gratitude ?

Tout en parlant, il avait glissé ses mains sous son bureau. Mais j'étais passé avant lui.

— J'ai déconnecté le bouton d'alarme. Inutile d'essayer d'appeler au secours. Personne ne viendra.

Pour la première fois, il a paru douter.

— Qu'est-ce que tu veux ?

— Pas me venger. Disons plutôt… achever quelque chose. Mettre un point final à une histoire qui a débuté ici même.

J'ai placé le revolver devant lui et vidé la boîte de munitions sur le bureau.

— Quand vous m'avez amené ici, vous m'avez fait jouer à un jeu. C'était sadique. J'avais quatorze ans ! On ne peut pas imaginer un être humain capable de faire ça à un enfant. Ce soir, on va y jouer encore. Mais selon mes règles, cette fois.

Sharkovsky m'a regardé, fasciné, prendre le revolver, ouvrir le magasin et y placer une balle. Après une pause, j'ai introduit une deuxième balle, puis une troisième, une quatrième, une cinquième. Enfin, j'ai fermé le chargeur.

Cinq balles. Une seule chambre vide.

L'inverse exactement des chances que Sharkovsky m'avait laissées.

Il avait enfin compris.

— La roulette russe ? Tu crois vraiment que je vais jouer ? Pas question de me suicider devant toi, Yassen Gregorovitch. Tue-moi si tu veux. Sinon va croupir en enfer.

— C'est là que vous m'avez retenu prisonnier pendant des années. L'enfer.

Je soupesais le revolver, je le palpais. Je me souvenais encore de son goût.

— Vous êtes coupable de tout le mal qui m'est arrivé, Vladimir Sharkovsky. Sans vous, je serais encore dans mon village, avec ma famille et mes amis. Dès l'instant où vous êtes entré dans ma vie, mon voyage en enfer a commencé. Vous m'avez imposé un destin terrible.

» Je ne veux pas être un assassin, Vladimir Sharkovsky. C'est ma dernière chance d'échapper à ça.

J'ai senti quelque chose de chaud rouler sur ma joue. Une larme. Je ne voulais pas me montrer faible devant lui. Je ne l'ai pas essuyée.

— Vous comprenez ce que j'essaie de vous dire, Sharkovsky ? Ce que vous voulez, ce que Scorpia veut, ce que tout le monde veut... ce n'est pas ce que moi je veux.

— Je ne comprends rien à ce que tu racontes. Je suis fatigué et j'en ai assez de t'écouter. Je vais me coucher.

— Je ne suis pas venu pour vous tuer. Je suis venu pour mourir.

J'ai levé le revolver. Cinq balles. Une chambre vide.

J'ai posé le canon sur ma tempe.

Sharkovsky me dévisageait.

J'ai pressé la détente.

Le déclic a eu la puissance d'une détonation. Contre toute probabilité, j'étais vivant. Mais ça ne me surprenait pas. J'avais été choisi. Mon avenir se dessinait devant moi et il n'y avait plus d'échappatoire.

— Tu es fou ! a murmuré Sharkovsky.

— Je suis ce que vous avez fait de moi.

J'ai retourné le revolver et je l'ai abattu d'une balle entre les deux yeux. Le fauteuil roulant a été projeté en arrière contre le mur. Du sang a giclé sur le bureau. Les mains de Sharkovsky ont été agitées de petits soubresauts, puis sont retombées, inertes.

Des pas résonnaient dans le hall. Une seconde après, la porte s'est ouverte. Je m'attendais à voir surgir les gardes du corps mais c'était le fils de Sharkovsky. Ivan était en smoking, son nœud papillon noir défait autour du cou. Il revenait sans doute d'une soirée. Il a vu son père. Puis il m'a vu.

— Yassen ! s'est-il écrié, de cette voix que je connaissais trop bien.

J'ai tiré trois balles. Une dans la tête, deux dans le cœur.

Ensuite, je suis parti.

Épilogue

—

L'assassinat

King's Cross, Londres. Trois heures du matin.

La station de métro était fermée et silencieuse. Les rues presque désertes. Quelques boutiques étaient encore ouvertes. Les enseignes criardes d'un restaurant de brochettes et d'un bureau de taxis brillaient dans la nuit, mais il n'y avait pas de clients.

Dans sa chambre d'hôtel, Yassen Gregorovitch ôta la clé USB de l'ordinateur. Il avait suffisamment lu. Le plateau de son dîner avec la vaisselle sale était posé sur la moquette, à côté de lui. Il contempla l'écran blanc de l'ordinateur et bâilla. Il avait besoin de dormir. Il se déshabilla et plia ses vêtements sur une chaise. Ensuite il prit une douche et se mit au lit. Il s'endormit presque aussitôt. Il ne rêva pas. Depuis cette dernière nuit dans la datcha de la Forêt d'argent, il ne rêvait plus.

Il s'éveilla à sept heures précises. C'était un samedi et la rue était plus calme que la veille. Le soleil brillait mais le drapeau sur le toit d'en face signalait un vent vif. Il scruta rapidement les trottoirs, en quête d'un détail insolite, d'une anomalie, d'une présence suspecte. Tout semblait normal. Il se doucha de nouveau, se rasa et s'habilla. Ensuite il alluma l'ordinateur pour lire ses messages. Il savait que l'ordre reçu la veille serait maintenu. Scorpia n'avait pas l'habitude de changer d'avis. Il y avait un seul nouveau courriel. Comme d'habitude, celui-ci était crypté et adressé à un compte de messagerie non traçable, interdisant de remonter jusqu'à lui. Il le lut, réfléchit, et planifia sa journée.

Il descendit dans la salle à manger prendre son petit déjeuner. Thé, yaourt, fruit frais. L'hôtel possédait une salle de gymnastique, mais elle était trop petite et mal équipée. De toute façon, il ne se serait pas senti en sécurité dans l'espace confiné situé au sous-sol. C'était presque aussi dangereux qu'un ascenseur. Après le petit déjeuner, il remonta dans sa chambre, vérifia la poignée de la porte, empaqueta ses quelques affaires, et sortit.

— Au revoir, M. Reddy. J'espère que vous avez apprécié votre séjour chez nous.

— Oui, merci.

La jeune femme de la réception était une ravissante Roumaine. Yassen n'avait pas de petite amie, bien sûr. Toute relation amoureuse était inenvisageable mais, un court instant, il sentit un pincement de regret en songeant à Colette, la jeune fille morte en Argentine. Et il s'en voulut aussitôt. Il n'aurait pas dû se replonger dans son journal intime.

Il régla la note avec la carte de crédit du club de gym où il était supposé travailler, et prit le reçu. Il le brûlerait plus tard. Un reçu était un début de piste. La chose à éviter.

Au moment de quitter l'hôtel, il vit dans le hall un homme qui lisait le journal. Les gros titres de la une captèrent son attention :

FUSILLADE AU MUSÉE DE LA SCIENCE EN PRÉSENCE DU PREMIER MINISTRE « AUCUNE VICTIME », AFFIRME LE MI6

Et aucune mention de Herod Sayle ni d'Alex Rider. Évidemment. Personne ne souhaitait révéler qu'un milliardaire, mécène du Royaume-Uni, était impliqué dans une tentative d'assassinat. Et on avait pris soin d'éloigner Alex Rider des journalistes afin que personne ne sache que les services secrets avaient recruté un adolescent de quatorze ans.

Yassen franchit la porte à tambour et tourna dans la rue en direction du parking. Il avait loué une Renault Clio au nom du club de gym. Il mit ses affaires dans le coffre, puis traversa Londres en direction de l'ouest, jusqu'à une rue de Chelsea située non loin de la Tamise. Il se gara à proximité d'une charmante maison mitoyenne, avec du lierre grimpant sur la façade, un petit jardin carré et une grille en fer forgé.

C'était donc ici que vivait Alex Rider. Yassen supposa que le garçon était là, quelque part, peut-être encore endormi. Aujourd'hui, samedi, il n'y avait pas classe, mais de toute façon Alex ne serait certainement pas allé en cours. La veille, il avait détourné un avion cargo en Cornouailles et obligé le pilote à survoler Londres. Il avait sauté en parachute sur le musée de la Science, à South Kensington, et tiré sur Herod Sayle quelques secondes avant que celui-ci n'appuie sur le bouton qui devait activer les ordinateurs Stormbreaker. Comme l'avaient rapporté les journaux, la scène s'était déroulée en présence du Premier ministre. La police, le SAS et le MI6 étaient impliqués dans l'affaire. Yassen imaginait le spectacle. Un véritable chaos.

Assis derrière le volant, il observait la maison.

Oui, Alex Rider méritait bien une grasse matinée.

Environ une heure plus tard, la porte de la maison s'ouvrit et une jeune femme apparut. Elle était vêtue d'un jean et d'un pull large, ses cheveux roux tombaient librement sur ses épaules. Yassen ne la connaissait pas mais il savait qu'elle s'appelait Jack Starbright. C'était la gouvernante d'Alex Rider. Cela pouvait paraître un peu étonnant qu'ils vivent seuls tous les deux, mais Alex n'avait pas de famille. John Rider et sa femme étaient morts depuis longtemps. Ainsi que le frère de John, Ian, qui avait été le tuteur d'Alex. Yassen le savait puisque c'était lui qui avait tué Ian Rider. Pourquoi son destin était-il si intimement lié à celui des Rider ? Cette famille ne le laisserait-elle donc jamais en paix ?

Jack Starbright portait un sac en osier. Elle allait en courses. Yassen pouvait profiter de son absence pour se faufiler dans la maison et monter en silence à l'étage. Si Alex Rider dormait encore, tout irait très vite. Ce serait plus facile pour lui. Simplement, il ne se réveillerait pas.

Mais Yassen avait déjà écarté cette solution, qui comportait trop d'incertitudes. Il n'avait pas étudié la disposition de la maison. Il ignorait s'il y avait une alarme. La gouvernante pouvait revenir d'un instant à l'autre. Et puis le dernier message qu'il avait reçu lui imposait une nouvelle priorité. L'affaire Stormbreaker n'était pas terminée. Liquider Alex Rider maintenant risquait de compromettre la suite. Il tourna la clé de contact et démarra. Maintenant qu'il connaissait la maison d'Alex, qu'il s'était familiarisé avec son environnement, il pourrait revenir plus tard.

Yassen passa le reste de la journée à ne rien faire. C'était l'un des aspects les plus étranges de son métier. Il avait appris à combler les longs moments d'inactivité, à tuer le temps. Il lui arrivait d'attendre des jours, voire des semaines, dans une chambre d'hôtel. Le secret consistait à se mettre au point mort, à rester vigilant mais sans gaspiller son énergie physique et mentale. Il existait pour cela des méthodes de méditation, qui lui avaient été enseignées à Malagosto. Il les mit en application.

Dans l'après-midi, il se rendit en voiture à l'héliport de Battersea, entre les ponts de Battersea et de Wandsworth. C'est le seul endroit à Londres où un homme d'affaires peut arriver en ville en hélicoptère, ou en partir. L'appareil qu'il avait réservé l'attendait. Un Colibri EC-120B jaune, qu'il appréciait particulièrement parce qu'il était relativement silencieux. Yassen avait obtenu sa licence de pilote cinq ans plus tôt, réalisant enfin son rêve d'enfant. À cette différence qu'il n'avait jamais travaillé dans le sauvetage en mer. Piloter était très utile dans sa profession. Yassen allait de l'avant, s'adaptait, se perfectionnait. C'est ce qui lui avait permis de survivre.

L'hélicoptère était prêt, réservoir plein, toutes les autorisations en règle. Sa mallette sous un bras, Yassen monta dans le cockpit. Quelques minutes plus tard, il suivait le tracé de la Tamise en direction de l'est. Le message reçu le matin spécifiait une heure et un lieu. Il repéra le lieu droit devant lui : un gratte-ciel de bureaux de trente étages, avec un toit plat et une antenne radio. Une croix peinte en rouge signalait l'aire d'atterrissage.

Herod Sayle l'y attendait déjà.

C'était Sayle qui lui avait envoyé le message. Sayle qui avait tout organisé, et versé un supplément d'un million d'euros sur un compte spécial que Yassen possédait dans une banque à Genève. La police recherchait le milliardaire dans tout le pays. Les aéroports et les gares étaient surveillés. On avait déployé des unités de police supplémentaires sur les côtes. Yassen était payé pour faire sortir Sayle du Royaume-Uni. Ils devaient atterrir en France, près de Paris, où un jet privé attendait le milliardaire en fuite pour le transporter dans un lieu secret en Amérique du Sud.

De loin, et de haut, Yassen reconnut Sayle en dépit de son accoutrement : l'homme portait un pantalon de velours et un gilet qui rompaient avec ses costumes habituels. Il avait voulu se déguiser, mais sa peau noire, son crâne chauve et sa petite taille ne trompaient pas. Et il n'avait pas quitté sa chevalière en or, qui étincelait au soleil de l'après-midi. Sayle tenait un revolver. Il n'était pas seul. Yassen plissa les yeux. Un garçon était face à lui, tout près du bord du toit. Alex Rider ! Sayle le menaçait de son arme. Visiblement, il était sur le point de tirer. Comment Sayle avait réussi à attirer le garçon ici pour le tuer avant de s'enfuir était un mystère. Yassen s'étonnait qu'Alex se soit laissé capturer.

Il prit une décision. Ce ne fut pas facile d'ouvrir la porte coulissante du cockpit, puis de plonger la main dans la mallette tout en gardant le contrôle du Colibri, mais il y parvint. Il sortit son arme, un pistolet Glock à longue portée capable de tirer avec précision jusqu'à deux cents mètres. En fait, Yassen se trouvait beaucoup plus près, ce qui était préférable car l'exercice s'annonçait délicat.

Il était temps pour lui de réaliser son contrat.

Il visa avec soin, le pistolet dans une main, la manette de commande dans l'autre. L'hélicoptère était stabilisé. Il pressa doucement la détente et fit feu à deux reprises. Il sut qu'il avait fait mouche avant même que les balles aient atteint la cible.

Herod Sayle tourna sur lui-même et s'écroula. Il resta étendu, immobile, indifférent à la flaque de sang qui s'élargissait autour de lui.

Alex ne bougeait pas. Yassen l'admira pour son calme. S'il avait tenté de fuir, il aurait reçu une balle dans le dos avant d'avoir fait deux pas. Mieux valait discuter. Ils avaient des choses à éclaircir.

Yassen posa l'hélicoptère aussi vite qu'il le put, sans quitter Alex des yeux, son pistolet sur les genoux. Le train d'atterrissage toucha le toit de l'immeuble et s'y posa. Aussitôt, il coupa le contact et descendit du cockpit.

Ils étaient face à face.

La ressemblance d'Alex et de John Rider était saisissante. Alex avait les cheveux plus longs que son père, et plus clairs, comme ceux de la jeune femme que Yassen avait aperçue avec John sur les marches du Sacré-Cœur. Mais il avait les mêmes yeux bruns que John, et aussi la même attitude assurée. L'adolescent venait de voir un homme mourir sous ses yeux et pourtant il n'avait pas peur. Il avait quatorze ans. Le même âge que Yassen le jour où une flotte d'hélicoptères meurtriers s'était abattue sur son village, et cette coïncidence lui semblait à la fois extraordinaire et étrangement appropriée.

Les parents d'Alex étaient morts, comme les siens. Ils avaient péri dans l'explosion de leur avion. Un attentat commandité par Scorpia auquel Yassen était heureux de ne pas avoir participé. Il n'avait jamais raconté à Julia Rothman ce qu'il savait sur John Rider. À son retour à Venise, Hunter était déjà reparti en mission avec une autre jeune recrue. À quoi bon mettre sa vie en danger ? Yassen avait déjà pris sa décision. Quelle que soit la véritable identité de Hunter et quoi qu'il ait fait, cet homme lui avait sauvé la vie dans la forêt amazonienne, et il avait une dette envers lui. Il lui suffirait d'effacer de son esprit ce qu'il savait. De faire comme s'il n'avait jamais vu la pile Power Plus dans son sac. Et peu lui importait que John Rider cause d'autres préjudices à Scorpia. Yassen n'avait envers l'organisation, ni envers quiconque, aucun devoir de loyauté. Dans sa nouvelle vie, la fidélité n'existait pas.

Il se vengerait de la trahison de John Rider à sa manière. En devenant le tueur à gages le plus efficace et le plus insensible de tous. Vladimir Sharkovsky et son fils Ivan n'avaient été qu'un point de départ. Depuis, combien d'autres personnes avait-il assassinées ? Cent ? Probablement plus. Et chaque fois que Yassen ajoutait un nouveau nom à la liste de ses victimes, il démontrait que John Rider s'était trompé. Il était devenu exactement ce qu'il était destiné à être.

Or voilà qu'il se trouvait face au fils de John Rider. Leur rencontre était inéluctable. Que savait Alex du passé ? Avait-il la moindre idée du métier qu'avait exercé son père ?

— Vous êtes Yassen Gregorovitch, dit Alex.

Yassen acquiesça.

— Pourquoi avez-vous tué Sayle ? reprit Alex avec un regard vers le cadavre étendu à ses pieds.

— C'étaient mes instructions.

Yassen mentait. Scorpia ne lui avait pas ordonné de tuer Sayle. Il avait agi de sa propre initiative. Mais il savait que Julia Rothman approuverait sa décision. Sayle était devenu encombrant. Il avait échoué. Mieux valait en finir avec lui une fois pour toutes.

— Et moi ? demanda Alex.

Yassen prit le temps de réfléchir avant de répondre.

— Je n'ai pas d'ordres à ton sujet.

Nouveau mensonge. Le message qu'il avait reçu ne pouvait être plus clair. Mais Yassen ne pouvait pas tuer Alex Rider. Sa dette envers le père s'étendait au fils. Des images de son séjour à Paris avec Hunter lui revenaient. La similitude entre les deux situations était difficile à expliquer. Il en avait pris conscience seulement quelques instants plus tôt et c'est pourquoi, à la dernière seconde, il avait détourné son arme sur Sayle. Yassen avait été pour John Rider ce qu'Alex était maintenant pour lui. Il n'y aurait plus d'autre mort aujourd'hui.

— Vous avez tué Ian Rider, fit remarquer Alex. C'était mon oncle.

Ian Rider. Le frère cadet de John. Yassen l'avait en effet abattu au moment où celui-ci tentait de s'échapper de l'entreprise de Sayle, en Cornouailles. C'est là que tout avait commencé. Et c'était la raison de la présence d'Alex ici.

— J'ai tué beaucoup de gens, répondit Yassen avec un haussement d'épaules.

— Un jour, c'est moi qui vous tuerai.

— Beaucoup de gens ont essayé. Crois-moi, il vaudrait mieux qu'on ne se rencontre plus. Retourne au collège. Reprends ta vie. Et la prochaine fois que le MI6 voudra t'envoyer en mission, refuse. Tuer est une affaire d'adultes et tu es encore un enfant.

C'était le même conseil que John Rider lui avait donné autrefois. Mais pour d'autres raisons.

Alex et Yassen venaient de mondes très différents, cependant ils avaient beaucoup en commun. Au même âge, ils avaient perdu tout ce qui leur était cher et s'étaient retrouvés orphelins. Ensuite, ils avaient été choisis. Dans le cas d'Alex, par le MI6, la division des opérations spéciales des services secrets britanniques. Dans le cas de Yassen, par Scorpia. Leur avait-on laissé le choix ?

Il n'était peut-être pas trop tard. Yassen songea à sa vie, à son journal intime, qu'il avait passé une partie de la nuit à relire. Si seulement quelqu'un l'avait aidé, conseillé, avant qu'il ne monte dans ce train pour Moscou, avant qu'il ne s'introduise dans l'appartement du parc Gorki, avant qu'il n'arrive à Malagosto. Pour lui, il n'y avait eu personne. Mais pour Alex, tout pouvait encore changer.

Yassen venait de lui donner une chance.

Il n'y avait rien à ajouter. Il tourna les talons pour revenir vers l'hélicoptère. Alex ne fit pas un geste. Yassen mit le contact et attendit que les rotors aient atteint leur pleine vitesse. Au dernier moment, il leva la main dans un signe d'adieu. Alex répondit de même.

Ils échangèrent un regard. Chacun à sa façon, ils étaient pris au piège. De part et d'autre de la vitre.

Yassen actionna la manette de commande et l'hélicoptère décolla. Il devrait faire son rapport à Scorpia, expliquer ses raisons. Le punirait-on ? Il en doutait. Il leur était trop précieux. On lui remettrait probablement une autre enveloppe contenant un autre nom. Quelqu'un dont l'heure était venue de mourir.

Yassen ne put se retenir. Au-dessus de la Tamise, sur laquelle le soleil commençait à décliner, il effectua une rotation pour jeter un dernier regard sur le toit du gratte-ciel. Mais le toit était vide, à l'exception du corps étendu près de la croix rouge.

Alex Rider avait disparu.

Table des matières

CE ROMAN VOUS A PLU ?

Donnez votre avis et
discutez de votre série préférée
avec d'autres lecteurs sur

LECTURE academy.com

Composition Jouve - 45770 Saran
N°2119328J

Impression réalisée par
CPI BRODARD ET TAUPIN
La Flèche
en octobre 2013

Imprimé en France
Dépôt légal : 1re publication novembre 2013
20.3931/01 - ISBN : 978-2-01-203931-5
N° d'impression : 3002155
Dépôt légal : novembre 2013

Loi n° 49-956 du 16 juillet 1949 sur les publications destinées à la jeunesse.